Les nouveaux outils pour le français

cycle 3

CM2

Ce manuel applique les règles de la **nouvelle orthographe**, comme le recommandent les programmes. Toutefois, les textes reproduits le sont dans leur orthographe d'origine. Les deux graphies sont admises. **www.renouvo.org**

Claire Barthomeuf
Professeure des écoles

Catherine Lahoz
Professeure des écoles

Martine Palau
Professeure des écoles

Hélène Pons
Agrégée de l'université

MAGNARD

www.cm2.opf2016.magnard.fr

Progression en étude

Connaissances et compétences associées	Les nouveaux outils pour le français CM1
Maitriser les relations entre l'oral et l'écrit	
• Ensemble des phonèmes du français et des graphèmes associés	• Le son [j] • La lettre *h* • Les lettres finales muettes • Les noms terminés par le son [œr] • Les noms terminés par le son [war] • Les noms féminins terminés par les sons [e] et [te] • Les homophones
• Variation et marques morphologiques à l'oral et à l'écrit (noms, déterminants, adjectifs, pronoms, verbes)	• Le nom • Les articles et les déterminants possessifs et démonstratifs • L'adjecti qualificatif • Les pronoms personnels • Le verbe
Acquérir la structure, le sens et l'orthographe des mots	
• Observations morphologiques : dérivation et composition, explications sur la graphie des mots, établissement de séries de mots (en lien avec la lecture et l'écriture)	• Chercher un mot dans le dictionnaire • Lire un article de dictionnaire • Les mots de la même famille • Les préfixes et les suffixes
• Découverte des bases latines et grecques, dérivation et composition à partir d'éléments latins ou grecs, repérage des mots appartenant au vocabulaire savant, construction de séries lexicales	
• Mise en réseau de mots (groupements par champ lexical)	• Vivre ensemble • Mer et montagne • Ville et campagne • Le Moyen Âge • La Renaissance • La matière • La nutrition • Le portrait • Des sensations, des sentiments et des jugements
• Analyse du sens des mots : catégorisations (termes génériques/ spécifiques), polysémie et synonymie	• Les noms génériques • Les synonymes • Les homonymes • Les contraires • Le sens d'un mot d'après le contexte • Le sens propre et le sens figuré • Les niveaux de langage
Maitriser la forme des mots en lien avec la syntaxe	
• Observation des marques du genre et du nombre entendues et écrites	• Le féminin des noms • Le féminin des adjectifs qualificatifs • Le pluriel des nom • Le pluriel des noms en *-au, -eau, -eu* • Le pluriel des noms en *-al, -ail* • Le pluri des adjectifs qualificatifs
• Identification des classes de mots subissant des variations : le nom et le verbe ; le déterminant ; l'adjectif ; le pronom	• Les classes grammaticales : le nom, les articles, les déterminants possessifs e démonstratifs, l'adjectif qualificatif, les pronoms personnels
• Notion de groupe nominal et accords au sein du groupe nominal	• Le nom et le groupe nominal • Les accords dans le groupe nominal
• Accord du verbe avec son sujet, de l'attribut avec le sujet, du participe passé avec *être* (à rapprocher de l'accord de l'attribut avec le sujet)	• L'accord du verbe avec le sujet • L'accord du participe passé
• Élaboration de règles de fonctionnement construites sur les régularités	
Observer le fonctionnement du verbe et l'orthographier	
• Reconnaissance du verbe (utilisation de plusieurs procédures)	• Passé, présent, futur • L'infinitif du verbe
• Mise en évidence du lien sens-syntaxe : place et rôle du verbe, constructions verbales, compléments du verbe et groupe verbal	• Le présent : les verbes en *-er, -ier, -uer, -ouer, -cer, -ger*, les verbes en *-ir* comme *finir, partir* et *venir*, en *-dre* comme *prendre* et *répandre*, les verbes *être, aller, faire, dire, avoir, voir, devoir, vouloir* et *pouvoir*
• Morphologie verbale écrite en appui sur les régularités et la décomposition du verbe (radical-marques de temps-marques de personne) ; distinction temps simples/temps composés	• Le futur : les verbes en *-er*, en *-ir* comme *finir*, en *-dre* comme *prendre* et *répandre*, les verbes *être, aller, faire, dire, avoir, voir, devoir, vouloir* et *pouvoir*
• Mémorisation des verbes fréquents (*être, avoir, aller, faire, dire, prendre, pouvoir, voir, devoir, vouloir*) et des verbes en *-er* à l'imparfait, au futur, au présent, au présent du mode conditionnel, à l'impératif et aux 3es personnes du passé simple	• L'imparfait : les verbes en *-er*, en *-ir* comme *finir*, en *-dre* comme *prendre* et *répandre*, les verbes *être, aller, faire, dire, avoir, voir, devoir, vouloir* et *pouvoir*
	• Le passé simple : les verbes en *-er*, en *-ir* comme *finir* à la 3e personne du singulier et du pluriel • Le passé composé avec l'auxiliaire *avoir*
• Approche de l'aspect verbal (valeurs des temps) abordé à travers l'emploi des verbes dans les textes lus et en production écrite ou orale	• Le passé composé avec l'auxiliaire *être*
Identifier les constituants d'une phrase simple en relation avec sa cohérence sémantique ; distinguer phrase simple et phrase complexe	
• Mise en évidence de la cohérence sémantique de la phrase : de quoi on parle et ce qu'on en dit, à quoi on peut rajouter des compléments de phrase facultatifs	• Le verbe et son sujet • Les compléments de verbe • Les compléments de phras • L'attribut du sujet
• Mise en évidence des groupes syntaxiques : le sujet de la phrase (un groupe nominal, un pronom, une subordonnée) ; le prédicat de la phrase, c'est-à-dire ce qu'on dit du sujet (très souvent un groupe verbal formé du verbe et des compléments du verbe s'il en a) ; le complément de phrase (un groupe nominal, un groupe prépositionnel, un adverbe ou un groupe adverbial, une subordonnée)	• La phrase • Les types et formes de phrase • La ponctuation
• Distinction phrase simple – phrase complexe (repérage des verbes)	

de la langue au cycle 3

programmes 2016

Les nouveaux outils pour le français CM2

6e

Les mots commençant par *ac-, af-, ap-, ef-, of-* • Les noms féminins en [e], [e], [tje] • Les lettres muettes • La formation des adverbes en *-ment* • Les homophones

Le nom • Les articles et les déterminants possessifs et démonstratifs • L'adjectif qualificatif • Les pronoms personnels • Le verbe

• Le travail de correspondance entre graphème et phonème doit être poursuivi en accompagnement personnalisé pour les élèves qui en ont besoin.

Chercher un mot dans le dictionnaire
Lire un article de dictionnaire
Les mots de la même famille
Les préfixes et les suffixes

• Les préfixes et les suffixes
• Les familles de mots
• La composition des mots

Sentiments et émotions • La presse • L'art • Les sciences • L'environnement • L'histoire • Le voyage • Le théâtre

---

Les noms génériques • Les synonymes • Les homonymes • Les contraires • Les différents sens d'un mot • Les niveaux de langage

• L'homophonie lexicale et grammaticale

Le féminin des noms • Le féminin des adjectifs qualificatifs • Le pluriel des noms • Le pluriel des adjectifs qualificatifs

---

Les classes grammaticales : le nom, les articles, les déterminants possessifs et démonstratifs, l'adjectif qualificatif, les pronoms personnels

Le nom et le groupe nominal
Les accords dans le groupe nominal
L'accord du verbe avec le sujet
L'accord de l'attribut du sujet
L'accord du participe passé

• Les articles indéfinis, définis, partitifs
• Les déterminants possessifs et démonstratifs
• Les pronoms personnels, possessifs, démonstratifs
• Les accords dans le groupe nominal : singulier renvoyant à une pluralité sémantique (*tout le monde*)
• L'accord du verbe avec le sujet
• L'accord de l'attribut du sujet

Passé, présent, futur • L'infinitif du verbe • Conjuguer un verbe
Le présent : les verbes en *-er*, en *-ir* comme *finir*, *venir* et *partir*, en *-dre* comme *prendre* et *rendre*, les verbes fréquents
Le futur : les verbes en *-er*, en *-ir* comme *finir*, les verbes fréquents
L'imparfait : des verbes en *-er*, en *-ir* comme *finir*, les verbes fréquents
Le passé simple en *a* et en *i* à la 3e personne du singulier et du pluriel
Le passé simple en *u* et en *in* à la 3e personne du singulier et du pluriel
La formation du passé composé • L'emploi du passé composé avec *être* et *avoir*

• L'imparfait
• Le futur
• Le présent du mode conditionnel
• Le passé simple
• Le plus-que-parfait
• L'imparfait, le futur, le présent, le présent du mode conditionnel, l'impératif et le passé simple (aux 3es personnes) des verbes fréquents (*être, avoir, aller, faire, dire, prendre, pouvoir, voir, devoir, vouloir*)

Le verbe et son sujet • Les compléments de verbe • Les compléments de phrase • L'attribut du sujet • Les adverbes

• Le sujet de la phrase et le prédicat (situations complexes)

La phrase • Les types et formes de phrase • La ponctuation

• La phrase simple et la phrase complexe

© Éditions Magnard, 2016 • 5, allée de la 2e DB, 75015 Paris

Sommaire

Orthographe

Vocabulaire

Ateliers d'expression orale Interdisciplinarité

La phrase

Je ne veux pas manger. Ragoût, pommes de terre et biscuits. D'habitude, j'aime le ragoût, mais je n'ai pas faim. Je grignote un biscuit, mais je n'en ai pas envie non plus. Pas maintenant. Heureusement que Grand-Mère Loup n'est pas là. Elle ne supportait pas qu'on laisse de la nourriture dans nos assiettes. « Pour ne pas manquer, il ne faut pas gaspiller », disait-elle. Je gâche cette nourriture, Femme Loup, que cela te plaise ou pas.

Michael Morpurgo, *Soldat Peaceful*, trad. D. Ménard,
© Éditions Gallimard Jeunesse.

- Combien comptez-vous de points dans ce texte ?
- Combien comptez-vous de phrases ?
- À la fin de quelle phrase, pourriez-vous ajouter un point d'exclamation ?

Je retiens

- Une **phrase** est une suite de mots qui a un sens. Elle commence par une **majuscule** et se termine par un **point** (*!*, *?*, *...*, *.*).

- On distingue quatre types de phrases :
– la phrase **déclarative** sert à donner un renseignement ou à décrire un fait. Elle se termine par un point : *J'aime les biscuits.*
– la phrase **interrogative** sert à poser une question. Elle se termine par un point d'interrogation : *Aimes-tu les épinards ?*
– la phrase **exclamative** sert à exprimer un sentiment (joie, surprise, colère...). Elle se termine par un point d'exclamation : *J'adore les biscuits !*
– la phrase **injonctive** sert à donner un ordre ou un conseil. Elle se termine par un point, un point d'exclamation ou des points de suspension : *Mange ta soupe !*

Comprendre le sens d'une phrase

1 ✶ Reconstitue des phrases avec les mots proposés.

N'oublie pas les majuscules et les points.

a. tempête • voilier • violente • a • endommagé • le • une

b. je • ne • pas • qu'il • crois • fera • demain • beau • Paris • à

c. tu • tu • me • où • les • as • rangé • peux • voiture • de • la • dire • clés

d. nous • punis • toi • avons • à • été • cause • de • sévèrement • très

e. la • d' • de • très • fête • Marianne • réussie • anniversaire • était

f. à • les • mangé • purée • de • la • ont • de • cantine • enfants • la • céleri

2 ✳ **Supprime un mot à chaque phrase pour qu'elle ait un sens.**

a. Découpe le patron directeur du cube selon le trait noir.

b. Plie selon les points pointillés.

c. Mets deux de la colle sur les languettes.

d. Ferme ton tube cube délicatement.

e. Tu peux décorer ton mètre cube.

f. Il faut il toujours être soigneux.

3 ✳✳ **Recopie le texte en ajoutant les majuscules et les points.**

ma nouvelle école est à cinq minutes de chez moi on nous y enseigne l'anglais et l'informatique en plus des matières habituelles nous allons à la piscine le jeudi et au gymnase le lundi matin je m'y suis fait de nombreux amis

---

Défi langue

Reconstitue la phrase cachée dans cette grille en te déplaçant uniquement horizontalement ou verticalement. Quels indices t'ont permis de trouver la phrase ?

Une	joli	pantin	gigotent
charmante	danseuse	un	scène.
danseur	évolue	sur	la

Reconnaitre les types de phrases

4 ✳ **Recopie les phrases déclaratives.**

a. Je me suis couchée trop tard.

b. Comme il est grand !

c. Avez-vous vu l'oncle Jo ?

d. Nous sommes allés faire les courses.

e. Faites attention.

f. J'ai envie d'aller au cinéma.

5 ✳ **Recopie les phrases interrogatives.**

a. Est-ce que tu t'inquiètes pour moi ?

b. Ne t'inquiète pas pour moi.

c. Quelle inquiétude !

d. Arrêtez-vous là.

e. Quand allez-vous vous arrêter ?

f. Vous arrêterez-vous en route ?

6 ✳✳ **Ne recopie que les phrases injonctives.**

a. Viens vite !

b. Que cette histoire est triste !

c. Ne sois pas triste !

d. Comme tu as de grandes dents !

e. Rangez-vous dans le couloir !

7 ✳✳ **Recopie les phrases exclamatives. Précise le sentiment exprimé : peur, colère, admiration.**

a. Vous n'avez pas honte !

b. Je ne mettrai plus les pieds dans cette boutique.

c. Vous m'écrirez ?

d. Comme ce chien a l'air intelligent !

e. J'ai failli tomber dans l'escalier !

8 ✳✳ **Classe les phrases dans un tableau à quatre colonnes (phrases déclaratives, interrogatives, exclamatives, injonctives).**

a. Regardez ce planisphère.

b. Dans quel hémisphère se trouve l'Europe ?

c. Mexico compte presque 20 millions d'habitants !

d. Les montagnes couvrent plus de la moitié du continent asiatique.

J'écris 🖊

9 ✳ **Observe cette carte météo de la France et rédige un bulletin en utilisant des phrases déclaratives.**

10 ✳✳ **Raconte l'arrivée d'une étape du Tour de France en utilisant différents types de phrases.**

La ponctuation

Cherchons

« Vite, Rosalie (c'était la cuisinière),
un seau d'eau fraîche !
Donne-moi ta main, Marguerite ! Trempe-la
dans le seau.
Trempe encore, encore ; remue-la bien.
Donne-moi une grosse poignée de sel,
Camille… Bien… Mets-le dans un peu
d'eau… Trempe ta main dans l'eau salée,
chère Marguerite.
– J'ai peur que le sel ne me pique,
dit Marguerite en pleurant. »

La comtesse de Ségur, *Les Petites Filles modèles*.

● Relevez tous les signes de ponctuation de ce texte et essayez de les nommer.
● Lesquels terminent une phrase ? Lesquels indiquent une respiration dans la phrase ?
Lesquels annoncent un dialogue ?

Je retiens

- Le **point (.)** marque la fin d'une phrase déclarative ou injonctive.

- Le **point d'exclamation (!)** marque la fin d'une phrase exclamative ou injonctive.

- Le **point d'interrogation (?)** marque la fin d'une phrase interrogative.

- Les **points de suspension (…)** indiquent que tout n'est pas dit.
  Bien… Camille…

- La **virgule (,)** marque une respiration dans la lecture.
  Trempe ta main dans l'eau salée, chère Marguerite.

- Le **point-virgule (;)** sépare deux parties de phrase.
  Trempe encore, encore ; remue-la bien.

- Les **deux-points (:)** annoncent une énumération ou précèdent les guillemets.
  Marguerite dit : « J'ai peur que le sel ne me pique. »

- Les **guillemets (« »)** s'utilisent pour rapporter des paroles.
  « Vite, Rosalie […] en pleurant. »

- Le **tiret (–)** annonce qu'on change de personne dans un dialogue.
  – J'ai peur que le sel ne me pique.

- Les **parenthèses ( )** servent à ajouter une information : *(c'était la cuisinière)*

Placer les signes de ponctuation

1 ★ **Recopie le texte en choisissant le bon signe de ponctuation dans la parenthèse.**

Voici un « mauvais » conseil pour éviter l'école !
C'est bientôt l'heure de partir (**.** ou **;**)
Qu'il est dur de quitter le cocon douillet de la maison (**?** ou **!**) Tu regrettes ton lit bien chaud et aussi tes jeux vidéo (**,** *ou* **.**) ton chat (**,** *ou* **.**) ton ordinateur (**,** *ou* **.**) ta télé (**,** *ou* **.**) tes dix hamsters (**.** *ou* **...**) Pour éviter l'enfer de l'école (**:** *ou* **,**) il ne te reste qu'une solution (**:** *ou* **,**) faire semblant d'être malade (**...** *ou* **!**)

Béatrice Rouer, *La Maîtresse au tableau*, © Nathan.

2 ★ **Recopie les phrases avec la ponctuation demandée.**

N'oublie pas les majuscules !

a. Il manque deux virgules et un point.
à l'âge d'un mois soit deux semaines avant que la famille ne se sépare pour toujours le petit hérisson ressemble déjà exactement à un adulte

b. Il manque quatre virgules, des points de suspension et un deux-points.
dans la nature le hérisson n'a pas peur de dévorer toutes sortes d'insectes toxiques mille-pattes carabes abeilles guêpes

« Le Hérisson », *La Hulotte*, n° 77.

3 ★★ **Recopie le texte en replaçant la ponctuation manquante à chaque astérisque*.**

Elle allait avaler la liqueur avec reconnaissance * quand * soudain * une voix intérieure * une sonnette d'alarme * retentit dans son cerveau *
Elle se redressa et repoussa le breuvage *
D'un ton sec * elle demanda *
* D'où cela vient-il **
Avant de répondre * Blore la regarda longtemps *
* J'ai été le chercher en bas *
* Je refuse de le boire **

Agatha Christie, *Dix Petits Nègres*, trad. G. de Chergé, © Le Livre de Poche Jeunesse, 2014.

4 ★★ **Les signes de ponctuation et les majuscules de ce texte ont été supprimés. À toi de les replacer.**

midi finissait de sonner* la porte de l'école s'ouvrit* et les gamins se précipitèrent en se bousculant pour sortir plus vite* mais au lieu de se disperser rapidement et de rentrer dîner* comme ils le faisaient chaque jour* ils s'arrêtèrent à quelques pas* se réunirent par groupes et se mirent à chuchoter* c'est que* ce matin-là* Simon* le fils de la Blanchotte* était venu à la classe pour la première fois*

Guy de Maupassant, *Le Papa de Simon*.

Défi langue

Ce texte est mal ponctué. Rétablis la ponctuation correcte et explique tes choix.

Marraine. Pourquoi la poule pond des œufs et pas la vache ! Parce que la vache n'est pas la poule, ma petite Suzy ? Oui mais un œuf c'est toujours. Un œuf, la marraine de Suzy est dans l'embarras ? Que répondre à cette gamine qui passe son temps ! À poser des questions idiotes ; si elle pouvait se taire. Quel bonheur…

Claude Bourgeyx, *Le Fil à retordre*, © Nathan.

5 ★★★ **Ponctue chaque phrase de deux façons différentes pour en modifier le sens.**
L'homme dit Marie a ouvert la porte.
« L'homme, dit Marie, a ouvert la porte. »
→ L'homme dit : « Marie a ouvert la porte. »
a. Ma sœur ronchonne Antoine n'a pas rangé sa chambre.
b. Kamel hurlait Nassima mets ton manteau.
c. Rémi chuchota Aristide s'est endormi.
d. Le Petit Poucet dit l'ogre me poursuit.

J'écris

6 ★ **Tu dois faire les courses, rédige ta liste.** *Il me faut : de la salade, des pâtes…*

7 ★★ **Tu demandes ton chemin à un passant : écris un court dialogue.**
« S'il vous plait, monsieur, où se situe la rue… ? »

La phrase interrogative

« Tu fais quoi ? Tu danses ?
– Je m'entraîne à esquiver la flamme…
– Et pourquoi lèves-tu les yeux au ciel ?
– J'essaie de voir où mettre mon creuset*.
Je veux éviter que la flamme ne brûle le lustre…
– Tu as trouvé un creuset ? ! **Qu'est-ce
que tu attends pour le sortir ?**
C'est hyper intéressant un truc pareil !
Fais-le voir tout de suite ! »

_____

* **creuset** : récipient qui sert à faire fondre
certaines substances en chimie.

Éric Boisset, *Le Grimoire d'Arkandias*,
© Magnard Jeunesse.

- De nombreuses phrases de ce texte se terminent par un point d'interrogation.
Qu'expriment-elles ?
- Comment le verbe est-il placé par rapport au sujet dans les deux premières phrases ?
- Comment le verbe est-il placé par rapport au sujet dans la quatrième phrase ?
- Comment pourriez-vous transformer la phrase interrogative en rouge pour éviter
la tournure « qu'est-ce que » ?

Je retiens

- On peut construire une **phrase interrogative** de plusieurs façons :
– par l'**intonation** (à l'oral) : *Tu danses ?*
– avec **est-ce que ?** (à l'oral) : ***Est-ce que** tu viens ? Qu'**est-ce que** tu attends ?*
– par l'**inversion du sujet et du verbe** (à l'écrit) : *Pourquoi lèves-tu les yeux au ciel ?*
! Il faut mettre un trait d'union entre le verbe et le sujet inversé.

- De nombreux **mots interrogatifs** peuvent introduire une phrase interrogative :
que, qui, pourquoi, quel(s), quelle(s), comment, où, quand…

Utiliser les phrases interrogatives

1 ⭑ Transforme ces phrases déclaratives en
phrases interrogatives avec « Est-ce que… ? ».
Il a un chat. **Est-ce qu'***il a un chat ?*
a. Vous reprendrez une part de tarte.

b. Tu passes par la rue Robespierre.
c. Le film a commencé.
d. Il a reçu mon message.
e. On a frappé à la porte.
f. Le facteur est passé.

2 ✶ **Transforme ces phrases déclaratives en phrases interrogatives selon le modèle.**

Quand on ne peut pas faire de liaison,
il faut ajouter un **-t**.

Mathieu a fait ses devoirs.
→ *Mathieu a-t-il fait ses devoirs ?*
a. Romain veut aller à la piscine.
b. Il a mal aux dents.
c. La course est finie.
d. Tu trouves ton manteau.
e. Vous avez changé de cartable.

3 ✶✶ **Transforme ces phrases interrogatives selon le modèle.**
Est-ce qu'il joue avec toi ?
→ *Joue-t-il avec toi ?*
a. Est-ce qu'il aime le fromage ?
b. Est-ce qu'elle va aux sports d'hiver ?
c. Est-ce que vos parents étaient sévères ?
d. Est-ce que mamie nous fera des gâteaux ?
e. Est-ce qu'Alice a un compas ?

4 ✶ **Complète le début de chaque phrase interrogative par le mot interrogatif qui convient en observant la réponse.**
a. … le facteur est-il passé ?
– Il est passé il y a deux heures.
b. … a-t-il déposé ?
– Il a déposé un paquet.
c. … étaient ces lettres ?
– Les lettres étaient pour Zoé.
d. … as-tu écrit ?
– J'ai écrit à quatre personnes.
e. … t'a envoyé ta grand-mère ?
– Elle m'a envoyé un appareil photo.

5 ✶✶ **Pose la question qui correspond à la partie de la phrase déclarative écrite en gras.**
*Je suis **en CM2**.* → *En quelle classe es-tu ?*
a. Je me lève tous les jours **à huit heures**.
b. J'habite **à côté de Lyon**.
c. J'aurai **dix ans** la semaine prochaine.
d. **Ce sont mes copains** qui m'ont acheté une petite voiture de collection.
e. Laure se sent **en pleine forme**.

Défi langue

Trouve toutes les questions que l'on peut poser sur cette phrase. Explique à chaque fois sur quelle partie de la phrase elles portent.

La semaine dernière, Louise et Yacine ont joué avec deux enfants canadiens au parc de la Tête d'Or.

6 ✶✶✶ **Réécris ces phrases de tournure familière afin qu'elles soient correctes à l'écrit.**
a. C'est quand qu'on mange ?
b. C'est qui qui m'a pris ma gomme ?
c. Tu fais quoi ?
d. Pourquoi tu t' fâches ?
e. Où t'as mis mon cahier ?
f. On passe par où ?

J'écris

7 ✶ **Un nouveau (ou une nouvelle) arrive dans l'école. Quelles questions vas-tu lui poser ?**

8 ✶✶ **Tes parents et toi allez vous installer dans un autre pays. Tu as des tas de questions à leur poser sur la vie que tu vas mener là-bas. Choisis un pays qui te plait puis écris tes questions.**
Quand … ? Y a-t-il … ? Que … ?

La phrase exclamative

Cherchons

En Grèce, au pays des philosophes, Diogène vit dans un tonneau. Certains disent qu'il est fou, d'autres qu'il est sage.
– On a cassé le tonneau de Diogène ! Qui a osé faire cela ?
Les gens ne peuvent y croire. Ils vont sur place et s'indignent :
– Diogène nous agace, mais on le respecte.
– Il nous asticote, mais il n'a pas tort dans tous ses reproches !
– Pas question qu'on le maltraite !
– Nous avons besoin de sa sagesse ! Nous avons besoin de ses folies !

Françoise Kerisel, *Le Tonneau de Diogène*, © Magnard.

- Cinq phrases de ce texte se terminent par un point particulier. Comment appelle-t-on ces phrases ?
- Par quel point se terminent-elles ?
- Cherchez quel est le sentiment exprimé par chacune de ces phrases.

Je retiens

- La **phrase exclamative** exprime la joie, la tristesse, la peur, la colère, la surprise… Elle se termine par un point d'exclamation (**!**). On peut la construire :
– par l'**intonation** : *Nous avons besoin de ses folies !*
– avec **comme** : **Comme** *il est sage !*
– avec **que / qu'** : **Que** *j'aime son humour !*
– avec **quel, quelle, quels, quelles**, qui s'accordent en **genre** (féminin ou masculin) et en **nombre** (singulier ou pluriel) avec le nom qu'ils déterminent : **Quelle** *sagesse !* **Quelles** *folies !*
– avec des **onomatopées** ou des mots seuls : *Ah ! Atchoum ! Bravo !*

Reconnaitre les phrases exclamatives

1 ✳ Termine ces phrases par un point ou un point d'exclamation.
a. Comme tu as de grandes oreilles
b. Que tu es poilue, grand-mère

c. Le loup dévore le Petit Chaperon rouge
d. Quelles dents pointues
e. Le *Petit Chaperon rouge* est un conte de Perrault
f. Elle porte un pot de beurre dans son panier

Reconnaitre le sentiment exprimé dans la phrase

2 ⋆ **Choisis, dans chaque liste entre parenthèses, le sentiment exprimé par la phrase exclamative.**

a. Le niveau de l'eau monte !
(*la tristesse • la passion • la peur*)
b. Nous t'attendons toujours !
(*la joie • l'impatience • la tendresse*)
c. Vous avez intérêt à l'apprendre !
(*une mise en garde • une protestation • une inquiétude*)
d. Incroyable !
(*la peur • la stupéfaction • le dégout*)
e. C'est une décision scandaleuse !
(*la joie • l'impatience • la colère*)

3 ⋆ **Associe chaque onomatopée à la phrase exclamative qui convient.**

a. Ouf !   **1.** Je me suis brulé !
b. Aïe !   **2.** Ma jupe s'est déchirée !
c. Pan !   **3.** Ils sont arrivés à l'heure !
d. Crac !   **4.** Un coup de feu a éclaté !
e. Zut !   **5.** On a encore raté l'autobus !

Écrire des phrases exclamatives

4 ⋆ **Transforme les phrases déclaratives en phrases exclamatives, selon le modèle.**
Elles sont jolies. → *Comme elles sont jolies !*
a. Inès chante bien.
b. Le linge sent bon.
c. Cette dictée était difficile.
d. Ils ont eu peur.
e. Jules est travailleur.
f. Mes amies sont élégantes.

5 ⋆ **Transforme les phrases déclaratives en phrases exclamatives, selon le modèle.**
Elles sont jolies. → *Qu'elles sont jolies !*
a. Cette maison est grande.
b. J'aimerais dormir.
c. La route semblait longue.
d. Il faisait froid.
e. Ils sont gentils.
f. J'avais mal.

6 ⋆⋆⋆ **Complète les pointillés par *quel*, *quels*, *quelle* ou *quelles*.**
a. … horreur ! • **b.** … beau paysage !
c. … bonnes notes ! • **d.** … romans passionnants ! • **e.** … heure matinale !

Défi langue

Ces phrases exclamatives comportent des fautes d'orthographe.
Corrige-les en expliquant tes choix.
a. Quelle courage !   c. Quels sagesse !
b. Quel patience !   d. Quelles caractère !

7 ⋆⋆⋆ **Que dirais-tu dans les situations suivantes ? Écris une phrase exclamative.**
a. On t'annonce que ton meilleur ami ne pourra pas venir à ton anniversaire.
b. Tes parents ont réservé un voyage pour toute la famille en Espagne.
c. Tu es seul et tu entends des pas dans la maison.
d. Un garçon t'a bousculé(e) dans l'escalier.

J'écris

8 ⋆ **Écris toutes les phrases exclamatives possibles que t'inspire cette image.**
Quel beau feu d'artifice !...

9 ⋆⋆ **Un orage violent éclate.**
Tu l'observes depuis ta fenêtre.
Quelles phrases exclamatives pourrais-tu écrire ?
Que la pluie tombe fort !

La phrase injonctive

Comment circule le sang dans le corps ?

• Humidifie une face de papier célophane avec l'éponge. Recouvre une extrémité du tube en carton avec la face sèche de ce papier et fixe-le avec l'élastique.

• Plaque cette extrémité sur la gauche du thorax de ton camarade.
Place ton oreille sur le tube et compte les battements du cœur pendant 30 secondes, puis calcule le nombre de battements en 1 minute.

• Refais la même chose après que ton camarade s'est accroupi 20 fois de suite. Compare les battements du cœur au repos et après l'effort.

• Note tes résultats dans ton cahier d'expérience.

J'apprends les sciences par l'expérience, © Belin.

- Quel est l'objectif de ce texte ?
- Combien d'actions différentes devez-vous réaliser pour faire cette expérience ?
- À quel temps sont conjugués les verbes qui vous expliquent ce que vous devez faire ?

• La phrase **injonctive** sert à donner des **ordres**, des **conseils**. Elle contient le plus souvent un **verbe à l'impératif**. Quand le verbe est encadré par *ne … pas*, elle permet de formuler une **interdiction**.

• Elle se termine par un **point** ou un **point d'exclamation**.
*Calcule le nombre de battements en 1 minute***.**
Ne cours pas si vite **!**

• On la rencontre souvent dans les **modes d'emploi**, les **recettes de cuisine**, les **notices de fabrication**, les **comptes rendus d'expérience**, les **consignes**…
Glissez la vis dans l'écrou.
Ajoute 100 g de farine.
Note tes résultats dans ton cahier d'expériences.

Reconnaitre les phrases injonctives

1 ★ Recopie uniquement les phrases injonctives.
a. N'allez pas dans le jardin !
b. Avec qui vas-tu au cinéma ?
c. J'ai mal aux dents.
d. Tourne à gauche.
e. Que tu es bête!

2 ★ Associe chaque phrase injonctive à l'intention qui convient.
a. Repose-toi bien.
b. Ne criez pas !   **1.** interdiction
c. Lis attentivement.   **2.** conseil
d. Restez où vous êtes !   **3.** ordre
e. Ne traverse pas !

Défi langue

Classe ces phrases dans un tableau à deux colonnes (phrases injonctives et phrases exclamatives).
Explique tes choix à chaque fois.
a. Rangez-vous !
b. Ne cueillez pas les fleurs, s'il vous plait.
c. Vous êtes tellement élégant !
d. Que je suis heureuse de te voir !
e. Note le nom des articulations sur le schéma.

Utiliser des phrases injonctives

3 ★ Transforme ces phrases déclaratives en phrases injonctives, selon le modèle.
Je voudrais que vous veniez plus tôt.
→ Venez plus tôt.
a. Je vous ai demandé de fermer la fenêtre.
b. Cléo, c'est ton tour de venir au tableau.
c. Il ne faut pas toucher les chiens que l'on ne connait pas.
d. Tu ne devrais pas manger autant de bonbons.
e. Vous pouvez éteindre la lumière maintenant.

4 ★★ Transforme ces phrases injonctives en phrases déclaratives.
Enfile ton manteau. → Je voudrais que tu enfiles ton manteau.
a. Lavez-vous les mains avant de passer à table !
b. Ne jetez pas vos papiers de bonbon dans la rue !
c. N'oublie pas d'aller acheter le pain.
d. Range tes affaires, s'il te plait.
e. Recopie ces phrases dans ton cahier.

Écrire des phrases injonctives

5 ★★ Réécris cette recette de cuisine en mettant les verbes en gras à l'impératif, selon le modèle.
Laver les légumes. → Lave les légumes.
Préchauffer le four à 180 °C et **beurrer** un moule. **Déposer** la farine dans un récipient et la **mélanger** avec le sucre, la levure et le sucre vanillé. **Incorporer** les œufs et le sel puis **délayer** la préparation avec l'huile et le lait. **Fouetter** vigoureusement le mélange et le **laisser** reposer quelques instants. **Verser** la pâte dans le moule et **enfourner** le gâteau pendant 30 minutes.

6 ★ Écris cinq phrases injonctives que tu entends souvent à l'école.
Rangez vos cahiers.

7 ★ À l'aide de phrases injonctives, écris une recette que tu connais.
Verse la farine dans une terrine.
Casse deux œufs…

La forme affirmative et la forme négative

Cherchons

N'écoute pas

N'écoute pas
celui qui répète,
à part peut-être le ruisseau
qui murmure la vie.

Ne redis pas
ce que le vent t'a soufflé,
à part peut-être la liberté
puisqu'il court après.

Ne crains pas
les montagnes qui ne t'ont
pas cru,
à part peut-être ton cœur
qui bat pour l'heure.

Alain Serres, *N'écoute pas celui qui répète*, coll. Poèmes pour grandir, 1986,
cinquième édition 2000, © Cheyne éditeur, tous droits réservés.

● **Relevez le premier vers de chaque strophe. À quel type de phrase appartiennent ces vers ?**

● **À quelle forme sont-ils ?**

● **Pouvez-vous les mettre à la forme affirmative ?**

Je retiens

● Chaque type de phrase peut prendre deux formes :

– la forme **affirmative**.

    Il court après la liberté. → Phrase déclarative à la forme affirmative.

– la forme **négative**.

    N'écoute **pas.** → Phrase injonctive à la forme négative.

    Il **ne** *craint* **pas** *les montagnes.* → Phrase déclarative à la forme négative.

    N'écoute-t-il **pas** *le vent ?* → Phrase interrogative à la forme négative.

● À la forme négative, on utilise les **adverbes de négation** : *ne … pas, ne … rien, ne … personne, ne … plus, ne … jamais, ne … point, ne … aucun(e), ne… ni … ni…*

⚠ *ne … **que*** est une négation partielle : *Je **ne** crains **que** le vent !*

Reconnaitre la forme des phrases

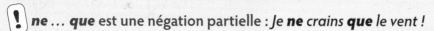

1 ✶ **Indique la forme de ces phrases.**

a. Je ne regarde plus d'idioties à la télévision.
b. Lucas viendra-t-il déjeuner dimanche ?
c. Je ne lui fais aucune confiance.
d. Il faudrait racheter du fromage.
e. Que je déteste la pluie !

2 ✶ **Entoure les adverbes de négation.**

a. Je n'ai pas faim.
b. Autrefois, on ne s'éclairait qu'à la chandelle.
c. On n'y voit vraiment rien !
d. Il n'y a point de fumée sans feu.
e. Nous n'avons vu aucune marmotte.
f. Anna ne se sent ni gaie ni triste.

3 ✶✶ Indique le type et la forme de ces phrases.

a. La tortue est partie la première.
b. À quelle heure le lièvre est-il parti ?
c. Le lièvre ne s'est-il pas arrêté ?
d. Ne suivez pas l'exemple du lièvre !
e. La tortue ne s'est pas arrêtée une seule fois.
f. Comme la tortue est courageuse !

Utiliser la forme affirmative et la forme négative

4 ✶ Mets ces phrases interrogatives à la forme négative.

Êtes-vous fatigués ? → *N'êtes-vous pas fatigués ?*

a. Prévoit-on une nouvelle canicule ?
b. Est-ce un chanteur célèbre ?
c. La loi a-t-elle été votée ?
d. Pourquoi as-tu éteint la télévision ?
e. Es-tu fou ?
f. Voulez-vous boire un verre d'eau ?

5 ✶✶ Réécris ces phrases de tournure familière pour qu'elles soient correctes à l'écrit.

a. J'ai pas compris.
b. Aie pas peur !
c. Fais jamais ça !
d. J'en veux plus !
e. T'inquiète pas !

6 ✶✶✶ Mets ces phrases déclaratives à la forme négative.

Aide-toi de la liste des adverbes de négation proposée dans « Je retiens ».

Les contes plaisent encore aux enfants.
→ *Les contes ne plaisent plus aux enfants.*

a. Sœur Anne voyait quelqu'un à l'horizon.
b. Cendrillon était toujours bien habillée.
c. Un roi et une reine avaient un enfant.
d. Peau d'Âne a épousé son père.
e. Le Petit Chaperon rouge porte quelque chose à sa grand-mère.
f. Blanche-Neige avait déjà mordu dans la pomme.

7 ✶✶✶ Mets ces phrases négatives à la forme affirmative.

Attention, tu devras changer certains mots. Il y a parfois plusieurs possibilités.

Il n'y a plus de cerises. → *Il y a encore des cerises.*

a. Les risques d'avalanche n'étaient pas nuls.
b. Il n'y a rien à faire.
c. Nous ne connaissons pas encore cet élève.
d. Léo n'est jamais d'accord avec personne.
e. Le soir, il n'y a plus personne dans les rues.

Défi langue

Associe les phrases affirmatives et les phrases négatives qui veulent dire la même chose. Quels mots t'ont aidé(e) à trouver les réponses ?

a. **Phrases affirmatives** : C'est un peu confus. C'est intéressant. C'est totalement impossible.

b. **Phrases négatives** : Ce n'est pas ennuyeux. Ce n'est pas très clair. Ce n'est absolument pas réalisable.

J'écris

8 ✶ Que peux-tu conseiller aux randonneurs afin de ne pas détruire la flore et la faune ? Utilise la forme négative et varie tes consignes.

Ne pas cueillir les fleurs. ou *Ne cueillez pas les fleurs.* ou *Il ne faut pas cueillir les fleurs.*

9 ✶✶ À la manière d'Alain Serres (p. 16), écris un poème contenant des vers injonctifs à la forme négative.

Ne crois pas… N'aie pas peur…

Je révise

Manipuler les phrases

1 ✶ **Indique le nombre de phrases dans chaque paragraphe.**

a. Le temps est pluvieux. Quelle malchance ! J'avais prévu d'aller me baigner au lac avec toi. Tant pis ! Nous allons trouver une autre idée. Oui, mais laquelle ? Allez, réfléchis, s'il te plait, Samuel !

b. Quand la cloche sonne, nous nous précipitons dans la cour de récréation et nous nous rassemblons sous le préau ; certains préfèreraient aller jouer, mais la plupart d'entre nous n'ont qu'une envie : parler de notre projet de départ en classe de découverte au bord de la mer.

2 ✶✶ **Recopie le texte en ajoutant les majuscules et les points.**

quel temps magnifique nous enfourchons nos vélos Sarah n'est pas très rassurée dans la descente patatras quelle chute heureusement il y a plus de peur que de mal

3 ✶✶✶ **Reconstitue des phrases avec les mots proposés.**

a. délicieuse • pommes • Une • flottait • maison. • odeur • aux • dans • tarte • de • la
b. envie • nous ? • venir • As- • avec • faire • vélo • du • tu • de
c. chance • Venise ! • Quelle • as • tu • d'• vacances • aller • à • les • passer
d. vos • Mangez • avant • chocolat. • au • épinards • de • gouter • la • crème

Utiliser la ponctuation

4 ✶ **Ajoute les majuscules et les points manquants.**

a. comment as-tu accompli ce tour de magie
b. comme c'est surprenant
c. qu'elle est belle dans son costume de scène
d. quel numéro préférez-vous
e. les jongleurs utilisent des balles

5 ✶✶ **Remplace les pointillés par la ponctuation manquante (virgules, points-virgules, points, points d'exclamation ou points d'interrogation) et ajoute les majuscules.**

Il y a parfois plusieurs possibilités.

nous cheminions lentement le long du sentier... nos parents nous suivaient... comme la campagne était belle... il y avait partout des fleurs... des arbres chargés de fruits... des papillons... on entendait bruire mille insectes de l'été dans les buissons... pourquoi me suis-je sentie alors soudain si triste ... ma sœur me manquait... elle était partie en vacances avec sa meilleure amie... et elle ne m'avait pas encore écrit... m'avait-elle oubliée...

6 ✶✶ **Complète ce dialogue avec la ponctuation qui convient.**

Judith rencontre Lalie ... Elle lui demande ...
... Veux-tu venir avec moi ... Je vais à la boulangerie...
... Oh oui ... J'achèterai mon gouter ... répond Lalie ...
... Que préfères-tu ... Un croissant ou un pain au chocolat ... interroge Judith ...
... Hum ... Ce que je préfère, c'est le croissant aux amandes ... dit Lalie ...
... Je prendrai plutôt un pain au chocolat ... conclut Judith ...

7 ✶✶✶ **Ponctue correctement ce dialogue.**

N'oublie pas d'aller à la ligne et de placer des tirets à chaque changement de personnage.

Marine et Solal font les courses dans le Caddie ils ont déjà mis des céréales du chocolat en poudre du lait et du beurre faut-il prendre de la confiture dit Solal oui répond Marine laquelle demande Solal la confiture aux fruits rouges est excellente confirme Marine est-ce qu'il nous reste assez d'argent pour acheter du jus d'orange s'inquiète Solal juste assez termine Marine

Identifier et utiliser les types de phrases

8 ⋆ **Indique le type de chacune de ces phrases.**

a. A-t-il pensé à prendre sa trousse et ses crayons ?

b. Ne regarde surtout pas derrière toi.

c. N'avait-il jamais vu ce film ?

d. Nos voisins ont déménagé ce weekend.

e. Tu as encore taché ta chemise !

f. Emporte des bottes et un imperméable.

9 ⋆ **Complète ces phrases avec le point qui convient.**

a. Quel joli petit jardin

b. Quel est le nom de cette plante

c. N'écrase pas les salades

d. Nous allons piqueniquer le dimanche

e. Ces arbres ne font-ils pas une ombre agréable

f. Comme j'aimerais être en vacances

10 ⋆⋆ **Transforme ces phrases déclaratives en phrases interrogatives selon le modèle.**

Je dois prendre le pain. → Est-ce que je dois prendre le pain ? Dois-je prendre le pain ?

a. Tu écriras à ta grand-mère.

b. Vous avez vu ce film la semaine dernière.

c. Elles habitent en Normandie.

d. Il ira en sixième l'année prochaine.

e. Nous verrons les illuminations de Noël.

11 ⋆⋆ **Écris des phrases interrogatives correspondant à ces réponses.**

Plusieurs solutions sont possibles.

a. À huit heures.

b. Au café de la poste.

c. 11 ans.

d. L'année prochaine.

e. Samia et Hugo.

f. En métro.

12 ⋆⋆ **Transforme ces phrases déclaratives en phrases exclamatives.**
Varie leur construction en utilisant les mots *que, qu'* **ou** *comme.*

a. Cette pluie est froide.

b. Mes semelles sont fines.

c. J'ai les pieds mouillés.

d. Il faut courir vite.

e. Elle est trempée.

13 ⋆⋆ **Transforme ces phrases déclaratives en phrases injonctives.**

a. Tu me donnes ton adresse.

b. Vous y allez sans moi.

c. Tu finis ton assiette.

d. Tu m'aides à faire mes devoirs.

e. Nous mettons nos manteaux et nous partons.

Identifier et utiliser la forme affirmative et négative

14 ⋆⋆ **Recopie uniquement les phrases à la forme négative.**

a. Ne veux-tu pas te couvrir davantage ?

b. Il faut arrêter de se chamailler.

c. Y a-t-il des absents aujourd'hui ?

d. Je ne suis jamais en retard.

e. Ne sois pas si têtu !

15 ⋆⋆ **Recopie les phrases et souligne les adverbes de négation.**

a. Élias et Mélodie n'ont pas voulu venir.

b. Je ne me suis jamais senti aussi bien !

c. Ne cherchez plus ! Nous avons trouvé les clés.

d. Samuel ne s'est pas encore levé.

e. Il n'y a aucune difficulté.

f. Je n'ai ni chat ni chien.

16 ⋆⋆⋆ **Transforme ces phrases à la forme négative.**

a. Il y a encore des loups dans les Alpes.

b. Je regarde souvent les documentaires animaliers.

c. Nous aimons toutes les émissions.

d. Tu as sûrement rencontré quelqu'un en route.

e. As-tu vu quelque chose de ta fenêtre ?

Le verbe et son sujet

Cherchons

Étaient-ils vraiment des barbares ?

Les Romains **ont nommé** « barbares » ces intrus qui ne parlaient pas latin, n'écrivaient pas, ne construisaient pas de villes.

Le nom, issu du grec, **signifiait** « étranger ». En réalité, depuis le IVe siècle, de nombreux Germains **combattaient** dans les armées impériales. Une fois installés, ils **s'allient** avec les grandes familles romaines et **adoptent** leurs coutumes. De cette fusion **naît** une nouvelle culture, qui prend son essor au Moyen Âge.

Dokéo, L'Encyclopédie, © Nathan Jeunesse.

- Relevez les verbes conjugués de ce texte.
- Trouvez le sujet des verbes en rose. Comment avez-vous fait ?
- Que remarquez-vous dans la phrase interrogative en gras ? Relevez une phrase déclarative construite de la même façon.

Je retiens

- Le **sujet** est un mot ou un groupe de mots qui indique qui fait l'action ou qui se trouve dans l'état exprimé par le verbe.

     De nombreux Germains **combattaient** *dans les armées impériales.*
     Les Germains **étaient** *des « barbares ».*

- **Un sujet** peut commander **plusieurs verbes**.

     Les Romains **occupèrent** *et* **colonisèrent** *tout le pourtour de la Méditerranée.*

- **Un verbe** peut avoir **plusieurs sujets**.

     Les Romains et les Grecs **sont** *des peuples de l'Antiquité.*

- Le sujet est souvent placé avant le verbe mais aussi après ; on dit alors qu'il est **inversé** : **Étaient**-*ils vraiment des barbares ?*

- Le sujet peut être :
- un **nom propre** : *Les Germains* **combattaient**.
- un **pronom** : *Ils* **s'allient** *avec les grandes familles romaines.*
- un **groupe nominal** : *Une nouvelle culture* **s'élève**.
- un **infinitif** (ou un groupe infinitif) : *Parler latin* **devient** *une nécessité.*

(!) Pour identifier le sujet, pose la question « *Qui est-ce qui ?* » devant le verbe.
     Les Germains combattaient. → Qui est-ce qui *combattaient ?* Ce sont *les Germains.*
        → *Les Germains* est le sujet du verbe *combattre.*

Identifier le sujet du verbe

1 ★ **Recopie ces phrases. Encadre les verbes conjugués en rouge, souligne leurs sujets en vert.**

a. La marée noire a souillé toutes les plages.

b. Les poissons de ce commerçant ne me semblent pas très frais.

c. À l'approche de l'embouteillage, les automobilistes freinaient, ralentissaient puis s'arrêtaient définitivement.

d. Où se cachent les crabes à marée basse ?

e. Les journalistes, les photographes et les policiers s'affairaient sur les lieux du crime.

2 ★★ **Relève le sujet et le verbe de chaque phrase.**

a. Pendant les vacances, nous voyageons souvent en train.

b. Je me sens heureuse.

c. Nous avons acheté des fauteuils de jardin.

d. Nous nous disputons pour des bêtises.

e. Vous nous demandez de nous taire.

Identifier la nature du sujet

3 ★ **Relève le sujet de chaque phrase et indique sa nature.**

a. Atteindre ce sommet parait impossible.

b. Les emballages nous intriguent.

c. Nous aimons sentir l'odeur du papier neuf.

d. Marie écarquille les yeux de surprise.

e. « Vous écrirez votre nom sur chacun des cahiers », dit le maitre.

4 ★★ **Complète les phrases suivantes avec le sujet demandé.**

a. Veux-(*pronom personnel*) un autre morceau de fromage ?

b. (*groupe nominal*) ont relevé leurs filets.

c. En haut des tours de Notre-Dame se bousculent (*groupe nominal*).

d. (*nom propre*) apprendra à faire du roller pendant les vacances.

e. (*groupe nominal*) désherbent puis arrosent les platebandes du jardin.

Inverser le sujet

5 ★★ **Transforme ces phrases déclaratives en phrases interrogatives pour que le sujet soit inversé.**

a. Il va pleuvoir.

b. Vous avez déjà eu soif dans le désert.

c. Les chameaux boivent beaucoup.

d. On voit des scorpions dans le désert.

e. Tu aimes les dattes.

Défi langue

Explique l'accord du verbe dans ces phrases.

a. Dans la savane, sous un soleil de plomb, avançaient, avec calme et majesté, les troupeaux de zèbres, de buffles et d'éléphants.

b. L'oiseau, pris dans les mailles du filet tendu par les garnements, battait désespérément des ailes.

6 ★★★ **Transforme les phrases pour que le sujet soit inversé.**

Une souris bondit du placard.

→ *Du placard bondit une souris.*

a. Jean de La Fontaine naquit ici.

b. Louis XIV régna de 1643 à 1715.

c. Quelques hirondelles se pressent encore sur les fils.

d. Roméo et Juliette vivaient à Vérone.

e. Un vieil immeuble se dressait sur ce terrain.

J'écris

7 ★ **Le jeu du suspense : afin de ménager du suspense, écris plusieurs phrases contenant un sujet inversé.**

Du fond du couloir surgit un monstre !

Un complément de verbe : le complément d'objet direct

Pique de mer

As-tu déjà **vu** l'oursin, cette boule d'épines piquantes qui vit sur les bords de la Méditerranée et de l'Atlantique ? Pour se déplacer, **ce drôle d'animal utilise** ses épines comme des échasses.

Les scientifiques l'étudient avec attention : c'est un excellent indicateur de la pollution des côtes.

Les gastronomes préfèrent le mettre dans leurs assiettes : sa saveur fortement iodée est – pour les amateurs – un véritable délice.

Hélène et Robert Pince, *L'Encyclo à malices nature*, © Petite Plume de carotte.

- Posez la question *qui ?* ou *quoi ?* après les sujets et les verbes en rouge.
- Quels mots ou groupes de mots répondent à ces questions ? Donnez leur nature.
- Pouvez-vous supprimer ou déplacer ces groupes de mots ?

Je retiens

- Le **complément d'objet direct (COD)** se rattache directement au verbe.

On ne peut ni le déplacer ni le supprimer.

On le trouve en posant la question *qui ?* ou *quoi ?* après le sujet et le verbe.

Ce drôle d'animal utilise **ses épines** comme des échasses.

(quoi ?)

COD du verbe *utiliser*

- Le **COD** peut être :

– un **nom propre** : *L'oursin habite **la Méditerranée**.*

– un **groupe nominal** : *J'ai vu **un oursin**.*

– un **pronom** : *Les scientifiques **l'**étudient.*

– un **infinitif** ou un **groupe infinitif** : *Les gastronomes préfèrent **le mettre dans leurs assiettes**.*

Identifier le COD

1 ⭑ Recopie les phrases qui contiennent un COD.

a. Je connais tous les invités.
b. Je ne resterai pas longtemps.
c. Les enfants aiment manger des glaces.
d. Notre chien déteste la foule.
e. J'ai manqué de chance.

2 ⭑⭑ Recopie ces phrases. Encadre le verbe conjugué en rouge, puis souligne le COD en bleu.

a. J'ai traversé la rivière.
b. Cette galerie expose des peintres anglais.
c. Il faut protéger la flore et la faune.
d. As-tu reçu beaucoup de cadeaux pour ton anniversaire ?
e. Nous avons cueilli des cèpes et nous les avons mangés.

3 ** Recopie chaque phrase en supprimant le groupe de mots qui peut l'être. Puis souligne le COD.

a. Demain, j'irai acheter des fruits.

b. Le médecin connaissait depuis longtemps ses patients.

c. L'écureuil a caché ses provisions dans l'arbre.

d. J'ai visité beaucoup de châteaux au bord de la Loire.

e. Julien a construit avec beaucoup de soin sa maquette.

f. En prenant mille précautions, les déménageurs ont déplacé le piano.

Défi langue

Relève les verbes qui peuvent être suivis d'un COD. Comment as-tu fait pour trouver les réponses ?

a. manger   e. s'occuper

b. dire   f. apporter

c. penser   g. vider

d. se souvenir   h. se plaindre

---

4 ** Indique si le groupe de mots en gras est un COD ou un sujet.

Pense aux questions que tu dois poser pour trouver la fonction des groupes de mots.

a. Ce village accueille **de nombreux visiteurs**.

b. Sous les arbres règne **une fraicheur agréable**.

c. Paolo a apporté **des châtaignes et des noix** pour la classe.

d. L'accident a bloqué **la circulation**.

e. Sous le pont passe **une péniche**.

Manipuler le COD

5 * Recopie les phrases dont le COD est un groupe nominal, puis souligne-le.

a. Où as-tu rangé les outils ?

b. Pendant l'été, le gardien arrosera les plantes des locataires absents.

c. La maitresse fait l'appel chaque matin.

d. Qui préviendra Léa ?

e. Ouvrez vos livres à la page 102.

---

6 ** Recopie les phrases dont le COD est un pronom et souligne-le.

a. Nous te porterons si tu es fatiguée.

b. Zoé va bien ; je l'ai vue hier.

c. Je préfère attendre ici.

d. Le maitre trouve que ses élèves ont progressé.

e. Il me retrouvera vite.

f. Maël nous a rejoints rapidement.

---

7 ** Complète les phrases par un COD de la nature demandée.

a. Quand il a faim, Nolan mange … *(groupe nominal)*.

b. Les visiteurs du musée … *(pronom personnel)* écoutaient.

c. Pour Noël, je voudrais … *(groupe infinitif)*.

d. Sur la carte de France, Romane a situé … *(nom propre)*.

e. Chaque matin, Gabriel boit … *(groupe nominal)*.

---

8 *** Complète ces phrases avec un COD.

Pense à varier les natures des COD.

a. Julien écoute … .

b. Les bouquetins aiment … .

c. Elle est prête pour le match ; elle … gagnera !

d. Mon chien aime … .

e. Ma cousine préfère … .

J'écris

9 * Choisis plusieurs personnages de contes et écris ce qu'ils font en utilisant des COD.

Que fait le Petit Poucet ?
Il sème des cailloux.

Un complément de verbe : le complément d'objet indirect

Cherchons

J'ai dit adieu

Lasse de bercer ma poupée,
De lui chanter de vieilles rondes,
J'ai dit adieu à tout le monde :
À mon écureuil empaillé,
À mon vieux chien, à mes pigeons,
À mon jardin, à ma maison,
À mes voisins, à mes parents,
À moi-même finalement.
Je faisais cela pour jouer
Et, sans savoir pourquoi, soudain,
J'ai pris ma tête entre les mains
Et je me suis mise à pleurer.

Maurice Carême, *Au clair de la lune*,
© Fondation Maurice Carême.

- À qui cette petite fille dit-elle adieu ? Imaginez à qui ou à quoi elle pourrait encore dire adieu et trouvez de nouvelles phrases.
- Quel petit mot utilisez-vous à chaque fois ?

Je retiens

- Le **complément d'objet indirect (COI)** est séparé du verbe par *à*, *de* (prépositions), ou par *au*, *aux*, *du*, *des* (articles définis contractés).
En général, on ne peut ni le déplacer ni le supprimer.
On le trouve en posant les questions *à qui ? à quoi ? de qui ? de quoi ?* après le sujet et le verbe.

> *Je me suis mise **à pleurer**.*
> **(à quoi ?)**
> COI du verbe *se mettre*

- Un **COI** peut être :
– un **nom propre** : *J'ai dit adieu **à Sarah**.*
– un **groupe nominal (GN)** : *J'ai dit adieu **à mon vieux chien**.*
– un **pronom personnel** : *Je **vous** dis adieu.*
– un **infinitif** ou un **groupe infinitif** : *Je me suis mise **à chanter**.*

Identifier le COI

1 * Encadre le verbe conjugué en rouge, puis souligne le COI en noir.
a. Ismaël parle souvent de l'Afrique.
b. Un marteau sert à planter des clous.
c. Des années après, Antoine se souvient encore de l'Égypte.
d. Je penserai à t'acheter du chocolat.

2 * Relève les COI et donne leur nature.
a. J'ai téléphoné à ma meilleure amie.
b. Il leur parle en italien.
c. Ma tante se souvient très bien de M. Dulac.
d. Ce couvert sert à découper le poisson.
e. Grand-père souffre de ses rhumatismes.

3 ** Relève les verbes qui peuvent être suivis d'un COI.

a. apporter   **d.** accepter
b. distribuer   **e.** observer
c. aimer   **f.** répondre

Distinguer les compléments de verbes

4 * Indique si les groupes nominaux en gras sont des COD ou des COI.

a. Les personnes âgées se souviennent **de leur jeunesse**.
b. Il n'avait pas parlé **de sa mauvaise note**.
c Le facteur a distribué **le courrier** à tous les gens du quartier.
d. Demande **le code d'entrée** à ton père.
e. Il **leur** donnera des livres de la bibliothèque.

5 * Sépare d'un trait le sujet, le verbe, le COD, le COI.

a. J'ai emprunté un livre à mon copain.
b. Les bénévoles apportent des repas aux personnes malades.
c. Des volontaires ont proposé des couvertures aux sauveteurs.
d. Nous écrivons une carte postale à Lucie.
e. Elle a distribué des cahiers neufs aux élèves.

6 ** Souligne les COD d'un trait bleu et les COI d'un trait vert.

a. Ils se plaignaient souvent du bruit.
b. Je donne un os à mon chien.
c. Malgré sa colère, il lui a tendu la main.
d. Pense à aspirer aussi sous les meubles !

Manipuler le COI

7 ** Ajoute à chaque phrase le COI demandé.

a. Je demanderai une trousse neuve … *(GN)*.
b. Aymeric … *(pronom personnel)* recommande chaudement ce livre.
c. Pourquoi as-tu donné ce vieux chapeau … *(nom propre)* ?
d. Le soir, ils continuaient … *(infinitif)*.
e. Demain, tu penseras … *(groupe infinitif)*.

8 ** Complète les phrases avec les compléments demandés.

a. Je viens … *(COI groupe infinitif)*.
b. Nous demandons toujours *(COD groupe nominal)* … *(COI groupe nominal)*.
c. Thomas a pensé … *(COI pronom personnel)*.
d. Je me souviens très bien … *(COI nom propre)*.
e. Mariana … *(COD pronom personnel)* distribue … *(COI groupe nominal)* tous les matins.
f. Ma grand-mère … *(COI pronom personnel)* donne … *(COD groupe nominal)* chaque semaine.

Défi langue

Les groupes de mots en gras sont des COI sauf dans les phrases b et c. Explique pourquoi.

a. Nous avons téléphoné **à nos parents**.
b. Nous nous sommes réveillés **à l'aube**.
c. Je voyage **à dos de chameau**.
d. Samia apporte des fleurs **à sa cousine**.

9 *** Remplace les compléments d'objet en gras par des pronoms personnels.
*Il donne **des fleurs / à ses parents**.*
→ *Il **les leur** donne.*

a. Elle a offert **un DVD / à Maxime**.
b. On avait apporté **un bouquet / aux jeunes mariés**.
c. Karima enverra **une carte postale / à son voisin**.
d. Ne demande pas **de bonbons / à ta sœur**.
e. Distribue **ces biscuits / à tes amis**.
f. Achèteras-tu **un téléphone portable / à Théo** ?

J'écris

10 * Écris un court poème à la manière de Maurice Carême (p. 24). Au lieu de dire *adieu*, imagine à qui tu pourrais dire *bonjour*.

L'attribut du sujet

Cherchons

La trogne ridée du gardien s'éclaira.

Ses yeux **devinrent** subitement tout humides d'émotion.

Un sourire, à peine esquissé, sortit du fouillis de sa barbe.

« Avant, petit, j'**étais** jongleur !

– Vous faisiez des tours ? Vous connaissiez des chansons ?

demanda Martin en s'approchant jusqu'à frôler le manteau.

– J'allais de château en château et je jouais du luth.

– Vous aviez un ours ?

– Oh ! non. Je n'**étais** pas assez riche pour acheter un ours, mais il n'y avait

pas, en Languedoc, de meilleur conteur que moi. »

Jean-Côme Noguès, *Le Faucon déniché*, © Nathan Jeunesse.

● **Cherchez le sujet des verbes en rose.**
● **Relevez les mots qui donnent des informations sur ces sujets à l'intérieur des phrases.**

Je retiens

● L'**attribut du sujet** donne une information sur le sujet. Il est relié au sujet par un **verbe d'état** : *être, paraitre, devenir, demeurer, sembler, rester.*

> Ses yeux   devinrent   humides.
> sujet   verbe   attribut
>   d'état   du sujet

● L'attribut du sujet est le plus souvent un **adjectif qualificatif**, un **nom** (commun ou propre) ou un **groupe nominal**.

> Je n'étais pas assez riche. J'étais jongleur.
>   adjectif   nom
>   qualificatif   commun

● L'attribut du sujet **s'accorde en genre et en nombre avec le sujet**.

> Ses yeux devinrent humides.
> sujet   attribut du sujet
> masc. pluriel   masc. pluriel

Identifier les verbes d'état et les attributs du sujet

1 * Recopie les phrases contenant un verbe d'état et un attribut du sujet.
a. Tu parais bien fatigué ce matin.
b. Le petit Marco a de la fièvre.
c. Hanna devait faire un exposé.
d. Timothée resta faible longtemps après sa grippe.
e. Ses yeux deviennent tout rouges à la piscine.
f. La petite Jennifer ressemble beaucoup à son frère.

2 ★ **Souligne les verbes d'état en rouge, leur sujet en vert et l'attribut du sujet en noir.**

a. Clovis fut le premier roi mérovingien.

b. L'un des maitres de l'impressionnisme est Claude Monet.

c. Lisa n'est pas devenue vétérinaire : elle est devenue médecin.

d. En début d'année, mon maitre me paraissait sévère mais il me semble maintenant très gentil !

e. Edmond Dantès demeura prisonnier au château d'If de longues années.

f. Les contes de Perrault demeurent un grand classique de la littérature enfantine.

3 ★★ **Ajoute un verbe d'état au GN pour que les adjectifs deviennent des attributs du sujet.**

le crayon bien taillé.
→ *Le crayon est bien taillé.*

a. l'écorce rugueuse

b. les fillettes souriantes

c. ce roman volumineux

d. ses yeux tristes et larmoyants

e. leurs joues rouges et fraiches

f. mes cheveux longs et emmêlés

4 ★★ **Souligne les attributs du sujet en bleu si ce sont des adjectifs qualificatifs, en vert si ce sont des noms ou des GN.**

Jacques et Germain sont frères. L'un est blond et petit, l'autre est grand et brun. Jacques est un jeune médecin, tandis que Germain est devenu un musicien célèbre. Ils se voient peu mais s'aiment beaucoup. Ils resteront toujours unis, même si leurs vies paraissent très différentes.

Les groupes de mots en gras sont des attributs du sujet, sauf dans les phrases b, c, f. Explique pourquoi.

a. Mon père est un **fin cuisinier**.

b. Il me donne **des leçons de cuisine**.

c. J'adore **faire de la pâtisserie**.

d. Je deviens **bonne pâtissière** !

e. Ouf, mes amis paraissent **rassasiés** !

f. Plus tard, je prendrai **des cours de cuisine**.

Accorder l'attribut du sujet

5 ★ **Complète chaque phrase avec un attribut du sujet bien accordé.**

a. Marie-Antoinette et Marie de Médicis étaient … .

b. Louis XVI a été … .

c. Victor Hugo et Honoré de Balzac furent … .

d. Pierre et Marie Curie devinrent … .

e. Jeanne d'Arc paraissait … .

6 ★ **Complète chaque phrase avec un adjectif qualificatif attribut du sujet.**

a. Ces chatons sont …, mais ils ne sont pas … .

b. Mon frère est devenu … et ma sœur est devenue … .

c. Ces romans ne semblent pas … à lire.

d. Ma maison paraissait … dans le lointain.

e. Cette leçon me parait toujours aussi … .

7 ★★ **Complète chaque phrase avec l'attribut du sujet demandé.**

a. Quand je serai *(adjectif qualificatif)*, je serai *(nom commun)*.

b. Notre président de la République est *(nom propre)*.

c. Nous avons été *(adjectif qualificatif)* tout le weekend.

d. Le roi de France qui a régné le plus longtemps est *(nom propre)*.

e. Les joueurs paraissent *(adjectif qualificatif)* en fin de match.

8 ★★ **Écris ces phrases au singulier ou au pluriel.**

Tu devras changer certains mots.

a. Je suis déçue et mécontente.

b. Tu deviendras sûrement footballeur.

c. Elles paraissent très heureuses.

d. Nos voisins demeurent d'excellents amis.

9 ★ **Choisis deux personnages de dessins animés et écris un court texte contenant des attributs du sujet pour les décrire.**

Les compléments de phrase

Depuis les années 1960, les autoroutes forment, autour de Paris, un réseau en étoile qui s'est développé en direction du reste du territoire français.
Depuis les années 1990, ce réseau s'étend progressivement à l'ensemble de la France car les autoroutes ont été construites pour contourner Paris ou pour améliorer les liaisons est-ouest, notamment dans le Massif central.

- Relevez les groupes de mots qui répondent aux questions suivantes : *Où les autoroutes forment-elles un réseau en étoile ? Quand ce réseau a-t-il commencé à s'étendre à l'ensemble de la France ? Comment ce réseau s'étend-il à l'ensemble de la France ?*
- Pouvez-vous déplacer ou supprimer ces groupes de mots dans la phrase ?

Je retiens

- **Les compléments de phrase** enrichissent les phrases.
Ils renseignent sur le **temps**, le **lieu**, la **manière de l'action**, etc.
On peut les **déplacer** et les **supprimer**.

- Parmi les compléments de phrase, on trouve :
– le **complément circonstanciel (CC) de lieu** qui répond à la question *où ?*
– le **complément circonstanciel (CC) de temps** qui répond à la question *quand ?*
– le **complément circonstanciel (CC) de manière** qui répond à la question *comment ?*

   Les autoroutes ont formé un réseau en étoile <u>autour de Paris</u>.
                                                      (où ?) CC de lieu

   Elles ont été construites <u>progressivement</u> depuis les années 1960.
                                 (comment ?)   *(quand ?)*
                                 CC de manière   CC temps

- Un complément de phrase peut être :
– un **groupe nominal introduit par des mots comme** *autour, à, avec, de, dès, entre, par, sans, sous, sur…*

   Les autoroutes forment un réseau <u>autour de Paris</u>.
   Il y a des embouteillages <u>aux alentours de Paris</u>.
– un **adverbe** : *Le réseau s'étend <u>progressivement</u>.*

Identifier les compléments de phrase

1 ⋆ **Recopie les CC de lieu en vert, les CC de temps en bleu, les CC de manière en noir.**
a. Pour mon anniversaire, j'inviterai tous mes copains.
b. À la nuit tombante, les grenouilles se sont mises à coasser dans l'étang.
c. Avez-vous remarqué ce gros dirigeable publicitaire dans le ciel ?
d. À la piscine, ne courez pas sur les rebords glissants ; marchez calmement.
e. Le vieil homme avance prudemment sur le verglas.

2 ⋆⋆ **Recopie les compléments de phrase et précise s'ils indiquent le temps, le lieu ou la manière.**
a. Tous les dimanches, nous allons chez mes grands-parents.
b. Dès l'arrivée du facteur, le chien aboie férocement.
c. Nous avons planté des arbres fruitiers dans le pré.
d. À la fin de l'année scolaire, nous emmènerons les élèves au parc d'attractions.
e. Cathy et Kevin avaient soigneusement préparé leur exposé le weekend précédent.

Manipuler les compléments de phrase

3 ⋆ **Complète chaque phrase avec un CC de lieu.**
a. J'ai garé la voiture … .
b. Je vais faire mes courses … .
c. …, ils ont trouvé un trésor.
d. Ma sœur est partie … .

4 ⋆ **Ajoute un adverbe CC de manière à chacune de ces phrases.**
a. Nous terminerons … les exercices pour aller jouer.
b. Les poules couvent … leurs œufs.
c. Les cyclistes dévalent la pente … .
d. …, l'animatrice a soigné mon genou.

5 ⋆⋆ **Ajoute à chacune des phrases le complément de phrase demandé.**
a. … je ferai mes courses dans ce nouveau centre commercial. *(CC de temps)*
b. Toute la famille se promènera …, … . *(CC de temps) (CC de lieu)*
c. C'est … qu'a eu lieu la pire bataille. *(CC de lieu)*
d. … nous n'avions pas la télévision. *(CC de temps)*

> **Défi langue**
>
> **Parmi les groupes de mots en gras, il y a un intrus. Trouve-le et explique ton choix.**
> a. J'ai fabriqué une maquette **avec soin**.
> b. Je profite de la plage **en été**.
> c. Je ferme les volets **de ma chambre**.
> d. On voyait la tour Eiffel **de la fenêtre de la cuisine**.

6 ⋆⋆ **Recopie les phrases sans les compléments de phrase.**
a. En 1917, les États-Unis entrent en guerre aux côtés de la France et de l'Angleterre.
b. En 1916, l'Allemagne lance une grande offensive sur Verdun.
c. Le 11 novembre 1918, l'Allemagne est vaincue.

J'écris

7 ⋆ **Il a beaucoup neigé pendant la nuit et la journée. Raconte tes difficultés ou celles des passants pour se déplacer. Utilise le maximum de compléments de phrase.**

Les adverbes

Pour éviter les caries, il faut **impérativement** :
– se laver les dents matin et soir, et si possible après le déjeuner ;
– éviter de grignoter **trop souvent** des produits sucrés comme les bonbons et les pâtisseries ;
– éviter au maximum de consommer des boissons sucrées.

- Relevez les mots dont le sens est modifié ou renforcé par le mot en rouge.
- Lequel de ces mots en rouge est un CC de manière ? Lequel est un CC de temps ?
- Remplacez-les par d'autres mots synonymes.

Je retiens

- Un **adverbe** est un **mot invariable (il ne change jamais)** qui modifie le sens :
– d'un **verbe** (le plus souvent).
    Il **faut** <u>impérativement</u> se laver les dents.
– d'une **phrase entière**.
    <u>Demain</u>, **j'ai rendez-vous chez le dentiste**.

- Les adverbes peuvent indiquer le **lieu** (ici, là…), le **temps** (aussitôt, toujours, souvent…), la **manière** (entièrement, brusquement, bien…), la **quantité** ou le **degré** (beaucoup, peu, trop…), la **négation** (ne … pas, ne … plus)…

Identifier l'adverbe

1 ⋆ Classe les adverbes dans le tableau.

mal · courageusement · tard · jadis · ici · poliment · derrière · bien · vite · autrefois

adverbes de lieu	adverbes de temps	adverbes de manière

2 ⋆ Indique si les adverbes précisent la quantité, la manière ou la négation.

trop · ne … jamais · assez · rapidement · beaucoup · ne … rien · tellement · gentiment · régulièrement

3 ⋆ Souligne les adverbes dans ces phrases.

a. J'ai trop mangé.
b. Viens là, s'il te plait !
c. J'achète toujours cette marque de pâtes.
d. Lola ne veut plus faire de vélo.
e. Mon petit frère a bien dormi cette nuit.

4 ⋆ Encadre le verbe en rouge, souligne l'adverbe qui le modifie.

a. Cet élève de CP lit couramment.

b. Bastien mange peu.

c. Quand il est fatigué, Romain conduit mal.

d. La neige a complètement fondu.

e. Margaux va souvent chez son amie Samia.

f. Un faisan s'envole brusquement au-dessus des roseaux.

5 ⋆⋆⋆ Relève les adverbes de ce texte et précise ce qu'ils indiquent.

La fenêtre du grenier permet de voir le passé.
Bientôt nous sommes au grenier, et devant nous la petite fenêtre est là. Nous commençons par en nettoyer méticuleusement les carreaux, afin de ne rien perdre de ses surprenantes qualités. Puis nous guettons.

Francisco Arcis, *Le Mystère du marronnier*, © Magnard.

> **Défi langue**
>
> **Les mots en gras sont-ils tous des adverbes ? Explique chacune de tes réponses.**
>
> a. Ces **faux** bijoux ne valent rien.
>
> b. Mon cousin Vladimir chante **faux**.
>
> c. Ce boxeur est vraiment très **fort**.
>
> d. La pluie tombe trop **fort** pour sortir.

Utiliser un adverbe

6 ⋆ Retrouve l'ordre de ces phrases en t'aidant des adverbes de temps en gras.

a. Mon père est **soudain** entré dans la chambre quand il a entendu le bruit.

b. **Puis** nous nous sommes précipités dans ma chambre.

c. **D'abord** nous avons mangé tous les bonbons que ma mère avait achetés.

d. **Enfin** nous avons tous été punis et j'ai été privé de télévision pendant huit jours.

e. **Après**, nous avons sauté si fort sur les lits que les ressorts ont cassé.

f. **Ensuite**, comme nous avions soif, nous avons bu tout le jus d'orange.

7 ⋆ Complète ce texte avec les adverbes proposés.

peut-être • brusquement • presque • n' … pas • longuement • beaucoup • enfin

Tania avait … fini ses devoirs quand la sonnerie retentit …. Elle aimait … répondre au téléphone mais elle … avait … le droit de décrocher en l'absence de ses parents. Elle hésita … . C'était … quelque chose d'important. Quand elle se décida … à aller voir qui appelait, la sonnerie s'arrêta.

8 ⋆⋆ Complète les phrases avec l'adverbe demandé.

a. J'aime … les films d'aventures. (*degré*)

b. Il … partira … à Londres. (*négation*)

c. Léa mange … quand elle revient de la piscine. (*quantité*)

d. …, nous reprendrons le chemin de l'école. (*temps*)

e. Quand on roule …, on risque un accident. (*manière*)

9 ⋆⋆⋆ Remplace chaque adverbe en gras par un adverbe de sens contraire.

a. Tous les plats sont rangés **ici**.

b. Papa est rentré **tôt** toute la semaine.

c. Les enfants ont **beaucoup** joué aujourd'hui.

d. Les cochons mangent **proprement**.

e. Il pleut **faiblement** dans cette région.

J'écris

10 ⋆ Raconte la dernière kermesse de l'école. Utilise des adverbes de temps, de quantité et de manière.

D'abord, nous avons joué au chamboule-tout…

Je révise

Identifier les différents groupes de mots dans la phrase

1 ＊ Encadre les verbes conjugués et souligne leurs sujets.

a. Les enfants, ce soir, devront se coucher tôt.

b. Quelqu'un a oublié son livre sur le banc.

c. Que deviennent les coquilles d'œuf après l'éclosion ?

d. Dans la cour de récréation, les élèves jouent au ballon, se courent après, sautent à la corde…

e. Les acteurs principaux et les figurants se préparaient à jouer la scène.

f. Faire des courses occupe une grande partie de ses journées.

g. Quand arriva la fin de la pièce, les spectateurs pleuraient.

2 ＊ Recopie ces phrases. Souligne les compléments de verbe (COD et COI) en bleu et les compléments de phrase en vert.

a. Les randonneurs partent de bonne heure.

b. Sur leur veste, ils ont enfilé des coupe-vents.

c. Ils ont mis de l'eau dans leur gourde.

d. Ils portent des sacs à dos dans lesquels ils ont mis leur piquenique.

e. Ils marchent avec précaution sur le chemin glissant.

f. Ils atteindront le prochain village avant midi.

3 ＊ Recopie ces phrases. Sépare d'un trait les sujets, les verbes, les différents compléments et les attributs du sujet.

Vers quatre heures de l'après-midi, les nuages se déchirent et le soleil apparait. Les deux petites saisissent leur panier et partent à la chasse aux escargots. Les chemins sont détrempés par la pluie, la boue colle aux bottes, mais les fillettes sont heureuses : elles peuvent courir et jouer. Bientôt le panier est plein !

4 ＊ Recopie ces phrases. Souligne les verbes d'état en rouge, leur sujet en vert et leur attribut du sujet en noir.

– Quand je serai roi, déclara Hugo, j'interdirai les punitions.

– Mais tu ne deviendras jamais roi, voyons, il n'y a plus de roi en France !

– Eh bien alors, je serai président !

– Tu sembles bien sûr de toi. Et comment comptes-tu t'y prendre ?

– Ça, je ne sais pas encore, il faut que j'y réfléchisse…

5 ＊ Recopie ces phrases. Encadre les CC de temps en vert, les CC de lieu en rouge, et les CC de manière en noir.

a. Jadis, les châteaux forts servaient de refuge pendant les attaques.

b. Sur mon balcon fleurissent des géraniums.

c. Chaque jour, le gardien met le courrier sous ma porte.

d. Dans le bus, les voyageurs parlent plus facilement que dans le métro.

6 ＊ Classe les mots et groupes de mots soulignés dans le tableau.

sujet	COD	Complément de phrase

a. Au milieu du tumulte survinrent les pompiers.

b. Vous laisserez les bottes et les cirés mouillés dans l'entrée.

c. Ma grand-mère était couturière et cousait de jolies robes.

d. Pourquoi as-tu mis les fruits dans le réfrigérateur ?

e. La directrice leur a donné une punition.

f. Patiemment, la maitresse lui a réexpliqué la leçon.

7 ✶✶ **Indique si les mots en gras sont des COD ou des attributs du sujet.**

a. Les enfants n'oublient jamais **leurs billes** pendant la récréation.

b. Le professeur resta **inflexible** : « pas de sortie de fin d'année ! »

c. Autrefois, on pensait que la terre était **plate**.

d. Nous donnons toujours **du pain** aux oiseaux pendant l'hiver.

e. Ces pulls semblent **doux et confortables**.

f. La fillette fabrique **une marionnette** avec de la feutrine.

8 ✶✶ **Indique si les groupes de mots soulignés sont des COD / COI / compléments de phrase / attributs du sujet.**

a. La fête était installée <u>sur la place du village</u> <u>depuis samedi</u>.

b. Des feux d'artifice explosaient <u>bruyamment</u> <u>dans le ciel</u>.

c. Les forains vendaient <u>des friandises</u> <u>aux enfants</u>.

d. Les petits semblaient <u>émerveillés</u>.

e. <u>Toute la nuit</u>, la musique et les pétards retentirent <u>avec force</u>.

f. <u>Au petit matin</u>, les forains avaient plié <u>bagage</u>.

9 ✶✶✶ **Indique si les groupes de mots en gras sont des sujets / COD / COI / compléments de phrase / attributs du sujet.**

a. **Le maître de ce commerce** était **très grand**, **très maigre** et **très sale**. Il portait **une barbe grise**, et **des cheveux de troubadour** sortaient **d'un grand chapeau d'artiste**.

b. Les maîtres **nous** lisaient **des contes d'Andersen ou d'Alphonse Daudet**, puis nous allions jouer dans la cour **pendant la plus grande partie de la journée**.

c. **Vers le 10 août**, les vacances furent interrompues, **pendant tout un après-midi**, par un orage, qui engendra, comme c'était à craindre, **une dictée**.

Marcel Pagnol, *La Gloire de mon père*, coll. Fortunio, Éditions de Fallois, © Marcel Pagnol, 2004.

Manipuler les groupes de mots dans la phrase

10 ✶ **Complète ces phrases avec des compléments de phrases de ton choix.**

Tu peux les placer en début ou en fin de phrase.

a. Le soleil a brillé.

b. Le jeune public écoutait la conteuse.

c. Mathieu reviendra.

d. J'aime me reposer.

e. Alix a lu son livre.

11 ✶✶ **Ajoute les compléments demandés aux phrases suivantes.**

a. Ils ne croient plus … *(COI groupe nominal)*.

b. J'apporte toujours … *(COD groupe nominal)* quand je suis invitée.

c. Mamie … *(COI pronom personnel)* a promis de faire un crumble aux pommes.

d. Tout à coup, quelqu'un demanda … *(COD groupe nominal)* … *(COI nom propre)*.

e. Il devient … *(attribut du sujet adjectif qualificatif)*.

12 ✶✶ **Change le genre et le nombre du sujet comme demandé entre parenthèses et transforme la phrase.**

a. *(féminin-pluriel)* Le joueur parait fatigué.

b. *(masculin-singulier)* Les actrices semblaient concentrées.

c. *(féminin-singulier)* Les princes ne furent pas délivrés.

d. *(masculin-pluriel)* La prisonnière restera captive.

13 ✶ **Écris des phrases selon les modèles indiqués.**

Tu peux utiliser des pronoms compléments ; ils peuvent modifier l'ordre demandé.

a. sujet • verbe • COD • COI

b. sujet • verbe d'état • attribut du sujet

c. CCL • sujet • verbe • CCM

Le nom et le groupe nominal

Annette, une petite fille de 9 ans, se souvient des moments heureux passés en famille avec ses parents et son petit frère Michel, juste avant la tourmente de la Seconde Guerre mondiale.

Le **dimanche**, c'était **jour** de **fête**.
Il y avait dans la **maison** une odeur chaude de gâteau au chocolat et à la cannelle qu'on prenait avec le **café au lait** ou le Banania. Ma **mère** installait devant le **poêle** une grande baignoire de zinc où nous plongions deux par deux. Elle nous savonnait et mon **père** nous enveloppait dans **des serviettes tièdes**. Après le **bain**, mon **père** s'asseyait sur le divan bleu pour le cérémonial habituel qui consistait à embrasser le petit doigt de pied de Michel.

Annette Muller, La Petite Fille du Vel d'Hiv, © Le Livre de Poche Jeunesse, 2014.

- **Michel est un mot qui commence toujours par une majuscule. Pourquoi ?**
- **Comment appelle-t-on les mots en gras ?**
- **Quel est le mot le plus important dans chaque groupe de mots en rose ?**
- **Remplacez les groupes de mots en rose par d'autres construits de la même manière.**

- Le **nom propre** commence toujours par une **majuscule** : *Michel*
- Le nom a un **genre** (masculin ou féminin) et un **nombre** (singulier ou pluriel).

Michel
nom propre masculin singulier

serviettes
nom commun féminin pluriel

- Un **groupe nominal (GN)** est constitué au minimum d'un **déterminant** et d'un **nom commun** : *la maison, mon père*
- Le **nom** est le **noyau (mot le plus important)** du groupe nominal : *le **divan** bleu*
- On peut compléter le **groupe nominal** avec :
– un **adjectif qualificatif** : *des serviettes **tièdes***
– un **complément du nom** : *le café **au lait***

Distinguer les noms communs des noms propres

1 ⋆ Trouve un nom propre correspondant au nom commun.
une région : le Languedoc

a. une ville

b. un pays

c. un continent

d. un fleuve

e. une chaine de montagnes

f. un département

Identifier les groupes nominaux

2 * Relève les GN composés d'un nom et d'un adjectif ou d'un nom et d'un complément du nom.

Le roi Shahriyar vivait dans un somptueux palais, avec des cours ombragées et des tours innombrables qui pointaient vers le ciel ; il passait ses journées à gouverner son royaume, après quoi il buvait du jus de fruits glacé, au son de la musique, en compagnie de sa ravissante épouse ; elle avait de longs cheveux noirs [...], et son visage à l'ovale parfait était blanc comme la lune.

Fiona Waters, *Nuits d'Orient : contes extraits des Mille et Une Nuits,* trad. M. Nikly, © Pavilion Books.

3 * Souligne le nom noyau de chaque GN.

a. cette jolie princesse à la robe couleur de lune
b. le méchant ogre cruel et vorace
c. la méchante sorcière du placard à balais
d. un énorme dragon aux dents acérées

4 ** Souligne les éléments qui complètent le nom noyau.

a. le Petit Chaperon rouge
b. la petite fille aux allumettes
c. les habits neufs de l'empereur
d. les six compagnons en embuscade
e. le stoïque soldat de plomb

Reconnaitre le genre et le nombre des groupes nominaux

5 * Recopie les GN pluriels en bleu et les GN singuliers en vert.

a. plusieurs ordinateurs – **b.** quelques feuilles de classeur – **c.** cet arbre exotique – **d.** d'innombrables chansons – **e.** un puits – **f.** trois radis roses – **g.** ce parcours

6 ** Souligne les GN féminins en rouge et les GN masculins en vert.

En cas de doute, vérifie dans le dictionnaire.

a. des pétales roses – **b.** des pédales de vélo – **c.** des omoplates – **d.** l'humour – **e.** l'hélice – **f.** des soldes intéressants – **g.** l'appétit – **h.** l'interview – **i.** des invasions – **j.** des intrus

Les groupes nominaux en gras sont-ils féminins ou masculins, à ton avis ? Quels indices t'ont permis de répondre ?
a. **Les élèves épuisées** s'arrêtaient à chaque tour de stade.
b. **Seuls tes meilleurs camarades** pourront venir à ton anniversaire.
c. Le public applaudissait **ces artistes connues**.

Employer des groupes nominaux

7 ** Complète les phrases avec des GN de ton choix.

Fais bien attention aux accords !

a. ... ont toutes des ceintures de sécurité.
b. Sur ce sentier se croisent ... .
c. ... sont allés cueillir des jonquilles.
d. ... est tombé dans la boue.

8 *** Complète ces groupes nominaux avec les éléments proposés.

a. une cour ... *(complément du nom)*
b. un bonbon ... *(adjectif)*
c. une tarte ... *(complément du nom)*
d. un film ... *(adjectif + complément du nom)*
e. des exercices ... *(adjectif + compl. du nom)*

J'écris

9 * Il sort de drôles de choses du chapeau du magicien. Continue l'énumération à l'aide de groupes nominaux.
une poupée en porcelaine...

10 * À la manière du texte de l'exercice 2, écris un portrait de la fille du roi Shahriyar contenant au moins trois groupes nominaux.

Les articles

Vous avez dû entendre parler de moi : je suis **la** plus célèbre cinéaste de l'île **des** Souris, spécialisée dans **les** films d'hor-r-r-r-reur ! D'ailleurs, ce jour-là, je devais recevoir **le** Premier Prix du Festival du Film d'Horreur ! Mon réveil-crâne joua **une** lugubre marche funèbre. Minuit, **l'**heure **du** réveil ! Ici, à Chateaucrâne, tout **le** monde se lève à minuit pile ! Je m'étirai dans mon lit à baldaquin **aux** draps violets.

Geronimo Stilton, vol. 55, *Kidnapping chez les Ténébrax !*
trad. T. Plumederat, © Albin Michel Jeunesse.

- Quelles précisions les mots en rose apportent-ils aux noms qu'ils accompagnent ?
- Classe ces mots en deux catégories : singulier ou pluriel.
- Remplacez le nom *réveil* par le nom *sonnerie*. Que se passe-t-il ?
- L'auteur a écrit : *la plus célèbre cinéaste*. Aurait-il pu mettre *une* à la place de *la* ? Pourquoi, à votre avis ?

Je retiens

- Les **articles** font partie de la classe des déterminants. Le **déterminant** est un mot placé devant le nom. Il **indique le genre et le nombre** de ce nom. Il existe plusieurs articles :

– les **articles indéfinis** (*un, une, des*) se placent devant un nom dont on n'a pas encore parlé, qu'on ne connait pas encore.

> **une** *lugubre marche funèbre*

(!) Quand l'article indéfini pluriel est séparé du nom par un adjectif, **des** devient **de** ou **d'** devant une voyelle : *des cinéastes* → **de** *célèbres cinéastes* → **d'**_illustres cinéastes_

– les **articles définis** (*le, la, l', les*) se placent devant un nom dont on a déjà parlé, que l'on connait de manière précise.

(!) Devant une voyelle, on utilise **l'** : **l'**heure

(!) Attention, on ne peut pas dire « à le », « à les », « de le », « de les ». On est obligé de contracter les deux mots. On obtient ainsi des articles définis contractés.

à + le = **au**	à + les = **aux**	de + le = **du**	de + les = **des**
une glace **au** *café*	*un lit* **aux** *draps violets*	*l'heure* **du** *réveil*	*l'ile* **des** *Souris*

Identifier les articles

1 ⭑ Relève l'intrus de chaque série de déterminants.

a. le • d' • la • les

b. un • une • les • des

c. du • au • aux • un

d. là • le • l' • les

2 ⭑ Souligne les articles définis en bleu et les articles indéfinis en vert.

Les camions de pompiers encombraient la rue. Les flammes sortaient par les fenêtres et une épaisse fumée noire commençait à se répandre dans la rue. Les passants mettaient des mouchoirs sur leur nez mais restaient sur place, interloqués. Heureusement, il n'y eut pas un blessé.

Défi langue

Les mots en gras sont des articles indéfinis sauf dans les phrases a. et d. Explique pourquoi.

a. Je parle souvent **des** copains de la classe.

b. Nous avons acheté **des** tartes aux pommes pour le diner.

c. **Des** moineaux ont picoré toutes les graines.

d. Nous nous souvenons **des** contes de notre enfance.

e. Je mange **des** céréales au petit déjeuner.

Manipuler les articles

3 ⭑ Recopie les phrases en choisissant le déterminant qui convient.

a. *(Le / Un)* médecin qui est venu hier a diagnostiqué *(l' / une)* angine à Clémence.

b. Nous avons terminé *(le / un)* repas par *(une / la)* tarte *(au / aux)* citron meringuée.

c. Il n'a pas voulu prendre *(le / l')* autobus pour se rendre *(au / aux)* musée.

d. J'ai rencontré *(des / les)* amis dans *(la / une)* rue *(du / des)* Four.

e. À *(le / l')* automne, *(des / les)* troupeaux quittaient *(les / des)* alpages pour retourner à *(l' / une)* étable.

4 ⭑⭑ Complète les phrases avec l'article qui convient.

a. J'ai recueilli … oisillon qui était tombé de … arbre.

b. Mon gouter préféré : … pain et de … confiture.

c. Pour … anniversaire de mon frère, nous avons préparé … gougères … fromage.

d. J'ai très mal … pieds dans ces chaussures.

e. … mer … Sargasses est … large … Antilles.

5 ⭑⭑ Recopie ces phrases en choisissant le nom qui convient en fonction du genre et du nombre de l'article.

a. Les *(enfant / galopins)* jouaient près de la mare aux *(canards / grenouille)*. Ils chassaient les *(libellules / papillon)* à l'aide d'un grand filet aux *(boucle / mailles)* serrées.

b. La mère des *(lapereau / renardeaux)* avait recouvert le fond du *(terrier / nids)* d'un épais *(couche / tapis)* de feuilles.

6 ⭑⭑⭑ Réécris chaque phrase en remplaçant le nom en gras par le nom entre parenthèses.

a. Les Dupré vont à la **campagne** chaque weekend. *(cinéma)*

b. Mettez de la **confiture** sur vos tartines. *(beurre)*

c. J'ai rendu mes livres à la **bibliothécaire**. *(bibliothécaires)*

d. Achète du **sel** au magasin. *(farine)*

e. J'ai nettoyé la cage du **hamster**. *(perruche)*

J'écris ✏️

7 ⭑⭑ Écris une phrase avec chacun de ces groupes nominaux.

Utilise correctement les articles !

une souris • la souris • des souris • les souris

Les déterminants possessifs et démonstratifs

– Je suis venue vous parler de Matilda, madame la directrice. C'est une enfant extraordinaire. Puis-je vous expliquer ce qui vient de se passer dans ma **classe** ?
– Je suppose qu'elle a mis le feu à votre **jupe** et brûlé votre **culotte** ! répliqua Mlle Legourdin, hargneuse.
– Non, non ! s'écria Mlle Candy. Matilda est un génie.
À la mention de ce mot, Mlle Legourdin devint violette et tout son **corps** parut s'enfler comme celui d'un crapaud-bœuf.
– Un génie ! hurla-t-elle. Quelles âneries me débitez-vous ? Vous avez perdu la tête ! Son **père** m'a garanti que sa **fille** était un vrai gibier de potence !

Roald Dahl, *Matilda*, trad. H. Robillot, © Éditions Gallimard Jeunesse.

- Relevez les petits mots situés juste avant les noms en rose. À quoi servent-ils ?
- Relevez le petit mot situé juste avant le nom en bleu. À quoi sert-il ?

Je retiens

- Les **déterminants possessifs** indiquent **à qui appartient la chose ou la personne dont on parle**.

mon	ma	mes	notre	nos
ton	ta	tes	votre	vos
son	sa	ses	leur	leurs

Son père la connait depuis *sa* naissance.

- Les **déterminants démonstratifs** désignent **ce que l'on montre**.

ce, cet, cette, ces

Vous avez vu **cette** petite fille une demi-heure.

Distinguer les déterminants possessifs et démonstratifs

1 ✶ Relève l'intrus de chaque série.
a. mes • tes • ses • ces
b. ma • ta • sa • la
c. son • se • sa • ses
d. ses • ces • cet • cette

2 ✶ Souligne en vert les déterminants possessifs et en bleu les noms qu'ils accompagnent.
a. Elle a laissé son manteau dans la cour.
b. La monitrice leur a donné leurs gouters.
c. Nos voisins nous ont invités dans leur nouvel appartement.
d. Mes amis sont venus hier.

3 ✶ **Recopie les déterminants démonstratifs avec le nom qu'ils accompagnent.**

a. Ces fenêtres se sont ouvertes cette nuit.

b. Cet évènement a choqué le monde entier.

c. Ces histoires drôles me font rire à chaque fois !

d. Théo n'a rien compris à la règle de ce jeu.

e. J'ai épousseté les étagères de cette armoire.

Manipuler les déterminants possessifs et démonstratifs

4 ✶ **Mets ces groupes nominaux au singulier.**

a. ces arbres • ces fleurs • ces cahiers

b. mes affaires • mes photos • mes mouchoirs

c. ses assiettes • ses poupées • ses souliers

d. tes jouets • tes casquettes • tes cartes

e. nos valises • vos tableaux • leurs bagues

5 ✶✶ **Recopie les phrases en mettant les groupes nominaux au pluriel.**

Attention aux accords !

a. Il a laissé son jouet dans sa poche.

b. Nous avons emporté notre cartable.

c. Il prendra en charge cette réparation.

d. Connaissez-vous cet élève ?

e. Il adore cette histoire drôle.

f. Gardez votre écharpe et votre bonnet.

6 ✶✶ **Complète ces phrases avec un déterminant possessif.**

Plusieurs solutions sont parfois possibles.

a. J'ai lavé … pantalon et … chaussettes.

b. Il perd souvent … temps.

c. Les élèves ont envoyé des lettres à … correspondants.

d. Nous avons oublié … parapluie.

e. Ouvrez … livres et … cahiers.

f. Je suis très fière de … fils car il vient de remporter … première victoire aux championnats de natation de … école.

7 ✶✶ **Complète ces phrases avec le déterminant démonstratif qui convient.**

a. J'ai habité longtemps dans … région.

b. Dans … magasin, on trouve de tout.

c. … chaussures me font mal !

d. … anneau est en bronze.

8 ✶✶✶ **Complète ce texte avec les déterminants possessifs ou démonstratifs qui conviennent.**

Depuis … maudit soir où … père m'avait annoncé la fin du Muséum, je passais tout … temps libre dans … salles, ruminant … idées noires, et me demandant en vain quel stratagème échafauder pour repousser le spectre de … bouleversement, de … trahison.

Philippe Delerm, *Sortilège au Muséum*,
© Magnard Jeunesse.

Manipuler les articles et les déterminants possessifs et démonstratifs

9 ✶✶✶ **Réécris les phrases en mettant les groupes nominaux au singulier.**

a. Ferme vite ces portes pour éviter les courants d'air.

b. Il a rangé ses livres dans les casiers.

c. Prenez vos shorts et des maillots de bain.

d. Nous avons mangé de délicieuses tartes.

J'écris

10 ✶ **Tout ce que contient cette pièce t'appartient ou appartient à un membre de ta famille. Écris des phrases indiquant le possesseur de chaque élément.**

Emploie aussi des déterminants démonstratifs.

Ce chien appartient à ma sœur…

L'adjectif qualificatif

Cherchons

Kathy voit son frère Arthur tomber d'un arbre.
C'est alors qu'il y eut un grand **crac** !
Horrifiée, Kathy vit Arthur dégringoler comme une
masse, sa main agrippant désespérément la ceinture qui
s'était détachée du tronc. Heureusement pour lui, les
multiples sous-étages de végétation ralentirent sa chute.
L'**atterrissage** n'en fut pas moins rude. Un **choc** sourd
que Kathy ressentit jusque dans la plante des pieds.

Stéphane Tamaillon, Kroko, © Seuil Jeunesse.

- Relevez les mots qui qualifient les noms en rose.
- Où sont placés ces mots par rapport aux noms
qu'ils qualifient ?
- Quels autres adjectifs pourriez-vous utiliser pour qualifier ces noms ?

Je retiens

- L'**adjectif qualificatif** est un mot qui **qualifie le nom qu'il accompagne**. Il peut
être placé devant ou derrière ce nom. Il **s'accorde toujours** en **genre** (féminin ou
masculin) et en **nombre** (singulier ou pluriel) avec lui.

   Les <u>**multiples**</u> <u>étages</u> de végétation.
       adjectif   nom

- L'adjectif qualificatif peut **être** :
- **placé à côté du nom qu'il qualifie**. On dit alors qu'il est épithète.

   *un choc **sourd*** → *sourd* est un adjectif qualificatif épithète du nom *choc*.

- **séparé du nom qu'il qualifie par un verbe d'état** (*être, sembler, paraitre…*).
On dit alors qu'il est **attribut du sujet**.

   L'atterrissage <u>fut</u> très **rude**. → *rude* est un adjectif qualificatif attribut du sujet
        verbe d'état   *l'atterrissage.*

Reconnaitre les adjectifs qualificatifs

1 * Recopie ces phrases et souligne les
adjectifs qualificatifs.
a. Le chevreuil effrayé bondit vers la forêt.
b. L'arbre qui domine la colline était tordu par
le vent.

c. La ballerine légère et gracieuse évoque
un cygne.
d. Les touristes regagnèrent le car sous
une pluie battante.
e. Les corneilles noires qui survolaient le haut
donjon étaient bruyantes et agitées.

2 ✳✳ Recopie ces phrases en supprimant les adjectifs qualificatifs.

a. Dans le désert aride, les voyageurs assoiffés cherchent un point d'eau.

b. Des éclairs fulgurants déchirent le ciel.

c. Les mains sèches et ridées de la sorcière hypnotisaient la jeune fille.

d. Les délicieuses spécialités de ce restaurant me font saliver.

e. Le coureur épuisé franchit la ligne d'arrivée.

Distinguer les adjectifs qualificatifs

3 ✳ Souligne le nom noyau de chaque groupe nominal en rouge et les adjectifs qualificatifs épithètes en vert.

a. une rivière sinueuse et tumultueuse

b. deux petits bonbons à la menthe

c. du chocolat onctueux qui coule

d. mon magnifique bouquet de fleurs

e. un gros roman passionnant

4 ✳✳ Souligne en vert les adjectifs attributs du sujet et en bleu les adjectifs épithètes.

a. Paul restait insensible aux cris de colère du petit garçon.

b. À l'arrivée du marathon, les coureurs sont épuisés.

c. Un charmant jardin se niche au fond de cette rue paisible.

d. De majestueuses montagnes couronnées de neige se dessinaient dans le lointain.

e. Sophie ne semble pas inquiète de la rentrée prochaine.

Employer les adjectifs qualificatifs

5 ✳ Ajoute un ou plusieurs adjectifs épithètes à chaque groupe nominal.

Pense aux accords !

a. des éléphants   **d.** la gazelle
b. un zébu   **e.** ce flamant
c. deux lionnes   **f.** des crocodiles

Défi langue

Recopie ces phrases en choisissant l'adjectif qui convient. Explique tes réponses à chaque fois.

a. Les randonneuses un peu (*reposée / reposées*) reprirent leur chemin.

b. Il avait chaussé ses mocassins (*noires / noirs*).

c. La maison était entièrement (*dissimulée / dissimulées*) derrière un rideau d'arbres.

d. Des boucles (*épaisse / épaisses*) s'échappaient de son vieux chapeau de paille.

6 ✳✳ Accorde les adjectifs épithètes entre parenthèses, si nécessaire.

a. Quelques arbres (*centenaire*) ombragent le jardin.

b. Une mésange (*bleu*) chante sur le toit.

c. Le cycliste (*tenace*) grimpe le col (*abrupt*).

d. Les étudiantes (*sérieux et appliqué*) révisent leurs (*difficile*) examens.

7 ✳✳ Transforme les adjectifs épithètes en adjectifs attributs. Varie le verbe d'état.

le fin brouillard → Le brouillard est fin.

a. le lourd colis

b. ces gros nuages noirs

c. mon chat affectueux et joueur

d. ses plumes lisses et brillantes

8 ✳✳ Transforme les adjectifs attributs en adjectifs épithètes.

Le chocolat est chaud. → le chocolat chaud

a. Cet homme est petit.

b. Mon armoire semble grande.

c. L'océan parait vaste et profond.

d. Tes deux jupes sont longues.

J'écris

9 ✳ Décris ce garçon et cette fille en utilisant des adjectifs. Varie la place des adjectifs.

Le complément du nom

Cherchons

Wiggins est un jeune détective londonien du XIXe siècle.

Wiggins abaissa sa lanterne pour scruter le sol. Les **traces** de la carriole étaient nettement visibles sur le bas-côté. Il évalua avec soin la largeur des roues, examina chaque pouce de terrain et chaque brin d'herbe, souleva des cailloux [...].
Rien, il ne trouva rien d'intéressant.

Béatrice Nicodème, *Wiggins et la nuit de l'éclipse*,
© Gulf Stream éditeur.

- Quel groupe de mots précise le nom *traces* ?
- Comment ce groupe de mots est-il composé ?
- Cherchez dans le texte d'autres noms complétés de la même manière.
- À quoi servent ces groupes de mots, à votre avis ?

Je retiens

- Comme l'adjectif qualificatif, le **complément du nom complète un nom en le précisant**.

- Le **complément du nom** est introduit par *à, de, par, pour, sans, dans, avec, en…* (prépositions) ou par *au, aux, du, des* (articles définis contractés).

   *les traces **de la carriole** →* complément du nom *traces*

- Le **complément du nom** peut être :
- un **autre nom** ou un **groupe nominal** : *la largeur **des roues***
- un **pronom** : *une lettre **de vous***
- un **verbe à l'infinitif** : *l'envie **de voyager***
- un **adverbe** : *les objets **d'autrefois***

Identifier le complément du nom

1 ★ Souligne le complément du nom et entoure la préposition qui l'introduit.

a. un tas de sable
b. un voyage en bateau
c. une tarte à l'orange
d. un régime sans sel
e. une soupe au potiron

f. une défaite par forfait
g. une nuit sans sommeil
h. le sabre du pirate
i. une sauce aux champignons

2 ** Relève les compléments du nom.

Il laissa de côté la clé en argent de sa bicyclette, la clé ronde de son magasin, la petite clé dorée de son coffre-fort, la clé argentée à tête carrée de son casier de vestiaire au gymnase, la clé ovale de son classeur à dossiers, et trouva enfin la clé en cuivre à double panneton de son appartement.

M. Hoeye, *Hermux Tantamoq*, tome 1,
trad. M. de Pracontal, © La Nouvelle Agence.

Employer le complément du nom

3 * Réécris ces phrases en remplaçant le complément du nom en gras par un autre complément du nom.

un gâteau au chocolat → un gâteau aux poires

a. le conducteur **du bus**

b. la chaise **en fer**

c. la machine **à calculer**

d. une compote **sans gout**

e. un roman **d'aventures**

f. une tarte **aux pommes**

Défi langue

Explique l'emploi du singulier ou du pluriel dans les compléments du nom en gras.

a. une brosse **à dents**

b. un couteau **de cuisine**

c. une collection **de timbres**

d. un fruit **à noyau**

4 * Complète chaque groupe nominal avec un complément du nom.

a. un magazine …   **d.** une machine …

b. une boite …   **e.** un sac …

c. cette recette …   **f.** des animaux …

5 ** Transforme les adjectifs qualificatifs en compléments du nom.

un enfant asiatique → un enfant d'Asie

a. une spécialité savoyarde

b. un gaz inodore

c. un bracelet métallique

d. une journée hivernale

e. un soir brumeux

f. le massif alpin

6 ** Complète les groupes nominaux en gras avec un complément du nom de la nature indiquée entre parenthèses.

a. J'ai **un grand désir** … . (*infinitif*)

b. Garde ce bijou en **souvenir** … . (*pronom*)

c. La tarte … (*nom ou groupe nominal*) est mon dessert préféré.

d. Les élèves … (*adverbe*) sont moins disciplinés que ceux d'autrefois.

e. Je suis dans **l'obligation** … . (*infinitif*)

7 ** Enrichis chaque phrase avec un complément du nom.

a. J'adore la purée.

b. Mon livre est rangé.

c. Les pots sont alignés sur l'étagère.

d. Le ballon a disparu.

e. Le joueur a gagné la médaille.

f. Maria a reçu une lettre.

Distinguer les adjectifs et les compléments du nom

8 *** Donne la classe des mots ou groupes de mots en gras, puis remplace-les par des éléments du même type.

« Dans ce coin-là, poursuivit M. Wonka en traversant la salle à pas **vifs**, dans ce coin, je suis en train d'inventer une toute **nouvelle** espèce **de caramels** ! » Il s'arrêta près d'une **grande** casserole. La casserole était pleine d'une mélasse **violâtre**, **bouillonnante** et **moussante**. Le petit Charlie se hissa sur la pointe **des pieds** pour mieux la voir.

« C'est du caramel qui fait pousser les cheveux ! cria M. Wonka. Il suffit d'en avaler une toute **petite** pincée et, au bout d'une demi-heure exactement, il vous pousse sur toute la tête une **superbe** crinière ! […] »

Roald Dahl, *Charlie et la Chocolaterie*, trad. É. Gaspar,
© Éditions Gallimard Jeunesse.

9 * Imagine un menu composé d'au moins cinq plats, de l'entrée au dessert.

Pâté de campagne, tourte à l'oseille…

Les pronoms personnels

Hori et Ahmosé sont des apprentis scribes* de l'Égypte ancienne qui jouent aux détectives.

– Il faut tout avouer à ton **oncle Ithou**. Il saura ce qu'il faut faire. Montre-lui l'amulette et explique-lui l'histoire depuis le début.

Hori regarda Ahmosé, abasourdi :

– Tu plaisantes ? Tu penses qu'il nous croirait ? Et même si on réussissait à le convaincre, mon pauvre oncle serait complètement affolé, il irait tout raconter à la police !

———

* **Scribe** : chez les Égyptiens de l'Antiquité, celui qui écrivait à la main les textes officiels.

Béatrice Égémar, *Hori scribe et détective, Le Scarabée du cœur* (tome 1), © Fleurus.

- **Relevez les mots qui remplacent l'oncle Ithou.**
- **Qui est *tu* dans la phrase : *Tu plaisantes ?* Qui est *on* dans : *Et même si on réussissait à...?***
- **À quoi servent ces petits mots ?**

Je retiens

- Un **pronom** est un mot qui **remplace un nom** ou un **groupe nominal**.

Les pronoms permettent d'**éviter les répétitions**.

Si nous racontons tout à **oncle Ithou**, **oncle Ithou** *ira tout dire à la police.*

→ *Si nous* **lui** *racontons tout,* **il** *ira tout dire à la police.*

- Il existe plusieurs sortes de **pronoms personnels**.

	personnes	pronoms sujets	pronoms COD	pronoms COI	autres
singulier	1re	je	me	me	moi
	2^{e}	tu	te	te	toi
	3^{e}	il, elle, on	le, l', la	lui	lui, elle
pluriel	1re	nous	nous	nous	nous
	2^{e}	vous	vous	vous	vous
	3^{e}	ils, elles	les	leur	eux, elles

Identifier les pronoms personnels

1 ✶✶ **Relève les pronoms qui désignent** *Rose, Corrie et Ronnie.*

Rose parle à sa copine Corrie de sa soirée à venir.

– Je vais demander à Ronnie de m'accompagner.

Tu te souviens, il était avec moi en CM2 ? Le garçon étrange aux cheveux roux et bouclés. Maintenant, il a tellement grandi que tu ne le reconnaîtrais plus, et il est beaucoup plus gentil. Je le trouve mignon !

Kit Pearson, *Le Jeu du chevalier*, © Montréal contacts.

2 ✶✶ **Recopie en vert les pronoms qui représentent les dieux et les déesses, et en bleu les pronoms qui représentent Zeus.**

Zeus s'adresse aux dieux et déesses de l'Olympe.
– Dieux et déesses de l'Olympe, fit-il. Écoutez-moi ! Vous m'avez choisi pour chef et je vous gouvernerai. Mais souvenez-vous, quand je suis venu vous chercher, quand je vous ai proposé de me suivre : je vous ai promis en échange que vous conserveriez vos privilèges.

Hélène Montardre, *Zeus à la conquête de l'Olympe*,
Histoires noires de la mythologie, © Nathan Jeunesse.

3 ✶✶✶ **Recopie ces phrases, puis souligne en vert les pronoms personnels et en bleu les articles définis.**

a. Voici les nouveaux livres de lecture : nous vous les distribuerons demain.
b. Il ouvrit la porte et la referma doucement.
c. Le pantalon de Jérémy est décousu, je le recoudrai demain.

Défi langue

Les mots en gras sont-ils tous des pronoms personnels ? Explique tes réponses.
a. Nous **leur** dirons d'apporter **leurs** cartes et **leur** jeu de Monopoly.
b. Tous les matins, les voisins ouvrent **leur** porte ; **leur** chien sort et **leur** ramasse le journal.
c. **Leurs** livres **leur** ont fait passer le temps.

Utiliser les pronoms personnels

4 ✶ **Complète ce texte avec les pronoms suivants : *la, elle, les, eux, leur*.**

Certains pronoms peuvent être utilisés plusieurs fois !

La buse variable est un rapace. … occupe les lisières des forêts. L'hiver, on … rencontre dans des espaces dégagés. … est généralement brune mais son plumage varie. … chasse de petits rongeurs et … guette sur une branche. … fonce sur … et … attrape à l'aide de ses serres.

5 ✶✶ **Réécris les phrases en utilisant un pronom personnel pour éviter la répétition.**

a. J'ai lu ce roman en deux jours et j'ai beaucoup aimé **ce roman**.
b. Anatole donne du pain aux pigeons. Parfois, il donne aussi des graines **aux pigeons**.
c. Quand Théo aura compris et résolu le problème, **Théo** recopiera **le problème** au propre.
d. Mattéo et moi ferons la vaisselle puis **Mattéo et moi** essuierons **la vaisselle**.
e. Arthur a fini de jouer avec ses puzzles et maintenant il range **ses puzzles**.
f. Assya distribue les cahiers du jour aux élèves puis elle distribuera les fichiers **aux élèves**.

6 ✶✶ **Remplace les pronoms personnels en gras par des groupes nominaux.**

L'ordre des mots peut changer !

a. Pauline a rangé son armoire avec **elles**.
b. Que **leur** avez-vous dit ?
c. Nous sommes restés diner chez **eux**.
d. Sophie partira en voiture avec **lui**.
e. Zoé **l'**enferme toujours avant de partir.
f. Alexandre **la** regarde avec attention.
g. Nous **le** tenons toujours par la main.

7 ✶✶✶ **Complète ces phrases avec les pronoms personnels qui conviennent.**

Le nombre entre parenthèses t'indique combien tu dois ajouter de pronoms dans la phrase.

a. … … a fait essayer son nouvel ordinateur. (2)
b. … … avons donné de vos nouvelles. (2)
c. … … a demandé d'acheter le pain. (2)
d. … ne … ai pas remercié de cette excellente soirée. Les autres invités étaient-… contents ? (3)

J'écris

8 ✶ **La sorcière Croulebarbe est tout le contraire des sorcières habituelles. Fais son portrait. Utilise des pronoms personnels.**
On la trouve timide, elle déteste voler sur un balai…

Les pronoms possessifs et démonstratifs

Cet avertissement est destiné à **ceux** qui auraient envie d'acheter un animal exotique pour la maison. D'abord, se préoccuper du régime alimentaire de l'animal en question. **Celui** du serpent par exemple est assez particulier : il se nourrit de souris vivantes. Se renseigner sur son espérance de vie : **celle** du perroquet est de 20 à 30 ans. Le singe pourrait être un compagnon agréable. Mais il est plein de puces et il y a peu de chance pour que tes parents en veuillent à la maison ! **Les miens** m'ont déjà dit non !

- Quel groupe nominal chacun des pronoms en vert remplace-t-il ?
- Que remplace le pronom en bleu ?
- Qui se cache derrière le pronom en rose ?
- À quoi servent ces pronoms ?

Je retiens

- Les **pronoms possessifs** indiquent **à qui appartient** ce dont on parle.
  *Tes parents veulent-ils un singe ? **Les miens** ont déjà dit non.*

	singulier		pluriel	
1re personne	le mien le nôtre	la mienne la nôtre	les miens les nôtres	les miennes les nôtres
2e personne	le tien le vôtre	la tienne la vôtre	les tiens les vôtres	les tiennes les vôtres
3e personne	le sien le leur	la sienne la leur	les siens les leurs	les siennes les leurs

- Les **pronoms démonstratifs** désignent **quelque chose que l'on montre ou dont on a déjà parlé** : celui, celle, ceux, celles, ce, c', ça, ceci, cela.
  *Le régime alimentaire du chien est plus simple que **celui** du serpent.*

(!) Ils peuvent avoir deux formes :
  – une **forme simple** : celui, celle, ceux, celles, ce, c', ça, ceci, cela ;
  – une **forme composée** : celui-ci, celle-ci, ceux-ci, celles-ci, celui-là, celle-là, ceux-là, celles-là.

Identifier les pronoms démonstratifs et possessifs

1 ✶ **Relève les pronoms possessifs et les pronoms démonstratifs et classe-les dans le tableau.**

pronoms possessifs	pronoms démonstratifs

a. Je vais mettre les valises dans la voiture. Celles-là aussi sont à prendre ?

b. Je n'aime pas trop mon dessert, le tien a l'air meilleur.

c. Je ne retrouve plus mes stylos. Avez-vous les vôtres ?

d. Ceux qui n'essayent pas n'y arriveront jamais !

e. Cela ne me regarde pas.

f. Ses chaussettes sont rangées dans le tiroir du bas et les miennes dans le tiroir du haut.

Utiliser les pronoms possessifs et démonstratifs

2 ✶✶ **Remplace le groupe nominal en gras par un pronom possessif qui convient.**

a. Rends-moi cette gomme. C'est **ma gomme** !

b. Ces dessins sur le bureau sont **nos dessins**.

c. Nos cartables sont dans le préau ; **leurs cartables** sont dans le couloir.

d. Ce manteau ressemble **à ton manteau**.

e. La voiture garée devant la porte est **la voiture de mon frère**.

3 ✶✶ **Réécris les phrases en utilisant un pronom démonstratif pour éviter la répétition.**

Ma rue est plus calme que la rue où habite Henri. → *Ma rue est plus calme que celle où habite Henri.*

a. Prends cette image-ci, je garde cette image-là.

b. J'ai acheté ce livre mais c'est ce livre-là qu'elle préférait.

c. Les randonnées que je préfère sont les randonnées en montagne.

d. La matière que je préfère est la géographie, mais la matière que j'aime le moins est l'histoire.

4 ✶✶✶ **Complète les phrases avec le pronom possessif ou démonstratif qui convient.**

a. Ces chaussures sont à moi, … sont sur l'étagère.

b. Notre ballon est un peu vieux, vous pouvez nous prêter … ?

c. Quand j'oublie mon équerre, Tom me prête … .

d. L'avenue du bord de mer est toujours embouteillée, … qui traverse le centre-ville est plus calme.

e. Ce gâteau est délicieux, mais … est encore meilleur !

Distinguer les pronoms des déterminants possessifs

5 ✶✶ **Souligne en vert les déterminants possessifs et en rouge les pronoms possessifs.**

a. J'ai perdu ma balle, prête-moi la tienne.

b. Nos vacances ont été merveilleuses : comment se sont passées les vôtres ?

c. Notre voiture tombe souvent en panne ; la leur fonctionne comme une horloge.

d. J'emprunterai son vélo car le mien n'a plus d'éclairage.

e. Mes gants de jardinage sont troués : prête-moi les tiens, s'il te plait !

J'écris

6 ✶ **Compare ces deux chiens en utilisant des pronoms démonstratifs et possessifs.**

Je révise

1 ∗ **Relève le nom noyau de chacun de ces GN.**

a. une histoire à dormir debout

b. tous les enfants de l'école

c. de longues vacances à l'étranger

d. la jolie petite Marie

e. de magnifiques cadeaux emballés de papier rouge

2 ∗ **Relève l'intrus de chaque série.**

a. son • sa • ces • ses • notre

b. un • une • des • le

c. des • au • du • de • aux

d. ces • ce • mon • cette • cet

3 ∗ **Classe chaque élément du GN dans le tableau.**

déterminant	nom	adj. qual.
une	explosion	effroyable

a. les lucarnes étroites

b. ces personnages étranges

c. un problème difficile

d. d'étranges lumières bleutées

e. des petites fées ailées

4 ∗ **Recopie ce texte, puis souligne en rouge les noms communs et en bleu les adjectifs qualificatifs.**

Une grosse lune ronde éclairait la campagne, et les deux jeunes gens admiraient mélancoliquement le paysage à travers les vitres du taxi qui les menait à Espagnet. C'était tout à la fois délicieux et inquiétant de rouler ainsi vers l'aventure alors que tout le monde les croyait endormis dans leur chambre.

Éric Boisset, *Arkandias contre-attaque*,
© Magnard Jeunesse.

5 ∗∗ **Recopie ces GN, puis souligne en rouge les adjectifs qui complètent le nom, et en bleu les compléments du nom.**

a. une tenue élégante

b. un pinceau en poils de sanglier

c. des nouvelles de toi

d. un sirop sucré contre la toux

e. un air de jazz gai et entrainant

6 ∗∗∗ **Recopie ces phrases, puis souligne les articles définis en bleu, les articles indéfinis en vert, les déterminants démonstratifs en rouge et les déterminants possessifs en noir.**

a. Le professeur a donné un rendez-vous à mes parents.

b. Cet animal ne fait pas partie de la famille des mammifères.

c. Leurs affaires sont posées sur le bureau de l'entrée.

d. Cette tarte à la rhubarbe était délicieuse.

7 ∗∗∗ **Souligne en vert les déterminants possessifs et en rouge les pronoms possessifs.**

a. J'ai oublié mon parapluie. Où est le vôtre ?

b. Notre jardin est bien plus ensoleillé que le leur.

c. Vos valises sont déjà rangées dans le coffre. Il ne manque que les nôtres.

d. Tu prendras ton ballon car le sien est dégonflé.

8 ∗∗∗ **Souligne en vert les déterminants démonstratifs et en rouge les pronoms démonstratifs.**

a. N'achète pas ces fruits, achète plutôt ceux-là.

b. Quels sont ceux d'entre vous qui n'ont pas vu ce film ?

c. Cette robe est moins chère que celle-ci.

d. Cet appareil photo semble perfectionné, mais je préfère acheter celui qui est plus simple.

9 ★★★ Relève tous les pronoms de ces phrases et indique s'il s'agit de pronoms personnels, pronoms possessifs ou pronoms démonstratifs.

a. Nous avons adopté un chien. Celui de Lisa est tout aussi mignon.

b. Je le lui ai donné.

c. Mon canapé est plus confortable que le vôtre.

d. Elle n'a pas retrouvé ses bijoux. Ceux de sa voisine ont aussi disparu.

e. Mon cartable est lourd, alors que celui de mon petit frère est très léger.

10 ★★★ Souligne en rouge les déterminants et en bleu les pronoms.

Ils ne firent pas un bien long chemin entre deux collines, avant de parvenir à un vallon abrité qui leur plut au premier coup d'œil. Là, Sancho soulagea son âne d'une partie de sa charge et, installés sur l'herbe douce, ils déjeunèrent, goûtèrent, dînèrent et soupèrent, le tout en une seule fois.

Michel Laporte, *13 aventures de Don Quichotte*, © Castor Poche.

Reconnaitre le genre et le nombre du GN

11 ★★ Donne le genre et le nombre des groupes nominaux suivants.

des traces de pas incrustées sur le tapis : GN féminin pluriel

a. de jolis objets en plumes

b. l'histoire d'amour malheureuse

c. cet incroyable concours de circonstances

d. de belles chaises longues

e. leur grand champ de blé

Enrichir le GN

12 ★★ Complète ces phrases avec des adjectifs.

a. Des … drapeaux … décoraient la salle des fêtes.

b. L'animal … se cache dans un buisson … .

c. Une … couche de neige … recouvrait le paysage.

d. La mer bordait une côte … et… .

e. Dans la forêt … vivaient des … nains … .

13 ★★ Complète les GN en gras avec l'élément demandé.

a. **La plage** *(complément du nom)* a été recouverte par **la marée** *(adjectif qualificatif)*.

b. Théo n'a pas pu aller à **son entrainement** *(complément du nom)* aujourd'hui.

c. On a repeint **les volets** (adjectif qualificatif + complément du nom).

14 ★★★ Recopie ce texte en le complétant avec les adjectifs et les compléments du nom proposés.

de la montagne • escarpées • de chênes • à cheval • nette • vieux

Sakoumat reprit ses promenades … . Elles se firent plus lointaines, en suivant la route qui traversait d'une diagonale … les pauvres champs de la vallée, pour arriver sous l'arête septentrionale … . De là, suivant sur la hauteur le côté nord, il entrait et sortait au milieu d'un bois … bas, robustes et enchevêtrés, se hasardant dans des zones … que le … cheval affrontait avec beaucoup de prudence.

Roberto Pumini, *La Verluisette*, trad. A. Monjo, © Le Livre de Poche Jeunesse, 2007.

Manipuler le GN

15 ★★ Remplace chacun des pronoms personnels en gras par un GN.

La place des mots peut changer.

a. **Ils** n'ont pas eu le temps de finir.

b. Nicolas **les** emmène à l'école.

c. On **lui** a prescrit du sirop contre la toux.

d. Que **leur** prépares-tu à diner ?

16 ★★ Remplace les GN en gras par le pronom personnel qui convient.

a. J'adore cette série : je regarde souvent **cette série**.

b. Lauriane a téléphoné à ses parents ; elle donne des nouvelles **à ses parents**.

c. Mehdi et Brahim sont originaires du Maroc ; **Mehdi et Brahim** nous ont montré des photographies de Fès.

d. Prenez ces objets et regardez **ces objets** attentivement.

Ce que je dois savoir à la fin de mon CM2

Identifier les classes grammaticales

Kamel **apprécie** la lecture. **Il** aime **particulièrement** les romans **historiques**.

nom | verbe | déterminant | adjectif | pronom personnel | adverbe

Identifier le groupe nominal (GN)

Cette fille s'appelle Lucille.
GN
(déterminant + nom commun)

Antoine a les yeux bleus.
GN
(déterminant + nom commun + adjectif)

Samuel tient une paire de ciseaux.
GN
(déterminant + nom commun + complément du nom)

Identifier le sujet et l'attribut du sujet

Le sujet
Il répond à la question :
Qui est-ce qui ?,
posée avant le verbe.

C'est un mot ou groupe de mots qui indique qui fait l'action.
Le Soleil éclaire la Terre.
sujet   verbe d'action

C'est un mot ou groupe de mots qui indique qui se trouve dans l'état exprimé par le verbe.
La mer est haute.
sujet   verbe d'état

L'attribut du sujet

Il donne une information sur le sujet.
La cerise est *un fruit*.
sujet   GN
                attribut du sujet

Il est relié au sujet par un verbe d'état (*être, paraitre, demeurer, devenir, sembler, rester* …).
Les cerises deviennent *mûres*.
sujet   verbe   adjectif
            d'état   attribut du sujet

Identifier les compléments de verbe

Les compléments de verbe
Ils ne sont en général ni supprimables ni déplaçables.

Le COD (complément d'objet direct) **est directement relié au verbe.**
Le facteur distribue *le courrier.*
COD
Il répond aux questions : **qui ? quoi ?**, *posées après le verbe.*

Le COI (complément d'objet indirect) **est relié au verbe grâce à une préposition.**
Estelle téléphone *à sa cousine.*
COI
Il répond aux questions : **à qui ? à quoi ? de qui ? de quoi ?**, *posées après le verbe.*

Identifier les compléments de phrase

Les compléments de phrase
Ils sont en général supprimables et déplaçables.

Le complément circonstanciel de lieu.
Le calme régnait *autour de lui.*
cc. de lieu
Il répond à la question : **où ?**, *posée après le verbe.*

Le complément circonstanciel de temps.
Le calme régnait *après la tempête.*
cc. de temps
Il répond à la question : **quand ?**, *posée après le verbe.*

Le complément circonstanciel de manière.
Il construit *sa cabane progressivement.*
cc. de manière
Il répond à la question : **comment ?**, *posée après le verbe.*

Passé, présent, futur

À l'orée d'une grande forêt **vivaient** un pauvre bûcheron, sa femme et ses deux enfants. Le garçon s'appelait Hansel et la fille Grethel. La famille ne mangeait guère. Une année que la famine régnait dans le pays et que le pain lui-même vint à manquer, le bûcheron ruminait des idées noires, une nuit, dans son lit et remâchait ses soucis. Il dit à sa femme :
– Qu'allons-nous devenir ? Comment nourrir nos pauvres enfants, quand nous n'avons plus rien pour nous-mêmes ?
– Eh bien, mon homme, dit la femme, **sais**-tu ce que nous allons faire ? Dès l'aube, nous **conduirons** les enfants au plus profond de la forêt, nous leur allumerons un feu et leur donnerons à chacun un petit morceau de pain.

Jacob et Wilhelm Grimm, *Hansel et Grethel.*

- Observez les verbes en rose de ce texte.
- Devant lesquels pouvez-vous écrire *hier, aujourd'hui, demain* ?
- Relevez les autres verbes conjugués de ce texte et classez-les de la même façon.

Je retiens

- Les verbes expriment des actions qui se situent :
– dans le **passé** : *(Hier) La famille ne mangeait guère.*
– dans le **présent** : *(Aujourd'hui) Nous n'avons plus rien à manger.*
– ou dans le **futur** : *(Demain) Nous conduirons les enfants dans la forêt.*
- Pour situer les évènements dans le temps, on utilise des **indicateurs de temps** : *hier, autrefois, maintenant, aujourd'hui, demain, il y a une semaine, dans un mois, au siècle dernier, l'année prochaine…*

Reconnaitre et utiliser les indicateurs de temps

1 ★ Relève l'intrus de chacune de ces listes.
a. aujourd'hui • en ce moment • demain
b. la semaine prochaine • avant • après
c. hier • il y a peu de temps • la semaine dernière • avant-hier • bientôt
d. il y a longtemps • au siècle passé • autrefois • après-demain • jadis • auparavant

Défi langue

Choisis l'indicateur de temps qui convient et explique ton choix à chaque fois.
a. *Il y a une semaine / Dans une semaine,* nous irons à la montagne.
b. J'ai réussi mon examen de solfège, *le mois dernier / le mois prochain.*
c. *Depuis sa naissance / Avant sa naissance,* Isa est un bébé souriant.

2 ⭒ **Complète chaque phrase avec un indicateur de temps.**

***Demain**, tu pourras mettre ton kimono.*

a. …, Rosine habite ici.

b. …, on découvrira de nouvelles galaxies.

c. …, nous avons entendu cette chanson à la radio.

d. …, un orage effroyable éclata sur le causse.

e. …, vous attendez leur arrivée.

3 ⭒ **Classe les phrases dans le tableau en suivant le modèle.**

passé	présent	futur
a.		

a. *Je jouais du piano.*

b. Tu seras magicien !

c. Chut ! Il dort !

d. Il a conduit les enfants à l'école.

e. Irez-vous en Sologne ?

f. Ils furent les premiers à y aller.

g. La Lune est un satellite de la Terre.

4 ⭒ **Recopie le verbe qui est conjugué au temps demandé.**

a. **passé** : nous dormons • tu dormiras • j'ai dormi

b. **passé** : nous finissons • vous finissez • nous finissions

c. **futur** : il voyait • il vit • il verra

d. **futur** : nous courons • nous courrons • nous courions

e. **présent** : ils remplissent • ils remplissaient • ils rempliront

f. **présent** : je paierai • j'ai payé • nous payons

5 ⭒⭒ **Encadre le verbe et indique s'il est au passé, au présent ou au futur.**

a. Vous jouiez de la flute à bec.

b. Ils ont réussi leur examen.

c. Nicolas apprendra le solfège.

d. Elles finissaient leur stage.

e. Je t'écoute avec plaisir.

f. Nous pourrons écouter de la musique.

6 ⭒ **Remets à chaque fois les phrases dans l'ordre chronologique.**

a. Il repartira demain. • Il est arrivé hier. • Aujourd'hui, il passe la journée avec nous.

b. En ce moment, tu mesures cinquante centimètres de plus. • Il y a six ans, tu mesurais un mètre. • Bientôt, tu seras plus grand que moi.

c. À Noël, les stations de ski ouvriront. • L'été dernier, les fleurs égayaient les alpages. • Dès septembre, la neige couvre les sommets.

7 ⭒⭒ **Remets les phrases du texte dans l'ordre chronologique.**

a. En 1949, l'Allemagne est divisée en deux pays.

b. Il faut attendre la fin des années 1980 pour que ce mur soit détruit et que tous les Allemands puissent se retrouver dans un même pays.

c. La situation s'aggrave, l'Allemagne est séparée en deux par un mur au début des années soixante.

d. À la fin de la Seconde Guerre mondiale, l'Allemagne est vaincue.

8 ⭒⭒⭒ **Conjugue le verbe entre parenthèses au temps qui convient.**

a. Il y a vingt ans, le téléphone portable n'*(exister)* pas.

b. Jadis, les femmes ne *(porter)* pas de pantalon.

c. Dans un an, Fanny *(savoir)* lire.

d. En ce moment, un robot *(parcourir)* Mars.

e. L'an prochain, nous ne *(retourner)* pas là-bas.

J'écris

9 ⭒ **Raconte comment on communiquait autrefois, comment on communique maintenant et comment tu penses que l'on communiquera dans 20 ou 30 ans.**

L'infinitif du verbe

Cherchons

Recette de la mousse de pommes

Peler 1,5 kg de pommes. Les épépiner et les couper en lamelles dans une casserole. Ajouter 200 g de sucre et un verre d'eau. Cuire à feu moyen environ 15 minutes. Ajouter le jus d'un citron et laisser refroidir. Battre 4 blancs d'œufs en neige ferme et les incorporer délicatement à la compote. Disposer la mousse dans des ramequins individuels. Saupoudrer de cannelle et servir aussitôt.

- Relevez les verbes à l'infinitif de ce texte.
- Comment pouvez-vous les classer ?
- Trouvez d'autres verbes se rapportant à la cuisine et ajoutez-les au classement.

Je retiens

- Un **verbe** se compose de deux parties : le **radical** et la **terminaison**.

  mélanger → mélang/er   nous rempl/issons
  <ins>radical / terminaison</ins>   <ins>radical / terminaison</ins>

- Pour trouver un verbe dans le dictionnaire, il faut connaitre son **infinitif**.

  nous saupoudrons → verbe **saupoudrer** (infinitif)

- Parmi les verbes à l'infinitif, on trouve :

– les verbes ayant un infinitif en **-er** comme *chanter* (1er groupe) : *verser*

– les verbes ayant un infinitif en **-ir** comme *finir* (2e groupe) et se terminant par **-issons** à la 1re personne du pluriel du présent : *tiédir* → *nous tiédissons*

– les autres **verbes** ayant un infinitif en **-ir**, en **-re** ou en **-oir** + le verbe *aller* (3e groupe)

Distinguer radical et terminaison

1 ⭑ Sépare d'un trait le radical de la terminaison de ces verbes à l'infinitif.

a. chanter • manger • avancer • envoyer • appeler • jeter • jouer

b. bondir • sortir • cueillir • venir • saisir • sentir

c. lire • faire • construire • croire • écrire • apprendre

d. voir • apercevoir • avoir • s'assoir • décevoir • percevoir

2 ⭑ Sépare d'un trait le radical de la terminaison de ces verbes conjugués.

a. je joue • il joua • il jouera • nous jouions • joué

b. il nage • tu nageais • vous nagiez • elle nagera • elles nagèrent

c. nous réunissons • elles réunissent • je réunis • on réunit • réuni

d. je cours • nous courions • couru • ils courront • elles coururent

e. je pars • il partit • nous partions • tu partiras • elles partaient

Classer les verbes selon leur infinitif

3 ★ **Écris l'infinitif des verbes.**

il salira → salir

a. je rangeais
b. elles ont fini
c. ils serviraient
d. je tiendrai
e. il sortira
f. vous avez blanchi
g. tu liais
h. nous accrochions
i. tu partiras
j. ils supplieront

4 ★ **Conjugue les verbes à la 1ʳᵉ personne du pluriel du présent. Classe-les ensuite dans le tableau.**

-ir comme *finir* (2ᵉ groupe)	-ir comme *partir* (3ᵉ groupe)
saisir	sortir

saisir → nous saisissons (2ᵉ groupe) ;
sortir → sortons (3ᵉ groupe)

cueillir • rougir • venir • tenir • fleurir • resplendir • courir • accomplir • mentir • raccourcir • dormir • élargir

---

Défi langue

Trouve l'intrus de chaque liste et explique ton choix.

a. mélanger • verser • saupoudrer • aller • dénoyauter
b. frémir • revenir • tiédir • remplir • blanchir
c. servir • pétrir • sentir • bouillir • desservir
d. cuire • boire • réduire • frire • nourrir
e. hacher • ciseler • moudre • couper • trancher
f. boire • voir • avoir • décevoir • assoir

---

5 ★★ **Classe ces infinitifs selon leur modèle de conjugaison.**

chanter (1ᵉʳ groupe)	finir (2ᵉ groupe)	partir (3ᵉ groupe)	prendre (3ᵉ groupe)

sortir • compter • raccourcir • répondre • rapetisser • rétrécir • mentir • répandre • sentir • serrer • apprendre • salir

6 ★★ **Classe ces infinitifs dans le tableau selon leur terminaison.**

-er (1ᵉʳ groupe)	-ir (2ᵉ groupe)	autres verbes en -ir, -re, -oir (3ᵉ groupe)

soigner • mourir • louer • nourrir • partir • franchir • lire • lier • apprendre • apercevoir • construire • servir • serrer • surgir • frémir • sentir

7 ★★ **Complète chacun des verbes avec la terminaison -ir ou -ire.**

Aide-toi d'un dictionnaire si nécessaire.

ment… • sour… • cour… • sort… • écr… • serv… • préd… • ten… • écr… • conven… •

8 ★★★ **Relève les verbes à l'infinitif de ce texte, puis classe-les dans le tableau selon leur terminaison.**

-er (1ᵉʳ groupe)	-ir (2ᵉ groupe)	autres verbes (3ᵉ groupe)

Quelques mois plus tard, Vendredi avait appris assez d'anglais pour comprendre les ordres de son maître. Il savait aussi défricher, labourer, semer, herser, repiquer, sarcler, faucher, moissonner, battre, moudre, pétrir et cuire le pain. Il savait traire les chèvres, faire du fromage, ramasser les œufs de tortue, en faire une omelette, raccommoder les vêtements de Robinson et cirer ses bottes.

Michel Tournier, *Vendredi ou la Vie sauvage*, © Éditions Gallimard.

J'écris 🖉

9 ★ **Associe deux verbes à l'infinitif dont le sens est opposé et compose ainsi cinq slogans amusants.**
Pleurer ou rire, il faut choisir !

10 ★★ **Rédige une recette de cuisine (réelle ou imaginaire) en utilisant des verbes à l'infinitif.**

Conjuguer un verbe

Cherchons

Conjugaison de l'oiseau

J'écris *(à la pie)*   Écris ! *(au sirli)*

J'écrivais *(au geai)*   Que j'écrive *(à la grive)*

J'écrivis *(au courlis)*   Que j'écrivisse *(à l'ibis)*

J'écrirai *(au pluvier)*   Écrivant *(au bruant)*

J'écrirais *(au roitelet)*   Écrit *(au pipit)*

Luc Bérimont, *L'Esprit d'enfance*, coll. « Enfance heureuse »,
© Éditions ouvrières / Éditions de l'Atelier, 1980.

- Relevez toutes les formes du verbe *écrire* : quelles sont leurs terminaisons ?
- À quelle personne le verbe est-il conjugué dans les cinq premiers vers ?
- À quels temps le verbe est-il conjugué dans les vers surlignés en orange ?
- Quel est le mode utilisé dans les quatre premiers vers ?
- Quels sont le temps et le mode utilisés dans le sixième vers ?

Je retiens

- La **terminaison** du verbe varie selon la **personne**, le **temps** et le **mode**.
  j'écris → verbe *écrire*, 1re personne du singulier, présent, mode indicatif

  (!) Le **radical** du verbe peut changer selon la **personne** et le **temps**.
  je vais, il ira (verbe *aller*)

- Il existe **six personnes** de conjugaison.

	1re personne	2e personne	3e personne
singulier	je	tu	il, elle, on
pluriel	nous	vous	ils, elles

- Le verbe peut être conjugué à un **temps simple** (un seul mot) ou à un **temps composé** (auxiliaire *être* ou *avoir* conjugué à un temps simple suivi du participe passé du verbe) : *j'écris* (temps simple) → *j'ai écrit* (temps composé)

- Il existe plusieurs **modes** qui font également varier le verbe. Les modes les plus utilisés sont l'**indicatif** et l'**infinitif**. Les autres modes sont le **conditionnel**, l'**impératif**, le **subjonctif** et le **participe**.

Reconnaitre les personnes de la conjugaison

1 ★ Complète chaque phrase avec la personne qui convient.

a. Prendrez-… du thé ?

b. … passent toujours après diner.

c. … prendrons l'autoroute pour venir.

d. N'as-… pas honte ?

e. … suivrai ton conseil.

2 ** Pour chaque phrase, indique la personne du verbe conjugué.

a. Demain, ils ratisseront le gazon.

b. Es-tu allé chercher le pain ?

c. Je ne veux pas répondre à cette question.

d. Quand nous montrerez-vous ce livre ?

e. Elle rangea sa chambre.

f. Aviez-vous vu ce film ?

3 * Relie les sujets à la personne qui correspond.

a. toi, tu   1. 1re pers. du singulier
b. Emma et moi   2. 2e pers. du singulier
c. Louis et toi   3. 3e pers. du singulier
d. les enfants   4. 1re pers. du pluriel
e. moi, je   5. 2e pers. du pluriel
f. on   6. 3e pers. du pluriel

Défi langue

Dans cette liste de verbes conjugués, retrouve le verbe conjugué au mode indicatif. Explique comment tu as trouvé la réponse.

parler • parlez • parlé • vous parlez

Reconnaitre le temps et le mode du verbe

4 * Classe les verbes dans le tableau.

temps simples	temps composés
tu tombes	tu es tombé

j'ai fini • vous aviez répondu • tu partiras • tu savais • ils ont rêvé • il avait plu • tu gagnas • nous avons eu • elles sont revenues • chante • elles seront descendues • elles apprennent • il aura • je sais • tu te lèves • tu auras mangé • elle a couru • nous sommes

5 ** Écris le temps de chaque verbe.

je vois → présent

a. il fuit   d. il faisait
b. il fait   e. il fera
c. il fuira   f. il fuyait

6 ** Relève les verbes conjugués et indique s'ils sont au mode indicatif ou au mode impératif.

a. Ils prendront la route ce soir.

b. Fermez bien la porte en partant.

c. Nous n'avançons plus dans cet embouteillage.

d. Connaissais-tu ce garçon ?

e. Ne cueille pas ces fruits !

f. Arrêtons-nous ici.

7 ** Relève les verbes conjugués de ce texte. Indique leur infinitif, leur personne, leur temps et leur mode.

– Je deviendrai chanteuse d'opéra, Marie-Agnès me l'a promis. Et je gagnerai beaucoup d'argent. Je vous enverrai des cadeaux, des lettres tous les jours… Elle baissa soudain la tête, songeuse :

– Mais je sais que vous me manquerez tous…

Florence Reynaud,
Un chant sous la terre,
© Flammarion Jeunesse.

8 *** Classe ces formes des verbes *écrire* et *aller* dans le tableau.

mode indicatif	mode impératif	mode infinitif
	écrivez	

a. *écrivez* • écrire • j'écrirai • il a écrit • tu écrivais • tu écris • écris • nous écrivions

b. je vais • aller • allez • tu iras • ils sont allés • va • nous allons • allons • elle allait

J'écris

9 * Écris un poème à la manière de Luc Bérimont (p. 56) dans lequel on parle aux animaux.

Nous parlons (aux girafons)
Il s'adresse (à la tigresse)…

57

Le présent des verbes en -er comme *chanter* (1er groupe)

Ça chauffe

Nous rejetons beaucoup trop de gaz « à effet de serre », comme le dioxyde de carbone (CO_2). Résultat : la température augmente, les sécheresses et les inondations se multiplient et le niveau des océans monte. Dans quelques années, des régions entières disparaîtront sous les eaux !

Isabelle Ramade, « L'énergie »,
Wapiti Mission Nature, © Éditions Milan.

- À quel temps les deux premières phrases de ce texte sont-elles écrites ?
- Relevez les verbes conjugués de ces deux premières phrases.
- Donnez l'infinitif de ces verbes.
- À quelles personnes sont-ils conjugués ? Quelles terminaisons observez-vous ?
- Essayez de donner la conjugaison complète des verbes *augmenter* et *monter* au présent.

Je retiens

- On forme le présent des verbes en **-er** comme *chanter* (1er groupe) en ajoutant : -e, -es, -e, -ons, -ez, -ent au radical.

je chante *(chanter)*	nous regardons *(regarder)*
tu aimes *(aimer)*	vous observez *(observer)*
il, elle, on parle *(parler)*	ils, elles jouent *(jouer)*

- Au présent, devant la terminaison -ons (1re personne du pluriel), les verbes en **-cer** s'écrivent avec **-ç-** et les verbes en **-ger** s'écrivent avec **-ge-**.
    lancer → je lance, nous lan**ç**ons   manger → je mange, nous man**ge**ons

- Au présent, il ne faut pas oublier les **terminaisons muettes** (-e, -es, -ent) des verbes en **-ier, -uer, -ouer** : je crie, tu remu**es**, il joue, ils lou**ent**

Conjuguer au présent les verbes en -er

1 ★ **Conjugue les verbes entre parenthèses au présent.**
a. Chaque automne, nous *(chercher)* des champignons.

b. Paolo et Zoé *(ramasser)* des feuilles.
c. J'*(aimer)* les belles couleurs de l'automne.
d. *(Trouver)*-ils des cèpes ?
e. Antoine *(observer)* un nid de cloportes sous une vieille souche.
f. Vous *(griller)* des châtaignes au feu de bois.
g. Tu *(collectionner)* de jolies feuilles.

2 ✶ Conjugue les verbes entre parenthèses au présent.

Je m'(*élancer*) vers les toilettes, là j'ouvre en grand le vasistas. Je n'ai jamais utilisé cette issue, mais l'idée me (*chatouiller*) depuis des lustres. […] Je (*monter*) sur la lunette et me (*hisser*) à travers l'ouverture… Mon corps (*passer*) tout juste. Je (*forcer*), me (*contorsionner*) et (*arriver*) finalement à m'extraire du rectangle pour fuir à l'extérieur.

Dominique Zay, *Magic mic mac*, © Magnard Jeunesse.

Conjuguer au présent les verbes en -cer et -ger

3 ✶ Écris l'infinitif de ces verbes conjugués.

a. nous avançons, nous commençons, nous lançons, nous dénonçons, nous annonçons.

b. nous nageons, nous plongeons, nous mangeons, nous voltigeons, nous rangeons.

4 ✶ Mets les verbes entre parenthèses au présent de l'indicatif.

a. Tu (*lancer*) la balle.

b. Le maitre (*interroger*) un élève.

c. Nous (*grimacer*) devant la glace.

d. Nous (*charger*) le coffre de la voiture.

e. Vous (*commencer*) les travaux de votre maison.

5 ✶✶ Réécris ces phrases en remplaçant *nous* par *je*.

a. Nous traçons un triangle, puis nous le corrigeons.

b. Nous changeons le bébé, puis nous le berçons.

Conjuguer au présent les verbes en -ier, -uer et -ouer

6 ✶ Conjugue les verbes entre parenthèses au présent de l'indicatif.

a. (*remuer*) Les branches … pendant l'orage.

b. (*crier*) Nora … pour qu'on lui envoie le ballon.

c. (*continuer*) Nous … nos efforts.

d. (*oublier*) Tu … toujours d'acheter le pain.

e. (*photographier*) Je … les jeunes mariés à la sortie de la mairie.

7 ✶ Conjugue les verbes à la personne demandée.

a. plier • remuer • nouer (*1re pers. du singulier*)

b. trier • suer • louer (*2e pers. du singulier*)

c. confier • muer • trouer (*3e pers. du singulier*)

d. expédier • diminuer • avouer (*3e pers. du plur.*)

8 ✶✶ Conjugue ces verbes au présent de l'indicatif, à la 1re et à la 2e personne du singulier.

a. Copier la leçon et étudier les mots nouveaux.

b. Distribuer les cartes et jouer au rami.

c. Secouer les tapis et éternuer.

d. Trier et plier les vêtements.

9 ✶✶ Conjugue ces verbes au présent de l'indicatif, à la 3e personne du singulier et du pluriel.

a. Scier et clouer des planches.

b. Parier et jouer aux dés.

c. Saluer les invités et remercier l'hôte.

d. Distribuer les cahiers et copier le texte.

10 ✶✶ Écris les verbes de ces phrases à la personne du singulier correspondante.

a. Vous coloriez une carte de France.

b. Les jours diminuent en automne.

c. Nous nouons les lacets des chaussures.

d. Elles trient les feutres usagés.

Défi langue

Certains de ces verbes conjugués au présent comportent des fautes d'orthographe. Corrige-les en expliquant comment tu as fait.

a. je perce – tu lancais – nous avancons

b. je dérange – tu rongais – il plonga – nous songons – vous singiez – elles interrogent

c. tu lous – il crit – nous jouons – vous suez

J'écris

11 ✶✶ Raconte en quelques lignes une journée de vacances. Utilise les verbes suivants au présent.

plonger • balancer • manger • patauger

Le présent des verbes en -*ir* comme *finir* (2ᵉ groupe)

Cherchons

Un mauvais rêve hante Didier chaque nuit.
Est-il vraiment rêve ou réalité ?
Didier se force à garder les yeux ouverts…
Mais ses paupières sont lourdes et brûlantes.
Le rythme de son cœur **ralentit**… […] Il entend
à nouveau les pas. Des pas légers, furtifs,
saccadés. Plus près, désormais.
Dans l'appartement ! […] Il **réagit** à peine quand
une petite main potelée prend la sienne.
Il se laisse faire… D'autres mains minuscules,
blanches et grasses, le **saisissent** et l'aident à quitter
le canapé.

Didier Convard, *Le Manoir d'Orleur*, Les Fantastiques,
© Magnard Jeunesse.

- Quel est l'infinitif des verbes en rose ?
- Comment repérez-vous les verbes de ce type ?
- Cherchez d'autres verbes de ce type.
- Essayez de donner la conjugaison complète de ces verbes au présent.

Je retiens

- On forme le présent des verbes en **-ir** comme *finir* (2ᵉ groupe) en ajoutant -is, -is, -it, -issons, -issez, -issent au radical.

je finis (*finir*)	nous réussissons (*réunir*)
tu choisis (*choisir*)	vous applaudissez (*applaudir*)
il, elle, on fournit (*fournir*)	ils, elles réunissent (*réunir*)

❗ **haïr** : je hais, tu hais, il hait, nous haïssons, vous haïssez, ils haïssent

Connaitre les terminaisons du présent des verbes en -ir comme finir

1 ＊ Ajoute à chaque verbe la terminaison du présent qui convient.

je réun… – ils sais… – nous ha… – tu resplend… – elle amort… – vous rug… – elles flétr… – on obé… – il ralent…

2 ＊ Ajoute à chaque verbe la terminaison du présent qui convient.

a. Vous sais… l'occasion quand elle se présente.
b. Marine nourr… son lapin deux fois par jour.
c. Tu chois… ton dessert.
d. Les tomates roug… au soleil.
e. À la fin du spectacle, les enfants applaud…
f. L'avion atterr…-il à l'heure ?

3 ★ Ajoute devant chaque verbe le pronom personnel qui convient.

Plusieurs solutions sont possibles.

… rétrécis – … fléchissent – …fleurit – … brunissons – … atterrissez – … pâlit – … frémissez – … pétris – … démolissons

4 ★ Complète chaque phrase avec le pronom personnel qui convient.

Plusieurs solutions sont possibles.

a. … finissent leur chocolat au lait.
b. … noircissons toute la feuille.
c. … choisis ta place.
d. Rougit-… souvent ?
e. Fleurissez-… votre balcon chaque année ?

Conjuguer au présent les verbes en -ir comme finir

Défi langue

Quelle est l'orthographe correcte de ces verbes ? Explique chacun de tes choix.
a. La boulangère *pétrie/pétrit* la pâte avant de l'enfourner.
b. Je *trie/tris* le linge avant de le laver.
c. Tu *garnies/garnis* le fond de la tarte.

---

5 ★ Conjugue le verbe au présent à la personne demandée.

a. bondir (1re *pers. du singulier*)
b. franchir (2e *per. du singulier*)
c. agir (3e *pers. du singulier*)
d. haïr (1re *pers. du pluriel*)
e. blanchir (2e *pers. du pluriel*)
f. hennir (3e *pers. du pluriel*)

6 ★★ Réécris la phrase avec le sujet entre parenthèses.

a. Il choisit toujours les mêmes CD. *(elles)*
b. Tu franchis la ligne d'arrivée. *(vous)*
c. Le chevalier périt dans la bataille. *(ils)*
d. Nathan réussit très bien les crêpes. *(nous)*
e. Antoine et Clémence bâtissent de superbes châteaux de sable. *(je)*

7 ★★ Écris ces phrases en remplaçant *je* par *elle*, puis par *ils*.

a. Je finis le dessert, puis je remplis un verre d'eau.
b. Je franchis le col et gravis la montagne.

8 ★★ Écris ces phrases à la personne correspondante du pluriel.

a. La lionne saisit la proie.
b. Je surgis dans la chambre en criant.
c. Tu assainis l'air en ouvrant la fenêtre.
d. Ce produit adoucit le linge.
e. Il mincit grâce au régime.
f. La cloche retentit tous les jours à 10 h.

9 ★★ Conjugue les verbes de ce texte au présent.

Lorsque mon père *(préparer)* un gâteau, il *(réunir)* tous les ingrédients. Il *(beurrer)* un moule, le *(garnir)* avec la pâte préparée et le *(placer)* dans le four. Le gâteau *(refroidir)* et nous l'*(engloutir)* !

10 ★★★ Écris ces phrases au présent de l'indicatif.

a. J'ai saisi tout le texte sur mon ordinateur.
b. Fanny rougissait souvent.
c. Nous avons franchi le ruisseau.
d. Finiras-tu ce reste de purée ?
e. Vous avez obéi sans rechigner.

11 ★★★ Remplace les verbes en gras par un synonyme de la liste suivante.

finir - salir – choisir – engloutir – ravir - resplendir

a. Nous **tachons** toujours notre polo quand nous **mangeons** un hamburger.
b. Vous **terminez** votre exercice.
c. Ce spectacle **enchante** toujours le public.
d. Les étoiles **brillent** dans le ciel.
e. Le cuisinier **sélectionne** de beaux légumes.

J'écris

12 ★★ Rédige un court texte au présent en utilisant les verbes *hennir*, *franchir*, *réussir* et *bondir*.

Le présent des verbes en *-ir* comme *venir* et *partir* (3ᵉ groupe)

Cherchons

Fruit

Le fruit est la partie de la plante qui **contient** des graines. Il **provient** de la transformation du pistil de la fleur après sa fécondation par le pollen. Il protège les graines et permet la dissémination par le vent ou par les animaux.

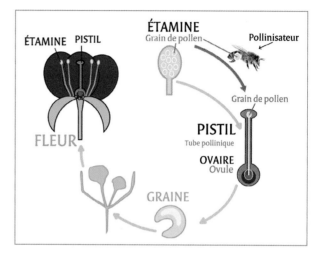

© OPIE

- Relevez les verbes en rose de ce texte et précisez leur infinitif.
- Essayez de donner la conjugaison complète de ces verbes au présent.
- Quelles sont les terminaisons des verbes aux trois personnes du singulier ?

Je retiens

- Au **présent de l'indicatif**, la plupart des **verbes en *-ir*** comme *partir*, *venir* se termine par : -s, -s, -t, -ons, -ez, -ent.

venir	partir
je viens	je pars
tu viens	tu pars
il, elle, on vient	il, elle, on part
nous venons	nous partons
vous venez	vous partez
ils, elles viennent	ils, elles partent

- Les verbes de la famille de *venir* (*devenir*, *revenir*, *survenir*, *convenir*…) et les verbes de la famille de *tenir* (*maintenir*, *retenir*, *entretenir*, *obtenir*…) se conjuguent comme *venir*.

- *Sortir*, *mentir*, *sentir*… se conjuguent comme *partir*.

Conjuguer les verbes en *-ir* comme *venir*

1 ⋆ Conjugue les verbes au présent avec la personne entre parenthèses.

a. venir (*je*)
b. revenir (*tu*)
c. survenir (*elle*)
d. prévenir (*on*)
e. devenir (*nous*)
f. parvenir (*vous*)
g. convenir (*ils*)
h. provenir (*elles*)

2 ⋆ Conjugue les verbes au présent à la personne demandée.

a. tenir (*1ʳᵉ pers. du singulier*)
b. obtenir (*2ᵉ pers. du singulier*)
c. retenir (*3ᵉ pers. du singulier*)
d. détenir (*1ʳᵉ pers. du pluriel*)
e. maintenir (*2ᵉ pers. du pluriel*)
f. entretenir (*3ᵉ pers. du pluriel*)

3 ✶✶ **Conjugue les verbes entre parenthèses au présent.**

a. J' *(entretenir)* la maison du sol au plafond.

b. Tu *(prévenir)* ton père quand tu *(rentrer)*.

c. La fée *(détenir)* le pouvoir de disparaitre !

d. Nous *(obtenir)* de bons résultats.

e. Vous *(parvenir)* à joindre le médecin.

f. Les agents de police *(contenir)* la foule.

4 ✶ **Conjugue les verbes au présent à la personne demandée.**

a. courir *(je)*

b. dormir *(tu)*

c. servir *(il)*

d. accourir *(j')*

e. consentir *(tu)*

f. parcourir *(elle)*

5 ✶✶ **Écris le verbe à la personne correspondante du pluriel.**

a. je pars
b. tu sors
c. il sent
d. elle ment
e. je ressens
f. tu pressens
g. il part
h. tu repars
i. je démens
j. elle sort

6 ✶✶ **Écris le verbe à la personne correspondante du singulier.**

nous mentons – vous sortez – elles partent – nous pressentons – elles ressentent – vous démentez – nous repartons – ils sentent – elles consentent – vous ressentez

7 ✶✶ **Conjugue les verbes au présent à la personne demandée.**

a. mentir *(1re pers. du singulier)*

b. sortir *(2e pers. du singulier)*

c. partir *(3e pers. du singulier)*

d. démentir *(1re pers. du pluriel)*

e. ressentir *(2e pers. du pluriel)*

f. pressentir *(3e pers. du pluriel)*

8 ✶✶ **Écris ces phrases en remplaçant *je* par *nous*, puis par *il*.**

a. Quand je sors dans la rue, je sens la bonne odeur de la boulangerie.

b. Je sors le livre et retiens la leçon.

9 ✶✶ **Écris ces phrases en remplaçant *elle* par *vous*, puis par *tu*.**

a. Elle part en vacances et parcourt la France.

b. Elle convient d'une date et obtient un rendez-vous.

Défi langue

Choisis l'orthographe correcte de chaque verbe. Explique chacune de tes réponses.

a. On *sert/serre* un délicieux crumble aux pommes dans ce restaurant.

b. Je *dessers/dessert* la table après le repas.

c. Tu *démens/dément* l'information.

d. Elles *tiennes/tiennent* un joli sac à main.

---

10 ✶✶✶ **Réécris ces phrases au présent de l'indicatif.**

a. Je démentais cette information.

b. Il sentit la bonne odeur du pain grillé.

c. Mon voisin a prévenu les pompiers.

e. Natacha repartira en Bretagne l'an prochain.

f. Avez-vous menti à vos parents ?

g. Détenait-il toujours ce vieux grimoire ?

J'écris

11 ✶✶ **À l'aide des verbes suivants et d'autres de ton choix, raconte au présent le combat entre une sorcière maléfique et un jeune prince.**

détenir • devenir • parvenir • survenir …

Le présent des verbes en *-dre* comme *prendre* et *rendre* (3e groupe)

La Renaissance

Les écrivains redécouvrent les auteurs de l'Antiquité grecque et romaine. Ils **défendent** également les langues nationales : le français, l'italien, l'anglais. Jusqu'au XVIe siècle, les hommes pensent que la Terre est le centre de l'univers.

Nicolas Copernic **comprend** que la Terre tourne sur elle-même autour du Soleil.

La Renaissance **s'étend** à de nombreux pays d'Europe.

Les princes et les artistes voyagent beaucoup et échangent leurs idées.

- Relevez les verbes en bleu et précisez leur infinitif. Qu'ont-ils en commun ?
- Conjuguez le deuxième verbe au présent à la 3e personne du pluriel. Quelle différence observez-vous par rapport au premier verbe ?
- Essayez de donner la conjugaison complète des deux premiers verbes au présent.

Je retiens

- Les verbes se terminant par **-prendre** comme *prendre, reprendre, apprendre, comprendre, surprendre, entreprendre…* (3e groupe) se terminent au présent par : -ds, -ds, -d, -ons, -ez, -ent.

prendre

je prends	nous prenons
tu prends	vous prenez
il, elle, on prend	ils, elles prennent

- Les autres verbes se terminant par **-endre, -andre, -ondre, -ordre, -erdre** comme *rendre, étendre, répandre, pondre, tordre, perdre…* s'écrivent : -ds, -ds, -d, -dons, -dez, -dent.

rendre

je rends	nous rendons
tu rends	vous rendez
il, elle, on rend	ils, elles rendent

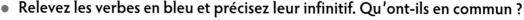

Conjuguer au présent les verbes en *-dre* comme *prendre*

1 ★ Conjugue les verbes au présent à la personne demandée.

a. prendre *(1re pers. du singulier)*
b. reprendre *(2e pers. du singulier)*
c. se méprendre *(3e pers. du singulier)*
d. surprendre *(1re pers. du pluriel)*
e. apprendre *(2e pers. du pluriel)*
f. comprendre *(3e pers. du pluriel)*

2 ✶✶ **Conjugue les verbes entre parenthèses au présent.**

a. J'(apprendre) mes leçons soigneusement.
b. Nous (prendre) un sac à dos en randonnée.
c. (Reprendre)-tu du dessert ?
d. (Comprendre)-vous ce que je veux dire ?
e. Ils nous (surprendre) avec leurs jolis cadeaux.
f. Elles (se méprendre) sur le sens de ce mot.

Conjuguer au présent les verbes en -dre comme rendre

3 ✶ **Conjugue les verbes au présent avec le pronom demandé.**

a. répondre, fondre (je)
b. tordre, mordre (tu)
c. répandre, épandre (il)
d. descendre, prétendre (nous)
e. rendre, tendre (vous)
f. confondre, pondre (elles)

4 ✶ **Complète le tableau au présent.**

	perdre	répondre	mordre
1ᵉ pers. du sing.			
3ᵉ pers. du sing.			
1ᵉ pers. du plur.			
3ᵉ pers. du plur.			

5 ✶ **Complète les phrases avec le verbe entre parenthèses au présent.**

a. (fondre) La neige … sur les sommets.
b. (répondre) Sophie et Agathe … au téléphone quand leurs parents ne sont pas là.
c. (tordre) Je … un trombone pour en faire un outil.
d. (répandre) Tu … de l'eau chaude sur le trottoir verglacé.
e. (perdre) Nous sommes très étourdis ; nous … toujours notre parapluie.
f. (suspendre) Nous … toujours le linge au grand air.

Conjuguer au présent les verbes en -dre comme prendre et rendre

Défi langue

Parmi les verbes en gras, trois sont mal orthographiés. Lesquels à ton avis ? Explique pourquoi, puis corrige-les.

a. Je **mord** le croûton du pain bien frais.
b. Le parfum d'Elsa **sent** très bon.
c. Tu **répons** toujours au téléphone.
d. Le prisonnier **tort** son drap pour en faire une corde et s'échapper.
e. Lucie **vient** souvent déjeuner avec nous.

6 ✶✶ **Écris les verbes à la personne correspondante du pluriel.**

a. Je confonds souvent les terminaisons des conjugaisons.
b. Tu entreprends l'étude du chinois.
c. Il apprend la leçon pour demain.
d. Elle défend un camarade dans la cour.

7 ✶✶ **Écris les verbes à la personne correspondante du singulier.**

a. Nous prenons le train tous les jours.
b. Attendez-vous le bus ?
c. Ils reprennent deux fois de chaque plat.
d. Elles n'entendent pas le téléphone sonner.

8 ✶✶✶ **Écris ces phrases au présent.**

a. Chaque poule pondra un œuf par jour.
b. Comprenais-tu cet exercice ?
c. J'ai repris ce livre à la bibliothèque.
d. Les élèves apprirent un poème de la Renaissance.
e. Nous répandions du fromage râpé sur les pâtes.
f. Vous entreprendrez un grand nettoyage de la maison.

J'écris

9 ✶✶ **Rédige un court texte au présent en utilisant les verbes *attendre*, *surprendre*, *tordre* et *mordre*.**

Le présent des verbes fréquents (3e groupe)

- Au **présent de l'indicatif**, la **conjugaison** des verbes *être, avoir, aller, faire, dire, voir, devoir, pouvoir, vouloir* est **irrégulière**.

être	**avoir**	**aller**	**faire**	**dire**
je suis	j'ai	je vais	je fais	je dis
tu es	tu as	tu vas	tu fais	tu dis
il, elle, on est	il, elle, on a	il, elle, on va	il, elle, on fait	il, elle, on dit
nous sommes	nous avons	nous allons	nous faisons	nous disons
vous êtes	vous avez	vous allez	vous fai**tes**	vous di**tes**
ils, elles sont	ils, elles ont	ils, elles vont	ils, elles font	ils, elles disent

voir	**devoir**
je vois	je dois
tu vois	tu dois
il, elle, on voit	il, elle, on doit
nous voyons	nous devons
vous voyez	vous devez
ils, elles voient	ils, elles doivent

! *Défaire, refaire, satisfaire, contrefaire* se conjuguent comme *faire*.

! Seul *redire* se conjugue comme *dire*. *contredire, interdire, médire*… s'écrivent -disez à la 2e personne du pluriel.

- Les verbes *pouvoir* et *vouloir* se terminent par -x, -x, -t aux trois premières personnes du singulier du présent de l'indicatif.

pouvoir	**vouloir**
je peux	je veux
tu peux	tu veux
il, elle, on peut	il, elle, on veut
nous pouvons	nous voulons
vous pouvez	vous voulez
ils, elles peuvent	ils, elles veulent

1 ★ Retrouve l'infinitif de chaque verbe conjugué.

a. nous avons
b. tu vas
c. elles ont
d. nous sommes
e. je suis
f. elle va
g. vous êtes
h. j'ai
i. ils vont

2 ★★ Remplace le sujet par le pronom personnel entre parenthèses.

a. je suis *(elles)*
b. nous allons *(elle)*
c. ils ont *(tu)*
d. elles vont *(tu)*
e. vous êtes *(je)*
f. tu es *(nous)*
g. il va *(vous)*
h. elle a *(vous)*

3 ✷✷ Écris ces phrases au présent à la personne demandée.

a. Aller à Paris, mais être en retard et avoir peur de rater le train. (*1re pers. du singulier*)

b. Avoir de la chance : être le premier. (*2e pers. du singulier*)

c. Avoir dix ans et être très content. (*3e pers. du singulier*)

d. Être en forme et avoir des ailes ! (*1re pers. du pluriel*)

e. Être à l'heure et avoir le temps de boire un café. (*2e pers. du pluriel*)

f. Aller au théâtre et avoir un billet. (*3e pers. du pluriel*)

4 ✷✷✷ Écris ces phrases au présent.

a. Irez-vous à la patinoire pendant les vacances de Noël ?

b. Nous serons tous présents à son anniversaire.

c. Tom et Léa sont allés aux sports d'hiver avec leurs parents.

d. J'avais deux amis musiciens.

e. Tu étais très jolie sur cette photo.

Conjuguer au présent les verbes comme faire et dire

5 ✷ Conjugue les verbes au présent à la personne demandée.

a. faire (*1re pers. du singulier*)

b. défaire (*2e pers. du singulier*)

c. dire (*3e pers. du singulier*)

d. redire (*1re pers. du pluriel*)

e. refaire (*2e pers. du pluriel*)

f. satisfaire (*3e pers. du pluriel*)

6 ✷✷ Conjugue les verbes de ces phrases au présent de l'indicatif.

a. (*satisfaire, interdire*) Quand mes notes ne … pas mes parents, ils m'… la télévision !

b. (*faire, défaire, refaire*) Vous … des nattes à vos poupées, vous les … puis vous les … !

c. (*dire, redire*) Ma sœur… une chose puis en … une autre, puis sort en claquant la porte !

Conjuguer au présent les verbes voir et devoir

7 ✷✷ Conjugue les verbes entre parenthèses au présent.

a. Que (*devoir*)-tu apprendre pour demain ?

b. (*Voir*)-vous ce clocher au loin ? La mairie (*devoir*) le rénover prochainement.

c. Nous ne (*voir*) pas souvent nos cousines.

d. Mes parents ne (*voir*) rien sans leurs lunettes !

Conjuguer au présent les verbes pouvoir et vouloir

8 ✷ Associe à chaque verbe la personne qui lui convient.

Il y a plusieurs solutions.

a. je	1. peux
b. tu	2. peut
c. il	3. veux
d. elle	4. veut

Défi langue

Complète chaque verbe avec la terminaison qui convient : *-s, -x, -t, -d, -ds*. Explique tes choix. Attention, il y a un intrus ! Sauras-tu le retrouver ?

a. tu pren…
b. je voi…
c. tu peu…
d. elle veu…
e. je di…
f. il va…
g. je ren…
h. je veu…
i. tu va…
j. tu fai…
k. il peu…
l. il voi…
m. on doi…
n. elle ven…

J'écris

9 ✷✷ Tu décides d'utiliser ton argent de poche pour faire un cadeau à tes parents : un livre de cuisine pour ton père et un CD pour ta mère.

Écris ta conversation avec le vendeur en utilisant les verbes *vouloir, pouvoir, faire, dire, être, avoir, aller* au présent.

Je révise

1 * Complète avec le pronom personnel qui convient.

Plusieurs pronoms sont parfois possibles.

a. … voyez
b. … plies
c. … pouvons
d. … revenons
e. … veut
f. … doit
g. … vais
h. … partons
i. … dites
j. … tenons
k. … réussissez
l. … prends
m. … vend
n. … prévoit
o. … va

2 * Écris l'infinitif de chaque verbe.

je raccourcis – je plie – j'étudie – je compatis – je trie – je rétrécis – j'apprécie – je suis (2 solutions) – je remercie – j'agrandis – je raccourcis – j'oublie – j'expédie – je noircis – je réussis – je réunis.

3 ** Indique la personne et l'infinitif de chaque verbe.

a. Maria avoue sa bêtise.
b. Tu fleuris la maison.
c. Sentez-vous leur parfum ?
d. Les enfants ne veulent pas rentrer.
e. Les chevaux hennissent dans l'écurie.
f. Mona lie son bouquet de fleurs avec un brin d'herbe.

4 * Conjugue les verbes au présent avec le sujet demandé.

a. déplacer *(je)*
   décoincer *(tu)*
   commencer *(on)*
   pincer *(nous)*
   grimacer *(vous)*
   rapiécer *(elles)*
b. corriger *(je)*
   ronger *(tu)*
   émerger *(il)*
   déménager *(nous)*
   interroger *(vous)*
   alléger *(ils)*

5 * Écris ces verbes à la personne du singulier qui correspond.

nous distribuons – vous remuez – ils s'écrient – nous trions – vous dénouez – elles rejouent

6 * Écris ces verbes à la personne du pluriel qui correspond.

je pars – tu dors – il sent – elle doit – je vois – tu viens – il va – tu mens – je dois – elle sort

7 * Conjugue ces verbes au présent à la personne demandée.

a. finir *(3e pers. du pluriel)*
b. choisir *(2e pers. du pluriel)*
c. réussir *(3e pers. du pluriel)*
d. raccourcir *(1re pers. du pluriel)*
e. réagir *(2e pers. du pluriel)*
f. assouplir *(1re pers. du pluriel)*

8 ** Réécris ces verbes avec le pronom entre parenthèses.

tu prends *(nous)* – vous attendez *(j')* – elles répandent *(tu)* – je comprends *(ils)* – on suspend *(elles)* – il surprend *(ils)* – nous confondons *(il)* – ils perdent *(on)* – elle tend *(vous)*

9 ** Réécris ces phrases au présent.

a. La fillette en larmes faisait peine à voir.
b. Les faussaires contreferont des billets de vingt euros.
c. Vous avez refait la même erreur.
d. Tu as défait ton blouson avant d'entrer.
e. Je referai les lits après votre départ.

10 ** Réécris ces phrases en remplaçant *il* par *je*, puis par *nous*.

a. Il est à côté de la coque, il réussit à attraper la corde, grimpe à l'intérieur du navire puis voit un pirate.
b. Il prend un petit four, le mâche, l'engloutit puis en reprend un autre !

11 ** Écris *-ie* ou *-it* à la fin des verbes.

a. Le feu resplend… dans l'âtre.

b. Mathilde ne vo… plus son stylo sur la table.

c. Anis ne do… pas aller à la patinoire aujourd'hui.

d. Anna remerc… ses grands-parents de leur cadeau.

e. Hugo roug…, verd…, pâl… puis s'évanou… dans la classe !

f. Alice rétréc… puis grand… mais elle appréc… de retrouver sa taille !

12 ** Complète les terminaisons de ces verbes au présent.

a. Je copi… ton adresse dans mon répertoire.

b. Appréci…-tu les films policiers ?

c. Je hai… les endives au jambon !

d. Valentin oubli… souvent son livre.

e. Le lièvre bond… devant les phares de la voiture.

13 ** Conjugue les verbes au présent.

a. Un chevreuil *(surgir)* dans le virage.

b. Tu *(prendre)* la télécommande et *(changer)* de chaine.

c. On *(étudier)* l'anglais depuis le CE2.

d. L'antilope *(fuir)* devant l'incendie.

e. Vénus *(resplendir)* dans le ciel.

14 ** Complète le texte avec ces verbes que tu conjugueras au présent.

sembler • arriver • sentir • percer • être

La tour … beaucoup plus ancienne que le reste du château. C'… une sorte de donjon moyenâgeux, construit en grosses pierres apparentes qui … l'humidité et le salpêtre.
Une mousse verdâtre couvre les murs que … d'étroites meurtrières.
Nous … sur un premier palier.

Gudule, *Qui hante la tour morte ?*
© Magnard Jeunesse.

15 ** Conjugue les verbes entre parenthèses au présent.

Je me *(demander)* si l'heure que nous *vivons* est identique à celle que nous *(voir)* à travers la fenêtre. […] François, lui aussi, se *(frotter)* les mains. Après tout, plus rien ne *(aller)* peut-être se produire. Pourtant, je le *(sentir)*, l'un comme l'autre nous *(hésiter)* à abandonner notre merveilleux observatoire. Tout à coup, nous *(apercevoir)* les deux soldats allemands postés en face du moulin. Sans doute *(venir)*-ils de Bief, à pied. Ils se sont arrêtés, et *(allumer)* chacun une cigarette, tout en parlant. Bien que j'étudie l'allemand au collège, je ne *(saisir)* rien de leur conversation.

Francisco Arcis, *Le Mystère du marronnier*, © Magnard.

16 ** Réécris ces phrases au présent.

a. Nous étions là dès huit heures.

b. Vous ne ferez pas peur au chien.

c. Théo agira rapidement.

d. Elles vinrent à toute allure.

e. Marchais-tu sur le trottoir ?

17 ** Conjugue les verbes entre parenthèses au présent.

a. Nous *(partir)* à la montagne.

b. Les touristes *(voir)* les cimes enneigées et *(prendre)* des photos.

c. Tu *(écrire)* des cartes postales.

d. On ne *(sortir)* pas sans son anorak.

e. *(Faire)* vous du ski ou des raquettes ?

18 *** Réécris les verbes de ce texte au présent.

Et si on avait besoin d'argent, on allait dans une banque, on laissait sa cervelle en gage et on vous donnait mille marks en échange. L'homme ne pouvait vivre que deux jours sans cervelle, et il ne pouvait la retirer de la banque qu'en rapportant douze cents marks.

Erich Kästner, *Émile et les détectives*, trad. A. Georges, © Le Livre de Poche Jeunesse, 2015.

J'écris

19 * Raconte ce que tu fais chaque mercredi du matin au soir. Utilise au moins huit verbes conjugués au présent.

Le futur des verbes en -er comme *chanter* (1er groupe) et des verbes en -ir comme *finir* (2e groupe)

Cherchons

On a offert au roi Louis XIV un énorme diamant bleu venant d'Inde. Il explique ce qu'il compte en faire.

– J'ai convoqué les meilleurs joailliers de France afin qu'ils me fassent des propositions pour sa taille. Je **choisirai** celui dont le projet me paraîtra le plus propice à transformer ce caillou en une merveille que le monde entier nous **enviera**.

Anne-Marie Desplat-Duc, Marie-Anne, fille du roi,
« La Malédiction du diamant bleu », © Flammarion.

- Quel est le temps des verbes en rose ? Qu'indique ce temps ?
- Remplacez la 1re personne du singulier *(choisirai)* par *tu, il, nous, vous et elles.*
- Remplacez la 3e personne du singulier *(enviera)* par *je, tu, nous, vous et elles.*
- Notez les terminaisons des deux verbes.
- Essayez de donner la conjugaison complète des verbes *envier* et *choisir* au *futur*. Comment est formé ce temps ?

Je retiens

- Le **futur** exprime **une action qui n'a pas encore eu lieu.**

- Au futur, les terminaisons sont : -ai, -as, -a, -ons, -ez, -ont.

- Pour les verbes en **-er** comme *chanter* (1er groupe) et en **-ir** comme *finir* (2e groupe), il suffit d'ajouter les terminaisons du futur à **l'infinitif.**

chanter	finir	
je chanterai	je finirai	
tu chanteras	tu finiras	
il, elle, on chantera	il, elle, on finira	
nous chanterons	nous finirons	**!** Pour les verbes en **-ier, -uer, -ouer,**
vous chanterez	vous finirez	il ne faut pas oublier le **-e-** qui ne s'entend
ils, elles chanteront	ils, elles finiront	pas : *il distribuera*

Connaître les terminaisons du futur

1 ✴ Ajoute la terminaison du futur qui convient à chaque verbe.

a. Vous continuer… ce travail.

b. Elle plier… sa serviette.

c. Nous obéir… rapidement.

d. J'éponger… la table.

e. Tu préparer… le diner.

f. Ils réussir… leurs examens.

2 * **Ajoute le pronom personnel qui convient devant chaque verbe.**

… fournirons • … mangeront • … observerez • … annonceras • … secouerai • … rougira • … avertirez • … criera • … bâtirai • … mincirez • … assoupliras • … remuerez

3 * **Écris ces verbes au futur en utilisant le pronom sujet entre parenthèses.**

a. tu commenceras *(il)*
b. vous arrangerez *(je)*
c. je retrouverai *(vous)*
d. tu trembleras *(nous)*
e. nous naviguerons *(elles)*
f. vous travaillerez *(tu)*

4 * **Conjugue chaque verbe au futur et à la personne demandée.**

a. rapetisser *(1re pers. du singulier)*
b. préparer *(2e pers. du singulier)*
c. songer *(3e pers. du singulier)*
d. avancer *(1re pers. du singulier)*
e. regretter *(2e pers. du singulier)*
f. persuader *(3e pers. du singulier)*

5 ** **Écris ces phrases au futur avec le sujet demandé.**

N'oublie pas le e pour les verbes en -ier, -uer, -ouer.

a. crier à tue-tête. *(Je)*
b. distribuer le courrier. *(Tu)*
c. oublier de fermer la porte. *(Marie et Toi)*
d. éternuer sans arrêt. *(Tous les malades)*
e. avouer l'erreur. *(Tatiana et Moi)*

6 ** **Écris ces verbes au futur à la personne demandée.**

a. déjouer • louer *(1re pers. du singulier)*
b. remuer • ruer *(2e pers. du singulier)*
c. lier • déplier *(3e pers. du singulier)*
d. trouer • dénouer *(1re pers. du pluriel)*
e. éternuer • muer *(2e pers. du pluriel)*
f. scier • trier *(3e pers. du pluriel)*

7 * **Conjugue les verbes au futur.**

a. Salomé *(raccourcir)* son pantalon neuf.
b. Les lions *(rugir)* à la tombée de la nuit.
c. Je *(nourrir)* les oiseaux cet hiver.
d. Vous *(choisir)* des romans à la bibliothèque.
e. Nous *(réfléchir)* à la meilleure stratégie et nous *(réussir)* à les battre.

8 *** **Écris ces phrases au futur.**

a. Je saisis ma hache et je bondis sur le guerrier.
b. Tu as gravi ce col enneigé et tu l'as franchi.
c. Je punissais le chat qui bondissait partout.
d. Les bulldozers ont élargi la route et l'ont finie avant les départs en vacances.
e. La lessive agit sur les taches et l'adoucissant assouplit le linge.
f. Vous avez réuni les ingrédients et vous avez garni la tarte.

9 ** **Écris ces phrases au futur.**

a. Avec *je*, puis avec *nous* :
Jouer et crier dans la cour.
b. Avec *tu*, puis avec *vous* :
Rallonger et élargir le manteau.

Défi langue

Pourquoi cette phrase au futur n'est-elle pas correcte, à ton avis ?

L'été dernier, les randonneurs marcheront sur un sentier balisé.

J'écris

10 * **Explique à un ami comment aller de l'école jusqu'à chez toi.**
Utilise principalement des verbes en -er (1er groupe) et en -ir (2e groupe) au futur.
En sortant de l'école, tu tourneras à droite…

Le futur des verbes fréquents (3e groupe)

Cherchons

Le Petit Prince, qui doit rentrer sur son étoile,
tente de consoler le narrateur qui est triste de son départ.
Et quand tu **seras** consolé (on se console toujours),
tu **seras** content de m'avoir connu.
Tu **seras** toujours mon ami. Tu **auras** envie de rire
avec moi. Et tu **ouvriras** parfois ta fenêtre, comme ça,
pour le plaisir… Et tes amis **seront** bien étonnés
de te voir rire en regardant le ciel.
Alors tu leur **diras** : « Oui, les étoiles, ça me fait toujours rire ! »
Et ils te **croiront** fou.

Antoine de Saint-Exupéry, *Le Petit Prince*, © Éditions Gallimard.

- À quel temps les verbes en rose sont-ils conjugués ?
- Remplacez la 2e personne du singulier par *je*, puis par *nous* ; remplacez la 3e personne du pluriel par *il* ou *elle*.
- Essayez de rétablir la conjugaison complète des verbes *avoir*, *être* et *dire* au futur.

Je retiens

- Au **futur**, certains verbes (3e groupe) obéissent à **plusieurs règles** :
– on prend l'**infinitif** et on ajoute les **terminaisons**.
    *je partir**ai**, tu ouvrir**as**, nous sortir**ons**…*

– on **supprime** le **-e final de l'infinitif**, puis on ajoute les **terminaisons**.
    *j'entendr**ai**, nous vivr**ons**, ils croir**ont**…*

– on **ajoute** un ou deux **-r au radical**, puis on ajoute les **terminaisons**.
    *pouvoir → nous pour**rr**ons   voir → ils ve**rr**ont*

- **Certains verbes modifient le radical** de l'infinitif.

être	avoir	
je serai	j'aurai	je devrai *(devoir)*
tu seras	tu auras	tu voudras *(vouloir)*
il, elle, on sera	il, elle, on aura	il, elle, on ira *(aller)*
nous serons	nous aurons	nous viendrons *(venir)*
vous serez	vous aurez	vous tiendrez *(tenir)*
ils, elles seront	ils, elles auront	ils, elles feront *(faire)*

Conjuguer au futur les verbes fréquents

1 ★ Complète ces phrases avec les verbes *être* et *avoir* au futur.

a. Quand on … 11 ans, on … en sixième.

b. Quand je … grande, je … astronaute !

c. Elles … en vacances et elles … la forme !

d. Tu … de la chance, tu … vainqueur !

2 ★ Complète le tableau en conjuguant les verbes au futur.

venir	tenir	devoir	voir	faire
je …	nous …	je …	nous …	je …
tu …	vous …	tu …	vous …	tu …
il …	elles …	on …	ils …	elle …

3 ★★ Recopie ces phrases en mettant le sujet au pluriel.

a. Elle attendra la nuit.

b. Je pourrai jouer.

c. Tu diras la vérité.

d. J'aurai de la chance.

e. Il ira au musée demain.

f. Tu viendras avec nous.

4 ★★ Écris ces phrases en mettant le sujet au singulier.

a. Nous ferons la cuisine.

b. Vous viendrez diner.

c. Elles prendront un gouter.

d. Nous verrons ce film une deuxième fois.

e. Vous devrez faire un effort.

f. Ils pourront sortir dans la cour.

5 ★★ Conjugue les verbes entre parenthèses au futur.

a. Les bleus *(devoir)* battre l'équipe adverse pour atteindre la finale.

b. Nous *(répondre)* au téléphone en ton absence.

c. On *(prendre)* le train à la gare de l'Est.

d. Je *(défendre)* mon idée avec énergie.

e. Vous *(vouloir)* sûrement prendre une douche après votre séance de natation.

f. Tu *(faire)* un exposé sur Voltaire.

6 ★★ Complète ce texte avec les verbes suivants conjugués au futur.

venir • percer • tomber • durer

La princesse se … la main avec un fuseau ; mais au lieu d'en mourir, elle … seulement dans un profond sommeil qui … cent ans, au bout desquels le fils d'un roi … la réveiller.

Charles Perrault, *La Belle au bois dormant.*

7 ★★★ Écris ces phrases au futur.

a. Tu écris à Jérôme qui te répond.

b. Vous compreniez les problèmes de mathématiques.

c. Nous voyons le début du film.

d. Sarah venait chaque matin et elle nous donnait des gâteaux.

e. J'ai repris un livre à la bibliothèque.

f. Elles pouvaient regarder un film entre amies.

8 ★★★ Transpose ce texte au futur.

Je suis journaliste. Je voyage dans le monde entier à la recherche de sujets intéressants. Un photographe m'accompagne toujours. Je publie des articles dans de nombreux journaux. Nos photos font le tour du monde. Nous sommes témoins d'évènements heureux ou malheureux, nous voyons les misères et les beautés de la Terre. Je n'ai pas peur des dangers. Dès que je rentre en France, je dois penser au voyage suivant. Mon métier est passionnant !

Défi langue — Vers la 6e

Parmi ces verbes conjugués au futur, il y a trois intrus. Relève-les et explique pourquoi ils sont intrus.

j'irai – il pourrait – nous devrons – je ferais – elles prendront – vous voudriez

J'écris

9 ★ Raconte comment tu imagines ta rentrée au collège. Utilise des verbes fréquents comme *être*, *avoir*, *devoir*, *faire*, *voir*… au futur.

Quand je serai en sixième, j'aurai de nouveaux copains, je devrai…

L'imparfait des verbes en -er comme *chanter* (1er groupe) et des verbes en -ir comme *finir* (2e groupe)

Très loin de l'île à la montagne noire se trouvait une autre île, une île magnifique, couverte de forêts profondes et de vertes prairies où galopaient d'élégants chevaux. Des colibris venaient se poser sur les grands lis parfumés, des paons majestueux éventaient leurs queues en glissant le long des allées, et des papillons voletaient d'orchidée en orchidée. Au milieu de l'île se trouvait un splendide palais de marbre blanc. Le soleil se reflétait dans ses innombrables minarets, et des fontaines jaillissait une eau fraîche et bleue.

F. Waters, *Ali Baba et les Quarante Voleurs
et autres contes des Mille et Une Nuits*, trad. M. Nikly, © Magnard.

- Relevez les verbes conjugués du texte. Quel est le temps utilisé ?
- Remplacez la 3e personne du singulier par *tu*, puis par *vous*.
- Remplacez la 3e personne du pluriel par *je*, puis par *nous*.
- Notez les terminaisons des verbes. Que remarquez-vous ?
- Essayez de donner la conjugaison complète des verbes *galoper* et *jaillir* à l'imparfait.

- L'**imparfait** de l'indicatif est un **temps du passé** qui permet de **décrire**, d'exprimer des **actions qui durent** ou qui sont **habituelles** : c'est le **temps du récit**.

- On forme l'imparfait des verbes en **-er** comme *chanter* (1er groupe) à partir du **radical** auquel on ajoute les **terminaisons** : -ais, -ais, -ait, -ions, -iez, -aient.

  ! Les verbes en **-cer** ou **-ger** s'écrivent avec **-ç-** et **-ge-** devant les terminaisons -ais, -ait et -aient : *tu avançais, il mangeait.*

  ! Il ne faut pas oublier le **-i-** des terminaisons de la 1re et de la 2e personne du pluriel des verbes en **-ier** comme *crier*, **-ouer** comme *jouer* et **-uer** comme *remuer* : *nous criions, vous jouiez, vous remuiez.*

chanter
je chantais
tu chantais
il, elle, on chantait
nous chantions
vous chantiez
ils, elles chantaient

- On forme l'imparfait des verbes en **-ir** comme *finir* (2e groupe) à partir du **radical** auquel on ajoute les **terminaisons** : -issais, -issais, -issait, -issions, -issiez, -issaient.

finir
je finissais
tu finissais
il, elle, on finissait
nous finissions
vous finissiez
ils, elles finissaient

Reconnaître les formes de l'imparfait

1 ⋆ **Relève les verbes conjugués à l'imparfait.**

Nous fréquentions le conservatoire de musique depuis deux ans, dans la section guitare classique. Monsieur Soto exigeait une participation assidue à ses leçons. […]
Le conservatoire dispensait des leçons collectives, c'est la raison pour laquelle nous étions ensemble. […] Amandine et moi nous connaissions depuis longtemps. Sans être vraiment des amis d'enfance, nous habitions le même quartier.

Francisco Arcis, *Le Canon du diable*, © Magnard

2 ⋆⋆ **Complète ces verbes à l'imparfait avec la terminaison qui convient.**

a. ils navigu… – je grogn… – vous cri… – elle attrap… – tu travaill… – nous avanc… – il s'occup… – elles gout… – on éternu…
b. il fin… – vous franch… – elles chois… – nous réuss… – on pétr… – tu obé… – ils raccourc… – elle grand… – je fourn…

Conjuguer à l'imparfait les verbes en -er comme chanter

3 ⋆ **Conjugue ces verbes à l'imparfait à la personne demandée.**

N'oublie pas d'écrire ç et ge devant les terminaisons -ais, -ait et -aient.

a. déranger • coincer (1re pers. du singulier)
b. plonger • commencer (2e pers. du singulier)
c. manger • placer (3e pers. du singulier)
d. nager • avancer (1re pers. du pluriel)
e. déménager • percer (2e pers. du pluriel)
f. dévisager • pincer (3e pers. du pluriel)

4 ⋆⋆ **Conjugue ces verbes à l'imparfait avec le sujet demandé.**

N'oublie pas le -i- des terminaisons de la 1re et de la 2e personne du pluriel des verbes en -ier, -ouer et -uer.

a. crier (je) – b. étudier (tu) – c. jouer (elle) – d. remuer (nous) – e. plier (vous)

Défi langue

Choisis la bonne réponse et explique ton choix à chaque fois.

a. Au printemps dernier, nous (apprécions/appréciions) la Chantilly avec les fraises.
b. Lorsque Luc était petit, il (rangait/rangeait) sa chambre et nous (distribuions/distribuons) les jouets dont il ne se servait plus.

Conjuguer à l'imparfait les verbes en -ir comme finir

5 ⋆ **Conjugue ces verbes à l'imparfait à la personne demandée.**

a. ralentir (3e pers. du pluriel)
b. pâlir (2e pers. du singulier)
c. bâtir (2e pers. du pluriel)
d. applaudir (3e pers. du singulier)
e. rougir (1re pers. du singulier)
f. raccourcir (1re pers. du pluriel)

Conjuguer à l'imparfait les verbes en -er comme chanter et en -ir comme finir

6 ⋆⋆ **Conjugue les verbes entre parenthèses à l'imparfait.**

a. Nous (soigner) nos égratignures et nous (retourner) jouer dans les bois.
b. Je (raccourcir) mon pantalon neuf et (changer) les boutons de ma veste.
c. Elles (réussir) leur examen de piano et (donner) de petits concerts.
d. Tu (déplacer) un pion et (remporter) la partie.

J'écris

7 ⋆ **Comment vivait un écolier du début du XXe siècle ? Rédige à l'imparfait une de ses journées telle que tu l'imagines. Utilise des verbes en -er (1er groupe) et en -ir (2e groupe).**

*Les élèves **copiaient** leurs exercices à la plume. S'ils ne **réussissaient** pas, ils **recommençaient**…*

L'imparfait des verbes fréquents (3ᵉ groupe)

Cherchons

Description de l'empereur de Lilliput par Gulliver

Son habit était fort simple, et, par la coupe, évoquait à la fois l'Europe et l'Orient ; il portait sur la tête un léger casque d'or orné d'un plumet. Il tenait à la main son épée nue pour se défendre au cas où je briserais mes chaînes : elle avait près de trois pouces de long et la hampe et le fourreau étaient d'or rehaussé de diamants. Sa voix était aiguë, mais si nette et distincte que je l'entendais fort bien, même debout.

Jonathan Swift, *Premier voyage de Gulliver*, trad. E. Pons,
© Éditions Gallimard Jeunesse.

- Relevez les verbes à l'imparfait de ce texte. Donnez leur infinitif et leur personne.
- Remplacez la 3ᵉ personne du singulier par *je*, puis par *tu*, la 3ᵉ personne du pluriel par *nous*, puis par *vous*, la 1ʳᵉ personne du singulier par *il*, puis par *ils*.
- Essayez de donner la conjugaison complète des verbes *être*, *avoir*, *tenir* et *entendre* à l'imparfait.

Je retiens

- On forme l'**imparfait** des, verbes fréquents (3ᵉ groupe) à partir du **radical** auquel on ajoute les **terminaisons** : -ais, -ais, -ait, -ions, -iez, -aient.

	avoir	être
je partais (*partir*)	j'avais	j'étais
tu allais (*aller*)	tu avais	tu étais
il, elle, on devait (*devoir*)	il, elle, on avait	il, elle, on était
nous venions (*venir*)	nous avions	nous étions
vous rendiez (*rendre*)	vous aviez	vous étiez
ils voulaient (*vouloir*)	ils, elles avaient	ils, elles étaient
elles pouvaient (*pouvoir*)		

- Le radical de certains verbes se transforme.

faire	prendre	dire	voir
je faisais	je prenais	je disais	je voyais
tu faisais	tu prenais	tu disais	tu voyais
il, elle, on faisait	il, elle, on prenait	il, elle, on disait	il, elle, on voyait
nous faisions	nous prenions	nous disions	nous voyions
vous faisiez	vous preniez	vous disiez	vous voyiez
ils, elles faisaient	ils, elles prenaient	ils, elles disaient	ils, elles voyaient

Conjuguer à l'imparfait les verbes fréquents

1 * Conjugue les verbes à l'imparfait aux personnes demandées.

a. être : j'… tu … nous …
b. avoir : j'… elle … ils …
c. aller : j'… tu … elles …
d. faire : tu … nous … vous …
e. voir : il … vous … ils …

2 * Écris ces verbes à l'imparfait à la personne demandée.

a. pouvoir • vouloir (1re pers. du singulier)
b. prendre • comprendre (3e pers. du singulier)
c. voir • entrevoir (1re pers. du pluriel)
d. venir • tenir (3e pers. du pluriel)

3 ** Conjugue les verbes entre parenthèses à l'imparfait.

a. Marion et Louisa (apprendre) leurs leçons.
b. Julien (perdre) son stylo au moment d'écrire ses devoirs.
c. (Entendre)-tu la cloche sonner quand tu (être) à l'école ?
d. Elle (descendre) rapidement les escaliers.
e. Je (répondre) au téléphone quand maman n'(être) pas là.

4 ** Réécris ces phrases en remplaçant :

a. *il* par *je*, puis par *vous*.
Il marchait d'un bon pas, ralentissait, regardait la carte, puis repartait.

b. *nous* par *tu*, puis par *elles*.
Nous commencions à nous inquiéter car nous ne voyions toujours pas le croisement.

c. *tu* par *nous*, puis par *il*.
Tu mélangeais les fraises et le sucre, puis faisais des confitures.

5 *** Réécris ces phrases à l'imparfait.

a. Je dirai toujours le contraire.
b. Mattéo a fait une charlotte aux poires.
c. On prévoit une météo médiocre demain.
d. Cette recette satisfait toujours les cuisinières.
e. Nous avons prédit la réussite de ce candidat.
f. Nous verrons la fille de M. Jurien.

6 ** Conjugue les verbes entre parenthèses à l'imparfait.

Maintenant, Ringo (flairer) attentivement le vent parce qu'il (se trouver) devant un endroit inconnu et peu rassurant, et (vouloir) être sûr que Rami et le directeur s'y (trouver) encore. La trace des deux criminels en cet endroit (être) très forte et le poil du chien se hérissa : cette odeur (réveiller) en lui une rage qu'il n'avait jamais éprouvée auparavant.

Katia Sabet, *Le Trésor d'Hor Hotep (Les Sortilèges du Nil)*, © Éditions Gallimard Jeunesse.

7 ** Conjugue les verbes entre parenthèses à l'imparfait.

Et quand j'(être) si chargé que je (pouvoir) à peine avancer, cette méchante femme s'asseyait encore au-dessus des paniers et m'(obliger) à trotter ainsi écrasé, accablé, jusqu'au marché de Laigle, qui (être) à une lieue de la ferme. […] Chaque fois que j'(entendre) les préparatifs du marché, je (soupirer), je (gémir), je brayais même dans l'espoir d'attendrir mes maîtres.

La comtesse de Ségur, *Les Mémoires d'un âne*.

Défi langue

Tu dois écrire cette phrase à l'imparfait. Choisis un des verbes proposés entre parenthèses en expliquant tes choix.

Malika (était / avait été / serait) astucieuse, lorsqu'elle (réfléchirait / réfléchissait / avait réfléchi), elle (aurait / avait / avait eu) toujours de bonnes idées !

J'écris

8 * Ce dessin représente un animal fantastique qui aurait pu exister il y a un million d'années. Décris-le et imagine son mode de vie en utilisant des verbes conjugués à l'imparfait.
Il était… Il vivait…

Le passé simple en *a* et en *i*, à la 3ᵉ personne du singulier et du pluriel

Peu avant minuit, le bandit Saqueboute dressa
son échelle contre la façade
d'une maison paisible de l'impasse
des Corbeaux, proche de Saint-Sulpice.
Il grimpa tranquillement à la faveur du mauvais
éclairage, se joua sans encombre de la fenêtre
du premier étage et s'introduisit furtivement
dans la demeure. Il gratta une allumette…

Michel Honaker, *Rocambole et la Sorcière du Marais*,
© Éditions Gallimard Jeunesse.

- **À quel temps ce texte est-il écrit ? Qu'indique ce temps ?**
- **Relevez les verbes conjugués de ce texte. Que pouvez-vous dire de la durée des actions ?**
- **Remplacez *le bandit* par *les bandits*. Notez les transformations des verbes.**

Je retiens

- Le **passé simple** de l'indicatif exprime des **actions brèves du passé**.

- Les verbes en **-er** comme *chanter* (1ᵉʳ groupe) et le verbe *aller* (3ᵉ groupe) ont un passé simple en **a**. Les 3ᵉˢ personnes du singulier et du pluriel se forment à partir du **radical** suivi des terminaisons : -a, -èrent.

	chanter	aller
3ᵉ pers. du singulier	il, elle, on chanta	il, elle, on alla
3ᵉ pers. du pluriel	ils, elles chantèrent	ils, elles allèrent

! Les verbes en **-cer** ou **-ger** s'écrivent avec **-ç-** et **-ge-** devant la terminaison **a**.
il avança, il plongea.

- Les verbes en **-ir** comme *finir* (2ᵉ groupe) et certains verbes fréquents (3ᵉ groupe) ont un passé simple en **i**. Les 3ᵉˢ personnes du singulier et du pluriel se forment à partir du **radical** suivi des terminaisons : -it, -irent.

	finir	partir	faire	dire	prendre	rendre	voir
3ᵉ pers. du sing.	il, elle, on finit	il, elle, on partit	il, elle, on fit	il, elle, on dit	il, elle, on prit	il, elle, on rendit	il, elle, on vit
3ᵉ pers. du pl.	ils, elles finirent	ils, elles partirent	ils, elles firent	il, elles dirent	ils, elles prirent	ils, elles rendirent	ils, elles virent

Connaitre les formes du passé simple en a et i

1 * Indique l'infinitif de ces verbes.

a. elle nagea • il alla • elles jouèrent • on plaça • ils entrèrent • elle peigna

b. ils firent • elle rendit • il prit • il vit • j'avertis • elles firent

2 * Écris la terminaison du passé simple qui convient.

a. il all… – on ajout… – elle pr… – il f… – elle confisqu… – on v…

b. ils remerci… – elles compr… – ils d… – elles nag… – ils entend… – elles fourn…

Conjuguer au passé simple en a

3 * Conjugue les verbes au passé simple à la personne demandée.

a. éternuer (3e pers. du pluriel)

b. appeler (3e pers. du singulier)

c. parler (3e pers. du pluriel)

d. crier (3e pers. du singulier)

e. expliquer (3e pers. du singulier)

4 * Conjugue chaque verbe au passé simple à la personne demandée.

a. avancer, ranger (on)

b. déplacer, obliger (elles)

c. commencer, charger (elle)

d. percer, partager (elles)

e. pincer, ronger (il)

5 ** Conjugue les verbes entre parenthèses au passé simple.

a. Beethoven (composer) ses premières œuvres très jeune.

b. Napoléon Ier (remporter) de nombreuses batailles.

c. Louis XIV (révoquer) l'édit de Nantes en 1685.

d. On (juger) Louis XVI et on l'(exécuter) rapidement.

e. Les Françaises (voter) pour la première fois en 1945.

Conjuguer au passé simple en i

6 * Conjugue chaque verbe au passé simple à la personne demandée.

a. agir • agrandir (3e pers. du singulier)

b. partir • mentir (3e pers. du pluriel)

c. prendre • comprendre (3e pers. du singulier)

d. étendre • mordre (3e pers. du pluriel)

e. dire • faire (3e pers. du singulier)

f. voir • entrevoir (3e pers. du pluriel)

7 ** Réécris ces phrases :

a. en conjuguant les verbes à la personne correspondante du pluriel.

Il brandit son épée et anéantit son ennemi.

Elle prit son gouter et sortit dans le jardin.

b. en conjuguant les verbes à la personne correspondante du singulier.

Elles virent le voleur et se rendirent au commissariat.

Ils entendirent la cloche et descendirent dans la cour.

Fais les transformations nécessaires.

Défi langue

Laquelle de ces phrases contient un verbe au passé simple ? Relève-le et explique ta réponse.

a. Le bandit Saqueboute était agile : il franchit la rambarde de la fenêtre sans effort.

b. Le bandit Saqueboute est agile : il franchit la rambarde de la fenêtre sans effort.

J'écris

8 * Invente un héros qui, comme le bandit Saqueboute (p. 78), s'introduit dans une riche demeure : raconte son aventure au passé simple.

Il enjamba le rebord de la fenêtre…

Le passé simple en *u* et en *in*, à la 3ᵉ personne du singulier et du pluriel

Alix, jeune fille noble dont le père vient de mourir, entre au service du Roi-Soleil.

Par malchance, la première personne de connaissance qu'elle croisa fut son cousin Léonard, accompagné d'une meute de jeunes aristocrates impertinents qui affichaient un air supérieur.

Alix les trouva aussi odieux que son cousin. Elle sentit sur elle leurs regards hautains et cyniques.

Leurs sourires arrogants, découvrant des dents jaunes et gâtées à force de mâcher du tabac, lui firent froid dans le dos. Après quelques paroles de politesse, elle tenta de s'esquiver, mais Léonard la retint par le bras.

Annie Pietri, *L'Espionne du Roi-Soleil*, © Bayard Éditions.

- Relevez les verbes au passé simple de ce texte. Donnez leur personne et leur infinitif.
- Quelles nouvelles terminaisons pouvez-vous remarquer ?

Je retiens

- Certains verbes fréquents (3ᵉ groupe) ont un passé simple en *u*.
Les 3ᵉˢ personnes du singulier et du pluriel se forment à partir du **radical** suivi des **terminaisons** : -ut, -urent.

	être	avoir	pouvoir	vouloir	devoir
3ᵉ pers. du singulier	il, elle, on fut	il, elle, on eut	il, elle, on put	il, elle, on voulut	il, elle, on dut
3ᵉ pers. du pluriel	ils, elles furent	ils, elles eurent	ils, elles purent	ils, elles voulurent	ils, elles durent

- Les verbes comme *venir* et *tenir* et leur famille (*revenir, devenir, soutenir, contenir…*) ont un passé simple en *in*. Les 3ᵉˢ personnes du singulier et du pluriel se forment à partir du **radical** suivi des **terminaisons** : -int, -inrent.

	venir	tenir
3ᵉ pers. du singulier	il, elle, on vint	il, elle, on tint
3ᵉ pers. du pluriel	ils, elles vinrent	ils, elles tinrent

Connaitre les formes du passé simple en u et in

1 ★ Ajoute la terminaison en « u » ou en « in » manquante.

a. on d… – elles d…
d. elles v… – elle v…
b. ils p…– il p…
e. elle f… – ils f…
c. il e… – ils e…
f. on t… – elles t…

2 ★★ Ajoute la terminaison du passé simple qui convient.

a. Luc f… son lit. – César f… empereur.
b. Nicolaï v… au tableau. – Maria v… sa sœur dans la rue.
c. Alice rapetiss…. – Alice grand… .
d. Alex d… retourner chez lui. – Mme Leblanc d… la vérité.
e. Ils lui f… peur. – Elles f… absentes.

Défi langue

Choisis le verbe au passé simple qui convient en fonction du sens de la phrase. Explique chacune de tes réponses.

a. Manon *fit / fut* en retard et *fit / fut* du bruit en rentrant dans la classe.
b. Le suspect *tut / tint* son crime et *tut / tint* tête au juge.
c. M. et Mme Duval *virent / vinrent* en Bretagne et *virent / vinrent* le site de Carnac.

Conjuguer les verbes fréquents au passé simple en u et in

3 ★ Conjugue les verbes au passé simple avec les pronoms personnels proposés.

a. être *(il, elles)*
d. pouvoir *(il, elles)*
b. avoir *(elle, ils)*
e. devoir *(on, ils)*
c. vouloir *(on, ils)*
f. paraitre *(elles, ils)*

4 ★ Conjugue ces verbes au passé simple à la personne demandée.

a. venir, tenir *(3e pers. du pluriel)*
b. devenir, détenir *(3e pers. du singulier)*
c. revenir, retenir *(3e pers. du singulier)*
d. convenir, contenir *(3e pers. du pluriel)*

Conjuguer au passé simple en a, i, u et in

5 ★ Conjugue les verbes entre parenthèses au passé simple.

a. Nicolas *(remarquer)* une lueur au loin.
b. Il *(voir)* ce beau paysage et *(être)* charmé.
c. Elles *(surprendre)* le chien sur le canapé.
d. L'accident *(survenir)* sur la chaussée glissante.
e. Il *(tenir)* la porte et leur *(laisser)* le passage.
f. Ils leur *(faire)* de la place près d'eux.

6 ★★ Classe les verbes dans le tableau selon leurs terminaisons au passé simple.

avoir • voir • faire • prendre • supplier • pouvoir • être • aller • venir • partir • devoir • dire • tenir • devenir • rendre • maintenir • choisir • tester • vouloir • remplir

-a,-èrent	
-it,-irent	
-ut, -urent	
-int, -inrent	

7 ★★★ Conjugue au passé simple les verbes entre parenthèses.

L'artiste

Il *(vouloir)* peindre une rivière ;
Elle *(couler)* hors du tableau.

Il *(peindre)* une pie-grièche ;
Elle *(s'envoler)* aussitôt.

Il *(dessiner)* une dorade ;
D'un bond, elle *(briser)* le cadre

Il *(peindre)* ensuite une étoile ;
Elle *(mettre)* le feu à la toile.

Alors, il *(peindre)* une porte
Au milieu même du tableau.

Elle s'*(ouvrir)* sur d'autres portes,
Et il *(entrer)* dans le château.

Maurice Carême, *Entre deux mondes*,
© Fondation Maurice Carême.

L'emploi de l'imparfait et du passé simple

Cherchons

Kallik est une jeune ourse polaire partie à la recherche de son frère. Elle est affamée…
Elle s'arrêta au sommet d'une petite colline. Au loin, dans la brume, des points blancs se dessinaient sur une vaste étendue de terre sèche. Ils dégageaient une odeur délicieuse. Kallik se pourlécha les babines.
Des oies des neiges !

Erin Hunter, *La Quête des ours*, « Le Mystère du lac sacré », Livre II, © Working Partners ltd, 2012.
© Pocket Jeunesse, un département d'Univers Poche, 2013.

- Relevez les verbes et classez-les en fonction du temps auquel ils sont conjugués.
- Quels sont ces temps ?
- Pour quel type d'action chacun de ces deux temps est-il employé ?

Je retiens

- Dans un récit, un roman, un conte se situant dans le **passé**, on emploie généralement :
- – l'**imparfait** pour exprimer des **actions qui durent** ou pour **décrire** ;
- – le **passé simple** pour exprimer une **action soudaine**, inattendue, **qui ne dure pas**.

*Ils **dégageaient** une odeur délicieuse.*
action qui dure → imparfait

*Kallik se **pourlécha** les babines.*
action soudaine → passé simple

Distinguer le passé simple et l'imparfait

1 * Souligne en bleu les verbes à l'imparfait et en noir les verbes au passé simple.

a. Alors que Cosette traversait la forêt déserte, Jean Valjean lui proposa son aide.

b. Il était dans le jardin lorsque l'orage éclata et il vit des éclairs traverser le ciel.

c. Soudain, un cri jaillit ; Célia venait de croiser une araignée.

d. Brusquement, Mathias se leva et se dirigea vers la porte : tous le regardaient, étonnés !

e. Les élèves jouaient dans la cour de récréation lorsque la sonnerie retentit.

2 * Classe les verbes en gras dans le tableau.

actions qui durent (imparfait)	actions qui ne durent pas (passé simple)

Le chat sauvage **avait** toujours faim, mais il ne **savait** pas chasser. C'**était** là son problème. Il n'**arrivait** même pas à attraper une souris !
Un jour, il **décida** de s'approcher du village indien, au pied du Rocher Pointu, pour voir s'il ne pourrait pas trouver quelque chose à se mettre sous la dent.
Il **descendit** la colline, **longea** le canyon et s'**arrêta** tout à coup devant un lapin endormi.

F. Demars, « Le lapin, le chat sauvage et les dindons », in *Contes des Indiens d'Amérique*, © Magnard Jeunesse.

Utiliser le passé simple ou l'imparfait

3 * **Associe deux propositions pour former des phrases, puis indique le temps de chaque verbe.**

a. Il venait juste d'embarquer dans l'avion
b. Elle m'interpella
c. La voiture grilla le feu rouge
d. La maitresse essuyait le tableau
e. Il vit un superbe écureuil
f. Les spectateurs prenaient place
g. Quelqu'un frappa à la porte

. . . .

1. quand la lumière s'éteignit.
2. lorsque l'hôtesse lui demanda d'attacher sa ceinture.
3. pendant que j'étais au téléphone.
4. au moment où vous alliez traverser.
5. quand soudain deux élèves entrèrent dans la classe.
6. comme il remontait le sentier.
7. alors que j'allais partir.

4 ** **Écris ces phrases en conjuguant les verbes à l'imparfait ou au passé simple.**

Dans chaque phrase, il y a un verbe à l'imparfait et un verbe au passé simple.

a. La péniche *(se diriger)* vers l'écluse lorsqu'une vedette à moteur la *(rattraper)*.
b. Elle *(manger)* sa soupe, lorsqu'elle lui *(annoncer)* la nouvelle.
c. Il *(passer)* devant elle, alors qu'elle *(être)* caché derrière l'arbre.
d. Thierry, qui *(être)* le plus grand, *(pouvoir)* attraper la pomme dans l'arbre.

5 ** **Réécris ces phrases au passé en utilisant l'imparfait et le passé simple.**

a. Karim travaille dans sa chambre lorsqu'il voit son frère qui rentre du collège.
b. Alors que Tom essuie la vaisselle, le téléphone sonne.
c. Ils attendent l'autobus depuis vingt minutes lorsque celui-ci arrive enfin.
d. Elle réfléchit depuis longtemps et soudain elle trouve la solution.

Défi langue

Les verbes en gras sont conjugués à l'imparfait ou au passé simple. Mais ces temps sont-ils correctement employés dans ces phrases ? Explique tes réponses.

a. Ils **marchèrent** dans la campagne, quand soudain la pluie **tombait**.
b. Alors que les coureurs **naviguèrent**, le vent **se leva** et **s'engouffrait** dans les voiles.

6 *** **Réécris ce texte au passé en utilisant l'imparfait et le passé simple.**

L'Enorme crocodile rôda aux limites de la ville, prenant soin de ne pas se faire remarquer.

C'est ainsi qu'il *(arriver)* aux alentours d'une place où l'on *(achever)* d'installer une fête foraine. Il y *(avoir)* là des patinoires, des balançoires, des autos tamponneuses ; on *(vendre)* du pop-corn et de la barbe à papa. […]

« Passons au piège subtil n° 3 ! » *(susurrer)* l'Énorme Crocodile en se léchant les babines. Profitant d'un moment d'inattention, il *(grimper)* sur le manège et *(s'installer)* entre un lion et un dragon effroyable. Les pattes arrière légèrement fléchies, il *(se tenir)* parfaitement immobile.

Roald Dahl, L'Énorme Crocodile,
trad. O. George et P. Jusserand. coll. Folio Benjamin,
© Éditions Gallimard Jeunesse.

7 ** **L'ourse Kallik va-t-elle parvenir à déguster une oie des neiges ? Raconte sa tentative en employant des verbes à l'imparfait et au passé simple.**
Kallik était affamée… Elle s'approcha…

Je révise

Reconnaitre les temps simples de l'indicatif

1 ＊ Classe ces verbes dans le tableau, puis indique le temps et l'infinitif de chacun.

verbe	temps	infinitif

il fait, il fit, il fut, il vit, il fera, il faisait, il voyait, il devait, il est, il sera, il dut, il devra, il verra, il doit, il était, il eut, il aura, il avait, il a, il voit

2 ＊＊ Relève les verbes conjugués de ce texte, puis indique leur temps, leur personne et leur infinitif.

Les chats du Clan du Tonnerre viennent de subir une défaite.

Assise seule dans une clairière déserte, une vieille femelle grise fixait le ciel clair de la nuit. Tout autour d'elle, dans l'obscurité, elle entendait respirer des félins endormis.
Surgie d'un coin sombre, une petite chatte écaille-de-tortue s'avança à pas feutrés.
La bête grise inclina la tête en signe de bienvenue.
« Comment va Poil de Souris ? demanda-t-elle.
– Ses blessures sont profondes, Étoile Bleue, répondit la chatte écaille, qui s'assit sur l'herbe fraîche de rosée. Mais elle est jeune et robuste, elle guérira vite.
– Et les autres ?
– Ils se rétabliront aussi. »

Erin Hunter, *La Guerre des Clans*, « Retour à l'état sauvage », Livre 1, trad. C. Pournin, © Pocket Jeunesse.

Conjuguer au futur

3 ＊ Conjugue les infinitifs de cette recette à la 2ᵉ personne du singulier, puis à la 2ᵉ personne du pluriel, au futur.
Recette du cake aux noisettes
Préparer le zeste d'un citron et en conserver le jus. Battre trois œufs et 180 g de sucre dans une jatte. Ajouter 180 g de beurre ramolli, 100 g de noisettes en poudre, le zeste et le jus du citron. Mélanger énergiquement puis ajouter 180 g de farine de maïs, un sachet de levure et une pincée de sel. Verser le mélange dans un moule beurré. Cuire le cake 45 minutes au four à thermostat 6. Démouler et déguster.

4 ＊＊ Réécris ces textes au futur.
a. Au cours d'une éclipse de Soleil, la Lune s'intercale exactement entre la Terre et le Soleil. L'ombre de la Lune passe sur une petite région de la Terre. Seuls les gens qui se trouvent dans cette région peuvent voir l'éclipse. Pour eux, c'est la nuit en pleine journée.

b. Au cours d'une éclipse de Lune, la Lune passe dans l'ombre de la Terre. Tous les gens qui se trouvent dans la bonne moitié de la Terre peuvent voir l'éclipse. La Lune reste visible, mais prend une couleur rouge sombre.

Conjuguer à l'imparfait

5 ＊ Conjugue ces verbes à l'imparfait à la personne demandée.
a. prendre *(1ʳᵉ pers. du pluriel)*
b. attendre *(2ᵉ pers. du pluriel)*
c. avancer *(3ᵉ pers. du pluriel)*
d. engager *(1ʳᵉ pers. du singulier)*
e. réussir *(2ᵉ pers. du singulier)*
f. défaire *(3ᵉ pers. du singulier)*
g. attendrir *(2ᵉ pers. du singulier)*
h. raccourcir *(2ᵉ pers. du pluriel)*

6 ** Conjugue les infinitifs entre parenthèses à l'imparfait.

De près, la boule *(être)* encore plus surprenante. […] À l'intérieur, on *(entrevoir)* un paysage tout à fait semblable à celui de la terre en surface : des forêts, des champs cultivés, des maisons… Mais tout y *(être)* bleu !

Les arbres *(avoir)* des feuilles bleu nuit, et sur leurs branches *(mûrir)* des fruits bleu ciel.

Dans les champs *(pousser)* du blé azuré… et les murs et les toits des maisons *(être)* bleu indigo.

Les voitures qui *(rouler)* et les avions qui *(voler)* dans cet univers bizarre *(déployer)* toutes les nuances de bleu !

Geronimo Stilton, Gare au calamar !,
© Albin Michel Jeunesse.

Conjuguer au passé simple à la 3e personne du singulier et du pluriel

7 * Conjugue les verbes au passé simple à la personne demandée.

a. voir • entrevoir *(3e pers. du singulier)*
b. être • avoir *(3e pers. du pluriel)*
c. diriger • commencer *(3e pers. du singulier)*
d. choisir • réussir *(3e pers. du pluriel)*
e. venir • tenir *(3e pers. du singulier)*
f. faire • défaire *(3e pers. du pluriel)*

8 ** Conjugue les verbes de ce texte au passé simple.

Le service d'informations *(fonctionner)* comme sur des roulettes. Les chiens *(foncer)* tels des tourbillons à travers villes et villages. Les belettes *(se faufiler)* au milieu des jardins. Les cerfs et les chevreuils *(galoper)* à travers les forêts, si vite qu'ils en *(faire)* pleuvoir des branches mortes. « Dans quatre semaines exactement, conférence au Palais des Animaux ». Les zèbres *(tonner)* comme l'orage à travers les déserts. […] Les singes de la forêt *(se balancer)* d'arbre en arbre en criant. Les scarabées *(chatoyer)*, les petits colibris multicolores *(pépier)*. […] La nouvelle *(se répandre)* jusqu'au plus profond des océans…

Erich Kästner, La Conférence des animaux, trad. D. Ebnöther, coll. Folio Junior, © Éditions Gallimard Jeunesse.

Conjuguer à l'imparfait ou au passé simple

9 ** Conjugue les verbes au temps demandé.

a. Alors l'Enfant d'Éléphant *(approcher, passé simple)* sa tête tout près de la gueule dentue et musquée du Crocodile, et le Crocodile le *(happer, passé simple)* par son petit nez, lequel, jusqu'à cette semaine, ce jour, cette heure et cette minute-là, n'*(être, imparfait)* pas plus grand qu'une botte.

b. Alors l'Enfant d'Éléphant s'assit sur ses petites hanches et *(tirer, tirer, tirer, passé simple)* encore, tant et si bien que son nez *(commencer, passé simple)* de s'allonger. Et le Crocodile *(s'aplatir, passé simple)* dans l'eau qu'à grands coups de queue il *(fouetter, imparfait)* comme de la crème, et lui aussi *(tirer, tirer, tirer, passé simple)*.

Rudyard Kipling, « L'Enfant d'Éléphant », *Histoires comme ça*, trad. R. d'Humières et L. Fabulet, © Delagrave.

10 *** Choisis l'imparfait ou le passé simple pour conjuguer les verbes entre parenthèses.

Un groupe de touristes en visite à Notre-Dame *(être)* en train de photographier les gargouilles. Dans la brume verte qui *(descendre)* du ciel, un de ces démons de pierre se mit à bouger. Une gargouille qui *(observer)* la ville, accoudée au parapet, *(s'étirer)* et *(bâiller)*.

Rupert Kingfisher, *Madame Pamplemousse et le café à remonter le temps*, trad. V. Le Plouhinec, © Albin Michel Jeunesse.

11 * Écris ce que tu feras lorsque tu seras adulte. Utilise le futur.

Quand je serai grand, je ferai le tour du monde, j'escaladerai l'Himalaya et je plongerai sous la mer…

La formation du passé composé

J'ai geigné la pirafe

J'ai geigné la pirafe   J'ai esité l'Vispagne
J'ai cattu la bampagne   Barcouru la Pretagne
J'ai pordu la moussière   J'ai lo mon vieux vépris
J'ai tarcouru la perre   Je suis allit au lé […]
J'ai mouru les contagnes.

Luc Bérimont, *L'Esprit d'enfance*, coll. « Enfance heureuse », © Éditions ouvrières / Éditions de l'Atelier, 1980.

- Pouvez-vous remettre à leur place les consonnes, voyelles ou syllabes de ce poème ?
- Relevez les verbes : les actions sont-elles déjà réalisées ou en train de se réaliser ?
- Quel est le temps utilisé ?
- Remplacez *je* par *nous*, puis par *il*. Notez les transformations des verbes.

Je retiens

- Le **passé composé** exprime une **action terminée**.
- Il est formé de l'auxiliaire **avoir** ou **être au présent** et du **participe passé du verbe**.

  J'**ai** peigné.   Je **suis** allé.

  auxiliaire *avoir*   auxiliaire *être*

- Les verbes en **-er** comme *chanter* (1er groupe) et le verbe *aller* (3e groupe) ont un **participe passé** en **-é** : *visiter* → *visit**é*** ; *aller* → *all**é***

- Les verbes en **-ir** comme *finir* (2e groupe) et les verbes en **-ir** comme *partir, cueillir* (3e groupe) ont un **participe passé** en **-i** : *finir* → *fin**i*** ; *partir* → *part**i***

- De nombreux verbes (3e groupe) ont un **participe passé irrégulier** en **-s, -u, -t**.

  prendre → *pri**s*** ; *rendre* → *rend**u*** ; *vouloir* → *voul**u*** ; *pouvoir* → *p**u*** ; *devoir* → *d**û*** ;
  voir → *v**u*** ; *venir* → *ven**u*** ; *faire* → *fai**t*** ; *dire* → *di**t*** ;

  > **!** Pour trouver la **dernière lettre muette** d'un participe passé, mets le participe au **féminin** : *prise* → *pri**s*** ; *écrite* → *écri**t***

- Les auxiliaires **être** et **avoir** ont des **participes passés irréguliers**.

  avoir → *eu*   *être* → *été*

Reconnaitre les verbes conjugués au passé composé

1 ✶ **Relève les verbes conjugués au passé composé.**

Comment faire pour échapper à la trop certaine compagnie d'Aliénor ?

J'ai opté pour la ruse. Je suis allée m'enfermer dans les toilettes des filles. J'ai posé mon cartable à mes pieds. J'ai fermé la porte à clé. J'ai rabattu le couvercle et je me suis assise. Et là, j'ai attendu jusqu'à ce que les couloirs soient entièrement silencieux.

Marie Desplechin, *Copie double*,
© Bayard Jeunesse.

2 ⋆ **Recopie les phrases qui contiennent un verbe au passé composé et souligne-le.**

a. Élise et moi avons marché toute la journée.

b. Mon frère a un cours de maths à dix heures.

c. Maxime est venu avec ses amis.

d. Les enfants ont pris leur gouter dans la cuisine.

e. Lilian est très heureux de dormir chez son ami.

3 ⋆⋆ **Dans chaque phrase, souligne l'auxiliaire et entoure le participe passé. Indique entre parenthèses s'il s'agit de l'auxiliaire *être* ou *avoir*.**

a. Avez-vous réussi à avoir une place ?

b. Tiphaine n'est toujours pas arrivée.

c. Les élèves ont tout compris.

d. Ils n'ont certainement pas oublié notre rendez-vous.

e. Ont-elles aimé cette tarte à la rhubarbe ?

Conjuguer les auxiliaires être et avoir au présent

4 ⋆ **Complète ces phrases avec l'auxiliaire *avoir* conjugué au présent.**

a. Nous … répondu immédiatement.

b. Elles … vu le soleil se lever.

c. N'…-tu pas fini ton livre ?

d. …-t-il accueilli ses correspondants ?

e. J'… eu beau temps pendant mes vacances.

5 ⋆ **Complète ces phrases avec l'auxiliaire *être* conjugué au présent.**

a. Nous … revenus de l'école sous la pluie.

b. Juliette n'… pas tombée aujourd'hui.

c. Vous … restées très tard.

d. …-elles venues au spectacle ?

e. …-tu retourné en Espagne cette année ?

6 ⋆⋆ **Complète ces phrases avec l'auxiliaire *avoir* ou *être* conjugué au présent.**

a. Nous … suivi vos conseils.

b. Elle lui … offert un bouquet de fleurs.

c. …-vous venus hier ?

d. Louis … sorti en premier.

e. …-tu bu ton jus de fruit ?

Former les participes passés

Défi langue

Choisis l'orthographe correcte du participe passé. Quelle astuce te permet de ne pas te tromper ?

a. Vous avez *compris/comprit* la leçon.

b. Romain a *construit/construis* un château de sable.

c. Nous avons *offers/offert* la collection des Harry Potter à Émilie.

d. Vous n'avez pas *pris/prit* le train.

e. Le directeur a *interdis/interdit* les billes dans la cour.

7 ⋆ **Écris le participe passé de ces verbes.**

a. **verbes en -*er*** (1er groupe comme *chanter*) : manger • avancer • crier • jeter • éternuer • appeler • envoyer • payer • rapetisser

b. **verbes en -*ir*** (2e groupe comme *finir*) : gravir • pourrir • nourrir • jaunir • définir • noircir • assortir • répartir • raccourcir • fournir

c. **verbes en -*ir*** (3e groupe comme *partir*) : sentir • consentir • partir • mentir • pressentir • démentir • repartir • sortir • ressentir

8 ⋆⋆⋆ **Forme les participes passés de ces verbes, puis classe-les.**

écrire • tenir • apprendre • devoir • cueillir • sortir • voir • pouvoir • descendre • vouloir • aller • vivre • découvrir • attendre • dire • offrir • partir • mordre • devenir • rapetisser

a. **participes passés en -*s*** : …

b. **participes passés en -*u*** : …

c. **participes passés en -*t*** : …

d. **participes passés en -*i*** : …

e. **participes passés en -*é*** : …

J'écris

9 ⋆ **À la manière de Luc Bérimont (p. 86), écris une poésie au passé composé, dont tu inverseras les lettres.**

L'emploi du passé composé avec *être* et *avoir*

Cherchons

M. Cogolin raconte le décès de son poulpe aux experts en assurances.

La dernière fois que j'ai eu affaire à vous, après le suicide de mon poulpe par quintuple strangulation, j'ai dû envoyer deux lettres recommandées avant que vous acceptiez de vous déplacer. Quand vous êtes arrivés, le poulpe était parti chez le poissonnier. Eh bien, vous avez refusé de m'indemniser, sous prétexte que le cadavre avait disparu et qu'il était impossible de déterminer les causes exactes de sa mort ! J'ai conduit votre collègue à la halle, devant une caisse de glace pilée où le pauvre Enriquo gisait, tronçonné en bandes fines, mais il n'a rien voulu savoir. J'en ai été de ma poche !

Éric Boisset, *Arkandias contre-attaque*, © Magnard Jeunesse.

- **Relevez les verbes au passé composé de ce texte.**
- **Quels sont les auxiliaires utilisés ? Dans quel cas le participe passé s'accorde-t-il ?**

Je retiens

- Lorsque le passé composé est formé avec l'auxiliaire **avoir**, le **participe passé ne s'accorde jamais** avec **le sujet du verbe** : *Vous **avez** refusé de m'indemniser.*

- Lorsque le passé composé est formé avec l'auxiliaire **être**, le **participe passé s'accorde** en **genre** et en **nombre** avec le **sujet** du **verbe** : *Vous **êtes** arrivés.*

  sujet
  masc./pluriel

Conjuguer les verbes au passé composé

1 ＊ **Complète les phrases en conjuguant les verbes entre parenthèses au passé composé.**

a. *(bondir • voir)* Il … quand il … la souris.

b. *(arriver • ranger)* Papa … et Sam … sa chambre.

c. *(aller • prendre)* Je … à la pêche et j'… un brochet.

d. *(faire • applaudir)* Vous … un numéro de jonglage et nous … très fort.

e. *(manger • préférer)* Sofia … une glace au caramel et Augustin … une gaufre au sucre.

2 ＊ **Conjugue les verbes de ce texte au passé composé.**

Le narrateur est un instituteur qui cherche son école et ses élèves !

Aussitôt, j'*(prendre)* mon vélo, j'*(tourner)* en rond pendant un moment, puis je *(partir)* à la recherche des enfants. […] Un peu plus loin, j'*(rencontrer)* un berger, de dix ou onze ans, je lui *(expliquer)* ce que je cherchais et il m'*(indiquer)* du doigt une bâtisse à l'horizon, une bâtisse blanche que je ne connaissais pas. Et il *(ajouter)* que lui aussi aimerait bien y aller, mais il ne trouvait personne pour garder les moutons.

Tahar Ben Jelloun, *L'École perdue*, © Éditions Gallimard Jeunesse.

3 ✳✳✳ Conjugue les verbes entre parenthèses au passé composé.

a. Lena et moi *(courir)* jusqu'au quai du ferry, qu'on *(attendre)* pendant dix longues minutes. On *(cacher)* nos flûtes à bec sous notre T-shirt au moment de monter à bord, ce qui *(ne pas empêcher)* papa de les repérer.

b. Il faisait tellement noir que j'*(trébucher)* sur le perron de la maison de Lena si bien que j'*(avaler)* de travers le bout de pain que j'avais toujours dans la bouche. Toussant, furieux, j'ai ouvert la porte et *(entrer)* sur le même mode que Lena : avec fracas.

> Maria Parr, *Cascades et gaufres à gogo*,
> trad. J.-B. Coursaud, © Éditions Thierry Magnier, 2011.

Accorder le participe passé

4 ✳ Choisis la bonne orthographe du participe passé.

1. auxiliaire *avoir* :

a. Elle a *(choisi • choisie)* un livre sur les sorcières à la bibliothèque.

b. Nous avons *(aperçu • aperçus)* une cigogne.

c. Anita et Zoé ont *(acheté • achetées)* des beignets à la fête foraine.

d. Vous avez *(raccourci • raccourcie)* votre jupe.

2. auxiliaire *être* :

a. Élise est *(tombé • tombée)* à la récréation.

b. Elles ne sont jamais *(allé • allées)* en Grande-Bretagne.

c. Tous les invités sont *(parti • partis)* après minuit.

d. Nous sommes *(arrivé • arrivés)* en retard.

5 ✳✳ Recopie ce texte en remplaçant *je* par *elles*, puis par *il*.

J'ai rencontré cette amie au bord du fleuve. J'ai marché un moment avec elle, puis j'ai repris le chemin du retour et je suis rentré à la maison.

6 ✳✳ Recopie le texte en remplaçant *je* par *nous*, puis par *elles*.

Je suis arrivé à neuf heures, puis je suis allé jouer au tennis. J'ai ensuite pris une douche et je suis parti à la piscine. J'ai nagé, plongé, joué puis je suis rentré ! La nuit, j'ai bien dormi !

7 ✳✳ Écris les participes passés en les accordant correctement.

a. Nous avons *(accueillir)* nos invités chaleureusement.

b. Ysia a *(préparer)* de petits toasts.

c. Nos voisins sont *(arriver)* en retard.

d. Mais ils sont *(venir)* avec leur fils Julien qui est mon meilleur ami.

e. On nous a *(apporter)* de jolis petits sous-verres.

8 ✳✳✳ a. Écris ce texte au passé composé.

Ces navigateurs traversent les mers et les océans et réussissent à battre des records. Ils partent malgré la mauvaise saison et ils bravent les tempêtes. Ils dorment peu car ils surveillent les instruments de navigation. Ils ne reviennent qu'au bout de plusieurs mois.

b. Puis, réécris-le en commençant par « ces navigatrices ».

Défi langue

À ton avis, qui se cache derrière le sujet de chaque verbe ? Choisis une réponse et explique-la.

un garçon – une fille – plusieurs filles – plusieurs garçons – un mélange de filles et de garçons – on ne peut pas savoir

a. Je suis allée au lit.

b. Nous sommes venus vous voir.

c. Vous êtes parties trop tôt.

d. Tu es tombé dans la boue.

e. J'ai gagné le gros lot !

f. Leïla et moi sommes sortis pour profiter du beau temps.

J'écris

9 ✳✳ Ton correspondant américain, qui ne parle pas un mot de français, est arrivé hier dans ta famille. Raconte cette première rencontre à un ami en utilisant le passé composé.

Il a commencé à parler et je n'ai rien compris…

Le présent de l'impératif

Vers la
6e

Filet à p'tites bêtes

Fais un cadre de 40 sur 20 cm avec du fil de fer très fort.
Couds la taille d'un vieux collant de grande taille sur
le cadre en le repliant autour du fil de fer.
Puis **noue** les jambes entre elles à 40 cm du cadre.
Plante 2 piquets pointus de 40 cm verticalement,
à 40 cm l'un de l'autre dans le fond de la rivière.
Avec de la ficelle, **fixe** le cadre sur les piquets, face
au courant. **Soulève** les pierres en amont du filet pour
déloger les petites bêtes.

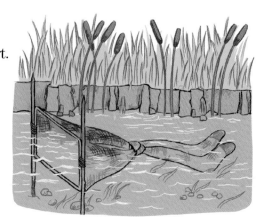

Hélène et Robert Pince, *L'Encyclo à malices nature*, © Petite Plume de Carotte.

- **Que remarquez-vous à propos des verbes en rose ?**
- **Qu'expriment-ils ? À quelle personne sont-ils conjugués ? Observez leur terminaison.**
- **Transformez le texte en parlant à la 1ʳᵉ personne du pluriel, puis à la 2ᵉ personne du pluriel.**

Je retiens

- Le mode **impératif** sert à exprimer des **ordres** ou des **conseils**. On le trouve souvent dans les phrases injonctives.

   ***Plante** deux piquets pointus.*   ***Soulève** les pierres.*

- Au présent de l'impératif, il n'y a que **trois personnes** de conjugaison et **le sujet n'est pas exprimé**.

	avoir	**être**	**aller**
2ᵉ pers. du singulier	aie	sois	va
1ʳᵉ pers. du pluriel	ayons	soyons	allons
2ᵉ pers. du pluriel	ayez	soyez	allez

	verbes en -er comme *chanter* (1ᵉʳ groupe)	**verbes en -ir** comme *finir* (2ᵉ groupe)
2ᵉ pers. du singulier	crie	choisis
1ʳᵉ pers. du pluriel	plongeons	finissons
2ᵉ pers. du pluriel	avancez	grandissez

	venir	**prendre**	**faire**	**dire**	**voir**
2ᵉ pers. du singulier	viens	prends	fais	dis	vois
1ʳᵉ pers. du pluriel	venons	prenons	faisons	disons	voyons
2ᵉ pers. du pluriel	venez	prenez	faites	dites	voyez

Reconnaître le présent de l'impératif

1 ✶ **Recopie les phrases dont le verbe est au présent de l'impératif.**

a. Va prendre ta douche !

b. Attention, il ne faut pas toucher les prises électriques avec les mains mouillées.

c. Soyez à l'heure demain matin.

d. Je ne veux pas que vous preniez les ballons !

e. Choisissez rapidement vos places !

2 ✶ **Relève les verbes au présent de l'impératif. Indique leur infinitif et leur personne.**

Prenez un journal

Prenez un journal.
Prenez des ciseaux.
Choisissez dans
ce journal un article
ayant la longueur
que vous comptez donner à votre poème.
Découpez l'article.
Découpez ensuite chacun des mots qui forment cet article et mettez-les dans un sac.
Agitez doucement.
Sortez ensuite chaque coupure l'une après l'autre.
Copiez consciencieusement dans l'ordre où elles ont quitté le sac.
Le poème vous ressemblera.
Et vous voilà un écrivain original
et d'une sensibilité charmante, encore
qu'incomprise du vulgaire.

Tristan Tzara, *Sept manifestes dada*, © Pauvert, département des éditions Fayard, 1979.

Employer le présent de l'impératif

3 ✶ **Écris la terminaison de l'impératif qui convient.**

a. Rang… ce ballon. (*2ᵉ pers. du pluriel*)

b. Oubli… ce que je t'ai dit. (*2ᵉ pers. du singulier*)

c. Pos… d'abord notre sac. (*1ʳᵉ pers. du pluriel*)

d. Ne soy… plus inquiets. (*2ᵉ pers. du pluriel*)

e. N'ai… pas peur ! (*2ᵉ pers. du singulier*)

4 ✶✶ **Transforme ces phrases en conjuguant à l'impératif le verbe au futur.**

Vous prendrez ce train. → *Prenez ce train.*

a. Tu finiras ton puzzle et tu le rangeras.

b. Vous viendrez ici.

c. Tu feras ton lit.

d. Nous écrirons des cartes postales.

5 ✶✶ **Transforme ces phrases en conjuguant le verbe en gras au présent de l'impératif.**

Attention, certaines phrases sont à la forme négative !

*Je te dis de **courir**.* → *Cours. (2ᵉ pers. du singulier)*

a. Je t'ordonne de **fermer** la porte.

b. Je vous demande de ne pas **partir** seuls.

c. Elle nous conseille de nous **habiller** vite.

d. Je te dis de ne pas **être** en retard.

e. Il nous demande de **suivre** ce trajet.

6 ✶✶✶ **Réécris ce texte au présent de l'impératif, à la 2ᵉ personne du singulier, puis à la 2ᵉ personne du pluriel.**

Pour dessiner une rosace :

– prendre une feuille de papier blanc.

– ouvrir le compas d'au moins 8 cm.

– piquer la pointe du compas au centre de la feuille et tracer un cercle.

– remplir l'intérieur du cercle avec au moins six arcs de cercle.

Défi langue

Ces verbes en gras prennent-ils un s ? Explique pourquoi à chaque fois.

Enfourche… ton vélo et **pédale**… le plus vite possible. Tu **achète**… le pain avant la fermeture de la boulangerie et tu **regarde**… s'ils ont encore une tarte aux pommes.

7 ✶ **En utilisant le présent de l'impératif, écris une recette de cuisine que tu connais bien et que tes camarades pourraient réaliser.**

Épluche (ou Épluchez) les pommes de terre…

Le présent du conditionnel

Cherchons

Si...
[...]
Si le monde était à l'envers,
Je marcherais les pieds en l'air,
Le jour je garderais la chambre,
J'irais à la plage en décembre,
Deux et un ne feraient plus trois...
Quel ennui ce monde à l'endroit !

Jean-Luc Moreau, *L'Arbre perché*,
coll. « Enfance heureuse », © Éditions ouvrières /
Éditions de l'Atelier, 1980.

- À quelle condition le poète pourrait-il marcher les pieds en l'air ?
- Relevez les verbes qui indiquent ce que pourrait faire le poète si le monde était à l'envers. Observez leur radical et leur terminaison. Que remarquez-vous ?

Je retiens

- Le **mode conditionnel** sert à exprimer un fait ou une action qui dépend d'une **condition** (avec *si*).

Si le monde **était** à l'envers, je **marcherais** les pieds en l'air.

condition à l'imparfait   présent du conditionnel

- Le présent du conditionnel est formé du **radical du futur** et des **terminaisons de l'imparfait** : -ais, -ais, -ait, -ions, -iez, -aient.

avoir	être	verbes en *-er* comme *chanter* (1ᵉʳ groupe) / verbes en *-ir* comme *finir* (2ᵉ groupe)	verbes fréquents (3ᵉ groupe)
j'aurais	je serais	j'oublierais	je ferais (*faire*)
tu aurais	tu serais	tu fermerais	tu prendrais (*prendre*)
il, elle, on aurait	il, elle, on serait	il, elle, on crierait	il viendrait (*venir*)
nous aurions	nous serions	nous grandirions	elle devrait (*devoir*)
vous auriez	vous seriez	vous réagiriez	on dirait (*dire*)
elles auraient	ils seraient	ils franchiraient	nous irions (*aller*)
			vous pourriez (*pouvoir*)
			ils voudraient (*vouloir*)
			elles verraient (*voir*)

! Avec les verbes en *-ier*, *-uer*, *-ouer*, il ne faut pas oublier le *-e-* qui ne s'entend pas.
nous plierions, il continuerait, ils joueraient

Reconnaître les verbes au présent du conditionnel

1 ✶ **Recopie uniquement les phrases dont le verbe est au conditionnel.**

a. Le jeune garçon marchait sur la glace.

b. Le jeune garçon marcherait sur la glace.

c. Nous préparerions le repas.

d. Nous préparerons le repas.

2 ✶✶ **Relève les verbes au présent du conditionnel. Indique leur personne et leur infinitif.**

La vache

Si la Terre était une vache

Ce serait particulier

Les continents seraient ses taches

Elle brouterait la Voie lactée

Tous les enfants vivant dessus

Auraient du lait à volonté

Ce serait la plus dodue

Des planètes répertoriées [...]

Flem, Bestiaire poétique.

3 ✶✶ **Relève l'intrus dans chaque liste, puis conjugue-le à la même personne au présent du conditionnel.**

a. tu tondrais • tu remplirais • tu sortais • tu viendrais • tu tomberais • tu prendrais

b. elle distribuera • il vivrait • il lirait • il partirait • il plierait • elle applaudirait

c. ils dormiraient • elles aéreraient • ils agiraient • elles riaient • ils céderaient • elles fuiraient

d. vous chaufferiez • vous écouteriez • vous étudierez • vous suivriez • vous verriez

Conjuguer les verbes au présent du conditionnel

4 ✶ **Complète chacune des phrases en conjuguant le verbe entre parenthèses au présent du conditionnel.**

a. Si j'étais en vacances, je *(partir)* ...

b. Si vous étiez voisins, vous *(jouer)* ...

c. S'ils étaient malades, ils *(devoir)* ...

d. Si tu étais patient, tu *(faire)* ...

e. Si vous étiez avec nous, nous *(aller)* ...

5 ✶✶ **Conjugue les verbes entre parenthèses au présent du conditionnel.**

Et si on ne faisait rien ?

On se *(réveiller)* dans sa chambre un matin d'été.

On *(entendre)* un râteau dehors, sur le gravier.

Il y *(avoir)* des rayons de soleil par les persiennes et une petite poussière blonde.

Philippe Delerm, C'est toujours bien, © Éditions Milan.

Défi langue

Choisis la conjugaison qui convient pour former des phrases correctes. Explique chacun de tes choix.

a. Si j'*(avais / aurai / aurais)* un cheval, je *(galopais / galoperai / galoperais)* chaque jour dans les bois.

b. Nous *(étions / serons / serions)* aussi heureux si nous n'*(avions / aurons / aurions)* pas la télévision.

c. S'il *(était / sera / serait)* majeur, il *(pouvait / pourra / pourrait)* conduire.

6 ✶✶✶ **Conjugue les verbes entre parenthèses à l'imparfait ou au présent du conditionnel.**

a. Je *(manger)* plus souvent des fruits si je *(pouvoir)* les cueillir moi-même !

b. Si vous *(prendre)* votre manteau à chaque récréation, vous n'*(attraper)* pas de rhumes !

c. S'il *(faire)* beau, nous *(aller)* en forêt.

d. Lola *(jouer)* volontiers au foot si les garçons l'*(accepter)*.

e. Si le vent se *(lever)*, le ciel s'*(éclaircir)* et nous *(pouvoir)* sortir.

J'écris

7 ✶ **Et si, comme dans le poème de Jean-Luc Moreau (p. 92), le monde était à l'envers ? Que ferais-tu ? Écris tes réponses au présent du conditionnel.**

Si le monde était à l'envers, j'aurais la tête en bas...

Ce que je dois savoir à la fin de mon CM2

Connaitre le présent de l'indicatif

verbes en -er comme *chanter*

je	chant	e
tu	chant	es
il/elle/on	chant	e
nous	chant	ons
vous	chant	ez
ils/elles	chant	ent

verbes en -ir comme *finir*

je	fin	is
tu	fin	is
il/elle/on	fin	it
nous	fin	issons
vous	fin	issez
ils/elles	fin	issent

verbes en -ir comme *partir*

je	par	s
tu	par	s
il/elle/on	par	t
nous	par	tons
vous	par	tez
ils/elles	par	tent

verbes en -dre comme *prendre*

je	pren	ds
tu	pren	ds
il/elle/on	pren	d
nous	pren	ons
vous	pren	ez
ils/elles	pren	nent

verbes en -dre comme *rendre*

je	ren	ds
tu	ren	ds
il/elle/on	ren	d
nous	ren	dons
vous	ren	dez
ils/elles	ren	dent

● Pour le présent
des verbes fréquents ▶ p. 66.

Connaitre le futur de l'indicatif

verbes en -er comme *chanter*

je	chanter	ai
tu	chanter	as
il/elle/on	chanter	a
nous	chanter	ons
vous	chanter	ez
ils/elles	chanter	ont

verbes en -ir comme *finir*

je	finir	ai
tu	finir	as
il/elle/on	finir	a
nous	finir	ons
vous	finir	ez
ils/elles	finir	ont

verbes en -ir comme *partir*

je	partir	ai
tu	partir	as
il/elle/on	partir	a
nous	partir	ons
vous	partir	ez
ils/elles	partir	ont

verbes en -dre comme *prendre* et *rendre*

je	prendr	ai
tu	prendr	as
il/elle/on	prendr	a
nous	prendr	ons
vous	prendr	ez
ils/elles	prendr	ont

● Pour le futur
des verbes fréquents ▶ p. 72.

Connaitre l'imparfait de l'indicatif

verbes en -er comme chanter

je	chant	ais
tu	chant	ais
il/elle/on	chant	ait
nous	chant	ions
vous	chant	iez
ils/elles	chant	aient

verbes en -ir comme finir

je	fin	issais
tu	fin	issais
il/elle/on	fin	issait
nous	fin	issions
vous	fin	issiez
ils/elles	fin	issaient

verbes en -ir comme partir

je	part	ais
tu	part	ais
il/elle/on	part	ait
nous	part	ions
vous	part	iez
ils/elles	part	aient

verbes en -ir comme venir et tenir

je	ven	ais
tu	ven	ais
il/elle/on	ven	ait
nous	ven	ions
vous	ven	iez
ils/elles	ven	aient

verbes en -dre comme prendre

je	pren	ais
tu	pren	ais
il/elle/on	pren	ait
nous	pren	ions
vous	pren	iez
ils/elles	pren	aient

verbes en -dre comme rendre

je	rend	ais
tu	rend	ais
il/elle/on	rend	ait
nous	rend	ions
vous	rend	iez
ils/elles	rend	aient

• Pour l'imparfait des verbes fréquents ▶ p. 76.

Mémoriser la 3ᵉ personne du singulier et du pluriel du passé simple

Les verbes en -er comme *chanter* et le verbe *aller*	passé simple en -a	il, elle, on **chanta** / ils/elles **chantèrent**
Les verbes en -ir comme *finir* et *partir* et en -dre comme *prendre* et *rendre*	passé simple en -i	il, elle, on **finit** / ils/elles **finirent**
Certains verbes **fréquents** comme *être*, *avoir*, *pouvoir*, *vouloir*, *devoir*	passé simple en -u	il, elle, on **voulut** / ils/elles **voulurent**
Les verbes en -ir comme *venir*, *tenir* et leur famille	passé simple en -in	il, elle, on **vint** / ils/elles **vinrent**

Connaitre la formation du passé composé

Le passé composé se forme avec l'auxiliaire *être* ou *avoir* conjugué au présent + **participe passé**.

Avec l'auxiliaire *être*	Charlotte **est** arrivée. / sujet	Avec l'auxiliaire *être*, le participe passé s'accorde avec le sujet.
Avec l'auxiliaire *avoir*	Charlotte **a** chanté. / sujet	Avec l'auxiliaire *avoir*, le participe passé ne s'accorde pas avec le sujet.

Les mots commençant par *ac-, af-, ap-, ef-, of-*

- Trouvez un verbe pour décrire chaque action. Par quelles lettres ces verbes commencent-ils ?
- Trouvez un nom de la même famille que ces verbes.
- Trouvez d'autres mots (verbes ou noms) commençant de la même façon.

Je retiens

- En général, les mots commençant par ***ac-, af-, ap-, ef-, of-...*** doublent leur consonne.

    un a**cc**ord, une a**ff**aire, une a**pp**arition, un e**ff**ort, une o**ff**re...

Sauf :

acacia	afin	apaiser
académie	Afrique	apercevoir
acajou	africain	apeurer
acrobate	apostrophe	apéritif

❗ Attention à la prononciation de ces mots.

   un a**cc**ord, a**cc**ueillir → [ak]   un a**cc**ent, un a**cc**ident → [aks]

Écrire les mots commençant par ac-, af-, ap-, ef-, of-

1 ⭑ Écris un verbe de la même famille que ces noms.

a. acclamation • accueil
b. apparition • appel
c. effroi • effaceur
d. offre • offense
e. affaire • affiche

2 ⭑ Écris un nom de la même famille que ces verbes.

a. accentuer • accrocher
b. affirmer • affoler
c. applaudir • appuyer
d. s'efforcer • effacer
e. accueillir • accoucher
f. apprécier • approfondir
g. offrir • offenser
h. affronter • affluer

3 ＊ **Rassemble les mots de la même famille.**

afflux · apprenti · accord · apprendre · accorder · apprentissage · affluer · accordéon · affluence

4 ＊ **Complète les mots par ac- ou acc-.**

a. L'…adémie française n'est pas une émission de télévision mais une assemblée d'écrivains !
b. N'…élérez pas trop si vous voulez éviter l'…ident !
c. L'…acia et l'…ajou sont des arbres tropicaux.
d. Il est …ablé par l'…umulation de travail !
e. En s'…roupissant, Hugo a fait un …roc à son pantalon !

5 ＊ **Complète les mots par ap- ou app-.**

a. On dit que l'…étit vient en mangeant, mais j'ai grignoté trop de gâteaux à l'…éritif et je n'ai plus faim !
b. Quand on supprime une voyelle, on la remplace par une …ostrophe.
c. Le public …récie le spectacle et …laudit !
d. Ce chat …artient à mon voisin qui l'a …rivoisé.

6 ＊ **Complète les mots par f ou ff.**

a. Cette association est partie en A…rique a…in d'y creuser des puits.
b. O…re-moi un e…aceur neuf !
c. En cas d'a…luence, il ne faut pas s'assoir sur les strapontins du métro.
d. A…ranchis ta lettre avant de l'envoyer !
e. Plus les monstres sont a…reux, e…rayants, e…royables, e…arants, plus je les adore !

7 ＊＊ **Complète les mots par ac-/acc- ou ap-/app-.**

a. Tous les hivers, on …ueille les SDF dans ce foyer.
b. Nous quitterons cet …artement dès que Lise aura …ouché.
c. L'…robate s'…rête à sauter dans le vide !
d. Ne confonds pas l'…ent et l'…ostrophe sur ton clavier.
e. Mon chien …ourt toujours dès qu'on l'…elle.

8 ＊＊ **Recopie ces phrases en remplaçant le mot en gras par un synonyme commençant par ap-, ac-, af-, ef-, ou -of.**

a. On l'a **surnommé** le Petit Poucet en raison de sa petite taille.
b. Pour son anniversaire, je lui ai **acheté** un vélo.
c. Pour corriger son devoir, il a **gommé** ses fautes.
d. J'ai **conduit** le visiteur à l'entrée du musée.
e. Les randonneurs ont **bravé** la tempête de neige pour retourner au refuge.

9 ＊＊＊ **Recopie ce texte en doublant les consonnes, si nécessaire.**

Tu peux vérifier dans un dictionnaire au besoin.

J'ap…récie én…ormément les spectacles d'ac…robatie. Ap…aremment sans ef…ort, les ac…robates s'él…ancent dans le vide, se rat…rapent, s'at…achent les uns aux autres, s'ac…rochent par les mains, par les pieds. Les spectateurs jouent l'ef…roi, ag…rippent leur voisin en gémissant puis ap…laudissent, enfin ap…aisés !

10 ＊＊＊ **Double les consonnes de ce texte, si nécessaire.**

– Je vous rap…elle quand même que la mère de cet enfant a disparu et qu'il faudrait peut-être s'en oc…uper, dit Marc.
– At…endez ! At…endez ! Reprenons dans l'ordre, dit l'un des gendarmes.
Et petit à petit, grâce aux mots ét…ouffés de Lili qui n'en menait pas large, grâce aux explications plus claires de Thomas qui com…ençait à reprendre le dessus, et grâce au peu d'inf…ormations que détenait Marc, on réussit à reconstituer toute l'af…aire.

Hélène Montardre, *La Nuit du rendez-vous*, © Magnard.

J'écris

11 ＊ **Cherche dans le dictionnaire dix mots commençant par acc-, app-, aff-, eff- ou off-, puis écris un texte amusant contenant tous ces mots.**

Les noms féminins en [e], [te], [tje]

- Trouvez les noms féminins en [e] de ce dessin. Comment tous ces noms se terminent-ils ?
- Essayez de construire une règle à partir de ces mots.

Je retiens

- Les **noms féminins terminés par le son** [e] s'écrivent **-ée**.
    *une ann**ée**, une all**ée**…*
  Sauf : *la clé*

- Les **noms féminins terminés par les sons** [te] **ou** [tje] s'écrivent **-té** ou **-tié**.
    *la beau**té**, la moi**tié**…*
  Sauf : *la dic**tée**, la je**tée**, la mon**tée**, la pâ**tée**, la por**tée**…*

Écrire les noms féminins en [e]

1 ** Complète avec -é ou -ée.

la bou… • la poup… • une all… • cette ann… •
ma cl… • la rentr… • une id… • une fus… •
la fum… • la randonn… • la mar… • la chauss… •
la travers… • une arm…

2 * Écris le nom féminin en -ée
correspondant à ces noms.

le matin • le soir • le jour • la veille •
le rang • l'arme • le gel • l'an • la lance •
le plongeon • le poing • la bouche • la pince •
l'onde • l'équipe

3 ✶ Écris le nom féminin en -ée correspondant à ces verbes.

aller • randonner • couver • durer • entrer • pousser • penser • flamber • arriver

4 ✶✶ Réponds aux devinettes par des noms féminins en -ée.

a. C'est l'arme préférée des trois mousquetaires.

b. C'est le lieu de prière des musulmans.

c. On la reconnait à sa baguette magique !

d. L'herbe en est couverte le matin en été.

e. On en fait sur un miroir quand on souffle.

5 ✶✶ Complète ces phrases avec des noms féminins en -ée.

a. Les vacances sont finies, c'est la … .

b. Aldo a toujours des … géniales !

c. Les voitures roulent sur la … .

d. J'ai ajouté une … de sel dans ma soupe.

e. Autrefois, à la …, on racontait des histoires devant la … .

Écrire les noms féminins en [te] et [tje]

6 ✶ Relève l'intrus dans chaque série.

a. bonté • nouveauté • honnêteté • pâtée

b. dureté • amitié • timidité • fermeté • égalité

c. dictée • jetée • portée • montée • lycée

d. agilité • agité • propriété • charité • vérité

e. crudité • antiquité • santé • député

7 ✶ Écris le nom en -té qui correspond aux adjectifs.

beau → *la beau**té***

a. bon • nouveau • honnête • propre • sale

b. tranquille • féroce • limpide • facile • égal

8 ✶✶ À l'aide du dictionnaire, cherche le nom en -té qui correspond à chaque adjectif.

a. méchant • difficile • généreux • curieux

b. prioritaire • régulier • particulier • aimable

c. familier • vrai • propriétaire • libre

d. souverain • mendiant • vif • pair

e. permissif • clair • monstrueux • naïf

9 ✶✶ Écris le contraire de ces noms en -té.

a. la saleté

b. la malhonnêteté

c. l'obscurité

d. l'ancienneté

e. la facilité

f. la régularité

10 ✶✶ Complète les noms avec -té ou -tée.

a. Nous avons peiné dans la mon… !

b. Aurai-je une bonne note à ma dic… ?

c. Clara possède une grande quali… : la bon… .

d. Il n'y a pas de lien de paren… entre Lise et Luc.

e. Le chien a mangé toute sa pâ… .

f. Nous nous sommes promenés sur la je… .

11 ✶✶✶ Écris le nom en -tié correspondant à ces devinettes.

a. Quand on coupe un gâteau en deux, on obtient deux … .

b. Ces animaux enfermés semblent malheureux : cela me fait … .

c. Le sentiment qu'on éprouve envers ses amis est l'… .

12 ✶ À la manière de Luc Bérimont, invente d'autres qualités pour continuer ce poème.

La plus stricte intimité

La plus stricte intimité

La plus douce complicité

La plus âpre hostilité

La plus rare intégrité

La plus haute autorité

La plus chaude fraternité

La plus large facilité

La plus simple charité

La plus vague parenté

La plus nette austérité

La plus franche imbécillité

Luc Bérimont, *L'Esprit d'enfance*, coll. « Enfance heureuse », © Éditions ouvrières / © Éditions de l'Atelier, 1980.

13 ✶✶ Tu pars en classe de découverte. Raconte ton séjour en utilisant ces mots : *la matinée, la journée, la veillée, la soirée, la rentrée, la durée.*

Les lettres muettes

Cherchons

·MUSEUM· D'HISTOIRE NATURELLE

- Retrouvez les noms des animaux représentés et écrivez-les.
- Prononcez-vous toutes les lettres de ces mots ?
- Proposez un classement en fonction de l'endroit où ces lettres se trouvent dans le mot.
- Trouvez d'autres mots complétant ce classement.

Je retiens

- En **début de mot**, la **lettre muette** peut être :
  – un **h muet** (on peut alors faire la liaison).
    une **h**irondelle, des **h**irondelles
  – un **h aspiré** (on ne peut pas faire de liaison).
    un / **h**ibou, des / **h**iboux
- À **l'intérieur d'un mot**, il s'agit en général :
  – d'un **e** : un éternu**e**ment, nous jou**e**rons
  – d'un **p** : se**p**t, com**p**ter, ba**p**tiser, scul**p**ture
  – d'un **h** : un r**h**inocéros, du t**h**é
- À la **fin d'un mot**, pour **trouver la consonne muette**, on peut :
  – mettre le **nom** ou l'**adjectif au féminin**.
    sour**d** → sour**de**   éléphan**t** → éléphan**te**   fran**c** → fran**che**   joyeu**x** → joy**euse**
  – chercher un **mot de la même famille**.
    dra**p** → dra**p**erie   plom**b** → plom**b**ier   ran**g** → ran**g**er

Distinguer le h muet du h aspiré

1 ✱ Écris le, la ou l' devant les noms suivants.

a. … hélice   … hiver   … huitre
b. … hameçon   … hérisson … hâte
c. … harpon   … hache   … horreur
d. … hésitation   … hibou   … hauteur
e. … hippopotame   … honte   … haricot
f. … hirondelle   … hêtre   … hermine
g. … housse   … houx   … hululement

100

2 ✶✶ Indique si ces mots commencent par un *h* muet ou un *h* aspiré.

Dans le dictionnaire, les mots commençant par un h aspiré sont souvent marqués d'un astérisque (*).

un héros • une histoire • un hôtel • un hasard • une huile • une habitude • un hurlement • un harpon • un hêtre • un hébergement • une herbe • une housse

Orthographier des mots contenant un h

3 ✶ Écris un nom de la même famille que le verbe proposé.

habiter → *une habitation*

a. envahir
b. trahir
c. enrhumer
d. adhérer
e. habituer
f. habiller
g. hériter
h. hésiter

4 ✶✶ Tous ces mots ont perdu leur *h*. Réécris-les correctement.

le rytme • deors • le termomètre • l'oroscope • l'orizon • l'ygiène • le tym • l'umidité • le souait • la métode • un envaisseur • le omard • la bibliotèque • la onte • inumain • le té • le boneur • maleureux • le téâtre • la traison

Trouver la lettre muette à l'intérieur d'un mot

5 ✶ Écris un nom de la même famille que le verbe proposé.

remercier → *un remerciement*

a. licencier • éternuer • dévouer
b. sculpter • baptiser • compter

Trouver la consonne finale muette

6 ✶ Trouve la terminaison de ces noms en t'aidant de leur féminin.

un habitan… • un marchan… • un étudian… • un avoca… • un bourgeoi… • un candida… • un Flaman… • un Chinoi… • un Portugai… • un bavar… • le campagnar… • le villageoi…

7 ✶ Trouve un nom de la même famille que chaque verbe et écris-le avec la terminaison qui convient.

a. poignarder • mépriser • souhaiter
b. border • amasser • flancher
c. marchander • tasser • accentuer
d. flotter • reposer • exploiter

8 ✶✶ Écris la terminaison de ces noms en t'aidant de mots de la même famille.

le trico… • un pay… • le galo… • le repo… • un accro… • le sanglo… • le tro…

Défi langue

Les mots en gras ont perdu leur consonne finale muette. Retrouve chacune d'elles en expliquant comment tu as fait pour ne pas te tromper.

Ali Baba se présenta devant la porte de la caverne et dit : « Sésame, ouvre-toi. » Dans l'**instan**, elle s'ouvrit en **gran**. L'espace était **for spacieu** et clair, creusé de main d'homme ; la lumière y entrait par le **hau** de la voute. Ali Baba y vit des tissus **précieu**, des **tapi** de **gran** prix, de l'or et de l'**argen**.

Écrire des mots contenant des lettres muettes

9 ✶✶ Recopie ces phrases en ajoutant les lettres muettes qui manquent.

a. Les légendes sont des réci…s populaires, alliant réel et merveilleu… .
b. Au temp… des cat…édrales, beaucou… de gens vivaient pauvrement.
c. Mon peti… frère aura se…t ans demain.
d. À traver… des buissons épineu…, nous descendons dans un gouffre profon… .

J'écris

10 ✶ Pour chaque mot, trouve un mot de la même famille se terminant par une consonne muette et emploie-le dans une phrase.

vagabondage • gentillesse • cadenasser • bondir • universel

La formation des adverbes en *-ment*

Cherchons

*Hermux Tantamoq, souris détective, est sur les traces
de l'aventurière Linka Perflinker, qui a disparu.*
Hermux descendit lentement la rue Pickdorndel en
direction de chez Linka. Il s'efforçait de paraître naturel
et décontracté, au cas où l'un des voisins courtois
de Linka l'aurait aperçu. Lorsqu'il atteignit son portail,
il l'ouvrit rapidement et remonta l'allée. Il jeta un coup
d'œil dans la rue pour s'assurer que personne ne
le regardait, puis il s'introduisit dans la maison.
Tout était exactement comme il l'avait laissé.
Un bazar épouvantable.

> Michael Hoeye, *Hermux Tantamoq, Le temps ne s'arrête pas
> pour les souris*, trad. M. de Pracontal, © La Nouvelle Agence.

- Relevez les mots qui se terminent par *-ment*.
- Retrouvez les mots à partir desquels ils sont formés. Quelle règle pouvez-vous en déduire ?
- Trouvez d'autres mots se construisant de la même manière.

Je retiens

- De nombreux **adverbes** terminés par le suffixe **-ment** sont formés à partir **d'adjectifs qualificatifs**.

- Si **l'adjectif se termine par une consonne**, en général, on le met au **féminin** et on ajoute le suffixe **-ment** :

  exact → exacte → exactement   ancien → ancienne → anciennement
  vif → vive → vivement   franc → franche → franchement

  Sauf : gentil → gentiment   profond → profondément

- Si **l'adjectif se termine par une voyelle**, on ajoute le suffixe **-ment** :

  vrai → vraiment   rapide → rapidement   gai → gaiment

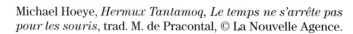

Former l'adverbe à partir de l'adjectif

1 * Forme un adverbe à partir de chacun de ces adjectifs.

bizarre • instantané • gai • simple • vrai • décidé • difficile • énorme • tendre • aisé

2 * Forme le féminin de ces adjectifs masculins avant de former l'adverbe.

généreux • sûr • peureux • gras • grossier • sourd • heureux • net • cruel • sec

3 ** Trouve l'adverbe dérivé de chaque adjectif.

facile • délicieux • profond • naïf • précis • triste • doux • définitif • franc • progressif • gentil

Retrouver l'adjectif à partir de l'adverbe

4 ** Retrouve l'adjectif qui a servi à former chacun de ces adverbes.

a. instinctivement
b. furtivement
c. discrètement
d. affectueusement
e. courageusement
f. normalement
g. longuement
h. actuellement
i. jalousement
j. mollement

5 ** Classe les adverbes dans ce tableau selon la manière dont ils se forment.

à partir de l'adjectif au masculin	à partir de l'adjectif au féminin

a. grandement
b. justement
c. fidèlement
d. joliment
e. nullement
f. complètement
g. vraiment
h. doucement
i. subitement
j. poliment

Utiliser les adverbes en -ment

6 * Trouve un adverbe en -ment qui exprime le contraire de chaque adverbe.

tristement • poliment • rapidement • chaudement • maladroitement • heureusement

7 * Remplace les mots en gras par l'adverbe correspondant.

Ils agissent avec brutalité.
→ *Ils agissent brutalement.*

a. Elle lui parle **avec politesse**.
b. Vous élevez vos enfants **avec fermeté**.
c. Nous avons essayé de lui expliquer **avec délicatesse**.
d. Tu construis cette maquette **avec habileté**.
e. Nous lui répondons **avec franchise**.

8 ** Complète ce texte avec les adverbes en -ment proposés :

subitement • gaiment • clairement • lentement • agilement • surement • extrêmement

Il avançait … sur la route. Ses pas le ramenaient … à ce village qu'il avait quitté tant d'années auparavant. Il chantonnait … un air qui lui revenait de son enfance. Il revoyait … son école, la ferme de ses parents, la mairie. …, au détour d'un chemin, il aperçut les premières maisons du village. Il sauta … par-dessus une barrière et se retrouva dans le champ de son père. Il fut … surpris de constater que rien n'avait changé.

9 *** Remplace l'adverbe par un autre adverbe en -ment de sens contraire.

a. Il s'adresse à lui **poliment**.
b. La pluie tombe **fortement**.
c. Christine rend visite à sa tante **régulièrement**.
d. Tu as interprété **gaiment** cette chanson.
e. J'ai accompli ce travail **adroitement**.

Défi langue

Les mots en gras sont-ils des noms ou des adverbes ? Explique chacune de tes réponses.
a. Ce **document** a été **soigneusement** classé.
b. Nous avons **clairement** précisé l'état d'**avancement** des travaux.

J'écris

10 * Décris, en utilisant le plus d'adverbes possible, le repas d'un ogre et sa façon de manger.
Il se tient vraiment mal …

Je révise

Utiliser les mots en ac-, ap-, af-, ef-, of-

1 ★ **Double la consonne si nécessaire.**
a. Nous avons ap…erçu des bouquetins au col.
b. Nous n'aurons plus d'ap…étit si nous grignotons des gâteaux pour l'ap…éritif.
c. Cette colle est plus ef…icace que celle-là.
d. Le soleil ap…arait derrière ce sommet.
e. Leïla s'est af…airée toute la journée.

2 ★ **Recopie ensemble les mots de la même famille.**
accroc – efficacité – appeler – effacer – inefficace – ineffaçable – raccrocher – rappel

3 ★★ **Écris le nom issu de ces verbes.**
a. accuser – accompagner
b. affirmer – affoler
c. apparaitre – apprécier
d. effacer – effriter
e. accélérer – accepter

4 ★★ **Écris le verbe qui correspond à ces noms.**
a. accent – accès
b. accoudoir – accumulation
c. apparition – application
d. affluence – affront
e. effleurement – offensive

5 ★★ **Double la consonne si nécessaire.**

Tu peux utiliser le dictionnaire

Ac…ompagné de mon ami Ben, je me rends à la cabane que nous avons éd…ifiée dans le bois. Nous avons décidé de la décorer af…in de la rendre plus ac…ueillante. J'ai apporté des af…iches ; Ben, lui, s'est chargé des ag…rafes. Alors que nous sommes oc…upés à nos travaux d'ac…rochage, je m'ap…erçois avec ef…roi qu'un rat a él…u domicile au fond de l'ar…osoir.

6 ★★ **Complète ces phrases avec un mot commençant par *acc-, ac-, app-* ou *ap-*.**
a. Les ac… dansent sur le fil, ils n'ont vraiment peur de rien.
b. Autrefois, les musiciens jouaient de l'ac… dans les rues.
c. Si vous êtes très attentifs, vous pourrez ap… des écureuils dans l'arbre.
d. Éva doit porter un ap… dentaire.

7 ★★★ **Complète ces phrases avec un mot commençant par *eff-, off-, af-* ou *aff-*.**
a. Cette grand-mère embrasse ses petits-enfants très … .
b. Il faut se couvrir … de ne pas attraper froid.
c. Un commissaire est un … de police.
d. À cause de la tempête, les vieilles ruines sont en train de s'… .

Utiliser les noms féminins en [e] ou en [te]

8 ★ **Écris é ou ée.**
la port… • la bou… • la difficult… • la dict… • une ann… • une cl… • une qualit… • une nu… • la renomm… • la matin… • la spécialit…

9 ★★ **Écris le nom en [te] issu de l'adjectif.**
a. méchant • obscur • complexe • beau • moderne
b. précaire • cruel • sévère • habile • ancien
c. lumineux • nouveau • tenace • familier
d. onctueux • mortel • ferme • dur • acide
e. visqueux • léger • aimable • sûr • normal

10 ★★ **Transforme ces groupes nominaux sur le modèle suivant.**
la rivière limpide → la limpidité de la rivière
a. le film original
b. le volcan inactif
c. le grand-père généreux
d. la piscine propre
e. le langage familier

Trouver la lettre muette d'un mot

11 * **Réécris ces mots en ajoutant les *h* muets.**

le té • une arpe • un areng • envair • un rume • l'umidité • la téorie • un menir • un termomètre • une bibliotèque • trair • ache • ermétique

12 ** **Ajoute la lettre muette finale de ces mots.**

a. for… • lour… • méchan… • gri… • blan…
b. bavar… • len… • genti… • fran… • conqui…
c. un Chinoi… • un montagnar… • un Auvergna… • un cham… • un chan…

13 ** **Écris l'adjectif issu de ces noms géographiques.**

a. Marseille • Lyon • Bordeaux • Nice • Lille
b. l'Auvergne • la Normandie • la Picardie • la Savoie • les Antilles
c. la France • le Portugal • la Suède • la Finlande

14 * **Retrouve les lettres muettes des mots en gras.**

Les **spor**…s d'…iver

Le **plu**… ancien ski – une simple planche en **boi**… de 1,10 m de **lon**… – a été trouvé en Suède ! Il a été fabriqué voilà 4 500 ans ! **Aujourd'**…ui, les skis sont en aluminium ou en carbone pour être les **plu**… **performan**…s possible.

P. Kohler, *Inventions et découvertes*,
Encyclopédie Fleurus junior, © Éditions Fleurus.

15 *** **Choisis l'orthographe correcte.**

Les (*gourmands/gourmants*) se pressent (*autour/ autours*) de la table, (*réclamand/ réclamant*) du (*jut/jus*) d'orange ou du (*lait/laid*) d'amandes. C'est une belle réception qui a lieu en ce jour au château d'Amboise. Car le roi et la reine, (*désireus/désireux*) d'(*acueillir/accueillir*) au (*mieus/mieux*) Marie Stuart, ont choisi cette (*ocasion/occasion*) pour la présenter à toute la (*cour/cours*).

Brigitte Coppin, *11 récits des châteaux de la Loire*,
© Flammarion Jeunesse.

16 *** **Retrouve les lettres finales muettes des mots en gras**

Notre morceau d'avion tomba sur la piste **dan**… un **gran**… **fraca**… et y glissa comme une auto tamponneuse. Un **ven**… **chau**… nous souleva les cheveux dans un **brui**… de **raclemen**… apocalyptique. Je levai les jambes pour que mes pieds ne touchent pas le **cimen**… de la piste.

Michel Amelin, *Un voyage pour l'enfer*, © Magnard Jeunesse.

Former un adverbe en -ment

17 * **Écris l'adverbe issu de ces adjectifs.**

a. sec • généreux • hâtif • léger • gras
b. simple • désespéré • avide • poli • vrai

18 * **Retrouve l'adjectif dont vient l'adverbe.**

a. sauvagement • faiblement • assurément
b. cruellement • naïvement • fiévreusement • doucement • franchement
c. gaiment • gentiment • profondément

19 ** **Écris l'adverbe contraire.**

heureusement → malheureusement

a. constitutionnellement • lentement
b. richement • honnêtement
c. facilement • lourdement
d. amicalement • lâchement
e. fortement • volontairement

20 ** **Écris l'adverbe en -*ment* issu des adjectifs entre parenthèses.**

Il était près de onze heures lorsque les interrogatoires commencèrent. Thomas ne tenait plus debout et il avait (*terrible*) faim. Il serrait (*désespéré*) le mouchoir de sa mère, seule trace de son existence et de son passage sur cette route maudite. Lili était l'objet de mille attentions. Après tout, c'était pour elle que la gendarmerie nationale s'était mobilisée, et tous étaient ravis d'avoir retrouvé la fillette aussi (*rapide*). […] En attendant, elle continuait à piocher (*allègre*) dans la boîte de bonbons. Quant à Marc, il était (*ferme*) décidé à s'expliquer.

Hélène Montardre, *La Nuit du rendez-vous*, © Magnard.

a, à / et, est / son, sont

Cherchons

Elle **est** jolie ma mère. C'**est** même la plus jolie
maman du monde, **à** mon avis. Avec ses cheveux
longs **et son** nez « **à** la retroussette », on dirait
presque une adolescente.
Des fois, les gens la prennent pour ma sœur tellement
elle **a** l'air jeune.

> Gudule, *Destination cauchemar*, © Éditions Milan.

- Comment faites-vous pour différencier les mots en rose ?
- Comment faites-vous pour distinguer les mots en vert ?
- Avec quel autre mot peut-on confondre le mot en bleu ?
Comment pouvez-vous distinguer ces deux mots ?

Je retiens

- Ne confonds pas **a** et **à**.
- **a** (3ᵉ personne du singulier du verbe *avoir* au présent) peut être remplacé par **avait**.
    Elle **a** l'air jeune.
       (avait)
- **à** (préposition) : *C'est la plus jolie maman du monde, à mon avis.*

⚠ **as** est la 2ᵉ personne du singulier du verbe *avoir* au présent.

- Ne confonds pas **et** et **est**.
- **et** (conjonction de coordination) peut être remplacé par **et puis**.
    *Avec ses cheveux longs **et** son nez « à la retroussette ».*
              (et puis)
- **est** (3ᵉ personne du singulier du verbe *être* au présent) peut être remplacé par **était**.
    Elle **est** jolie ma mère.
         (était)

- Ne confonds pas **son** et **sont**.
- **son** (déterminant possessif) précède un nom. On peut le remplacer par **mon**.
    Son nez est en trompette.
    (mon)
- **sont** (3ᵉ personne du pluriel du verbe *être* au présent) peut être remplacé par **étaient**.
    *Ses cheveux **sont** longs.*
            (étaient)

Remplacer les homophones pour les identifier

1 ⋆ **Associe chaque homophone au mot par lequel tu peux le remplacer.**

a. a   1. et puis
b. et   2. étaient
c. est   3. avait
d. son   4. mon
e. sont   5. était

2 ⋆ **Réécris ces phrases en mettant l'auxiliaire *avoir* à l'imparfait.**

a. Carine a des chaussures neuves.
b. Elle a eu des ampoules au pied dès le matin.
c. On lui a donné des pansements.
d. As-tu encore mal ?

3 ⋆ **Écris ces phrases à l'imparfait.**

a. Il est tellement malade qu'il est tout rouge.
b. Son front est en sueur et sa tête est brulante.
c. Ses narines sont irritées : où sont les mouchoirs ?
d. Il est contagieux ! Tu es aussi enrhumé !

4 ⋆ **Réécris ces phrases en remplaçant *son* par *mon*.**

a. Son ordinateur est resté allumé toute la nuit.
b. On fêtera son anniversaire quand il sera guéri.
c. Son chien a encore déterré un vieil os.
d. Elle a mis son bonnet et son écharpe.

Orthographier les homophones

5 ⋆ **Complète les phrases par *et*, *es* ou *est*.**

N'oublie pas que es est la 2ᵉ personne du singulier du verbe être au présent : je suis, tu es, il est…

a. Il … six heures … le soleil … déjà levé.
b. …-tu déjà allé en Espagne … en Italie ?
c. Quand …-il parti en vacances ? …-tu au courant ?
d. Clara … en CM2 cette année … sa sœur n'… qu'au CP.

6 ⋆ **Complète les phrases par *a*, *as* ou *à*.**

N'oublie pas que as est la 2ᵉ personne du singulier du verbe avoir au présent : j'ai, tu as, il a…

a. … tout … l'heure, nous …-t-il crié !
b. Il … oublié de venir … la piscine.
c. Léo n'est ni … l'école, ni … la maison.
d. À peine étais-tu … table que tu … demandé … sortir.

7 ⋆ **Complète les phrases par *son* ou *sont*.**

a. Où … Pierre et … chien ?
b. Alice et Jonathan …-ils déjà levés ?
c. Sonia et … cousin … allés se baigner dans l'étang.
d. Qui … les enfants de Louise et de … mari ?
e. … mari et … fils … partis au marché.

8 ⋆⋆ **Complète le texte avec *a* ou *à*.**
Galilée … vécu en Italie de 1564 … 1642. Il … perfectionné la lunette astronomique et, grâce … elle, il … observé les cratères de la Lune, découvert les satellites de Jupiter et les phases de Vénus. … cause de ses idées, il … été jugé en 1633 par l'Inquisition, un tribunal chargé de faire respecter les idées de la religion catholique. L'Inquisition n'hésitait pas … torturer et … faire bruler vifs ceux qui n'avaient pas les mêmes idées qu'elle.

Défi langue

Choisis l'orthographe correcte de chaque homophone. Explique comment tu as fait pour ne pas te tromper.

Le chien *a/à* jappé en voyant *son/sont* maitre car il *et/est* pressé de se promener *et/est* de voir la jolie petite épagneule de *son/sont* voisin ! Où *son/sont* donc passés la laisse *et/est* le collier ?

J'écris

9 ⋆⋆ **Décris ce garçon en utilisant *a/à*, *et/est*, *son/sont*.**
Il a… Il est… Ses yeux sont…

107

on, ont, on n'

À quatre heures et demie, j'irai chercher Sébastien et Jérôme. **On** s'est mis d'accord avec la bouchère : un jour elle, un jour moi.

C'est vrai, **on n'ose** quand même **pas** trop les laisser seuls.

L'autre fois, il y avait un type sur le trottoir qui attendait **on ne sait** quoi. Elle l'avait remarqué, elle aussi. Et il y a quelque temps, c'était cette femme qui faisait les cent pas devant le porche…

Hélène Montardre, *Terminus : Grand Large*,
© Pocket Jeunesse, un département d'Univers Poche, 2003.

- **Avec quel autre mot pouvez-vous confondre le mot en rouge ? Comment pouvez-vous distinguer ces deux mots ?**
- **À quelle forme sont les verbes en vert ?**
- **Remplacez le verbe *oser* par le verbe *vouloir*. Remplacez le verbe *savoir* par le verbe *imaginer*. Quelles différences remarquez-vous ?**

Je retiens

- Ne confonds pas **on** et **ont** :
– **on** (pronom personnel) peut être remplacé par **il** ou **elle** ou un par **autre sujet singulier**.

    On s'est mis d'accord avec la bouchère.
(il, elle, quelqu'un)

! À la forme négative, il ne faut pas oublier le **n'** devant les verbes commençant par une **voyelle**.

    On n'ose quand même **pas** trop les laisser seuls.

– **ont** (3ᵉ personne du pluriel du verbe *avoir* au présent) peut être remplacé par **avaient**.

    Elles **ont** remarqué un type sur le trottoir.
(avaient)

Remplacer les homophones pour les identifier

1 ⭑ **Remplace *on* par *il* ou *elle*.**
On a bien mangé.
→ *Il a bien mangé. Elle a bien mangé.*
a. On a de la chance, on est à la piscine !

b. On frappe à la porte.
c. Est-ce qu'on mangera dehors à midi ?
d. On a chaud et soif.
e. On ne joue plus avec ces vieux jouets.
f. A-t-on fait manger le chien ?
g. Prend-on le ballon pour la récréation ?
h. On n'a plus le temps d'aller au parc.

2 * **Remplace** *il* **ou** *elle* **par** *on*.

a. Il n'avance pas vite sur ce chemin.

b. Elle n'a plus faim du tout.

c. Il n'arrive plus à marcher.

d. Elle n'aime ni le lait ni le fromage.

e. Il n'entend vraiment rien.

f. Elle n'apprécie pas les légumes.

3 * **Réécris ces phrases en remplaçant** *ont* **par** *avaient*.

a. Certains élèves ont photographié les arbres et les fleurs.

b. Ils ont l'intention de montrer à leurs parents tout ce qu'ils ont découvert pendant ce séjour.

c. Beaucoup n'ont pas très bien réussi leurs photos !

d. Ils les ont quand même mises dans un album !

e. Tous les élèves ont-ils participé à cette magnifique exposition ?

f. Les parents ont-ils apprécié l'exposition ?

Orthographier les homophones

4 * **Complète les phrases par** *on* **ou** *ont*.

a. Ils … compris ce qu'… leur disait.

b. … a voulu aller à la patinoire mais nos parents n'… pas pu nous y emmener.

c. Ils … découvert ce qu'… avait bien caché.

d. Nos amis nous … proposé d'aller à la plage et ils nous y … conduits.

e. Quel âge … les jumeaux ? … ne trouve plus rien à leur taille !

f. … n'a pas entendu ce qu'ils … dit.

5 * **Complète le texte avec** *on* **ou** *ont*.

a. Pour comparer deux nombres décimaux, … compare d'abord la partie entière.

S'ils … la même partie entière, … compare la partie décimale. Si nécessaire, … ajoute des zéros pour avoir autant de chiffres après la virgule dans les deux nombres.

b. … peut comparer des fractions entre elles :
– si elles … le même dénominateur, … compare le numérateur ;
– sinon, … les met sous le même dénominateur.

Distinguer *on* et *on n'*

6 ** **Écris ces phrases à la forme négative.**

a. On accorde le piano.

b. On utilise la machine à laver.

c. On accroche cette clé au clou.

d. On est en retard.

e. On a regardé la télévision.

f. On effectue ces opérations.

7 *** **Écris** *on* **ou** *on n'*.

Repère bien la négation.

a. … s'excuse quand … est pas à l'heure.

b. Souvent, … est fatigué le matin quand … a rien mangé au petit déjeuner.

c. … avance peu quand … a pas envie de marcher !

d. … attend jamais quand … a pris son billet à l'avance.

e. … a aucun appétit quand … est malade.

f. … entend rien quand … est au fond.

Défi langue

On **ou** *on n'* **? Corrige ces phrases en expliquant tes choix.**

Chez M. et Mme Addams, on a rien pu manger car on a pas aimé la tarte aux mouches et la salade d'araignées. On n'a dévoré un sandwich au fromage quand on est rentrés à la maison !

J'écris

8 * *Ils ont des chapeaux ronds, vive les Bretons !* **dit la chanson.**
Compose d'autres refrains sur ce modèle. Tu utiliseras aussi souvent que possible les homophones *on/ont/on n'*.

Ils ont … vive les…
Elle a … vive la …
Elles ont … vive les…
On n'a pas …

la, là, l'as, l'a / ou, où

Kathy, rescapée d'un accident d'avion, doit survivre dans la jungle.

Elle regarda vers les profondeurs de la jungle, là **où** la lumière se tamisait avant de se dissoudre dans l'ombre. Un monde inconnu et hostile. Iwan **l'avait** mise en garde contre le danger qu'il y avait à s'y enfoncer.

Stéphane Tamaillon, *Kroko*, © Seuil Jeunesse.

● Avec quel autre mot pouvez-vous confondre le mot en vert ? Comment faites-vous pour les distinguer ?
● Mettez la dernière phrase au passé composé. Comment s'orthographiera ce qui est en bleu ?

Je retiens

● Ne confonds pas **la, là, l'as, l'a** :

– **la** (article défini) précède un nom ou un nom accompagné d'un adjectif féminin singulier.
  > **la** jungle, **la** dangereuse jungle

– **la** (pronom personnel) remplace un nom féminin singulier. Il précède le verbe.
  > Cette jungle est dangereuse. Qui pourra **la** traverser ?

– **là** (adverbe) indique un lieu : *La jungle est **là**.*

On l'emploie aussi dans : *à ce moment-**là**, ceux-**là**…*

– **l'as** ou **l'a** (contraction de **le** ou **la** et de l'**auxiliaire** *avoir* à la 2e ou 3e personne du singulier du présent). On peut le remplacer par **l'avais** ou **l'avait**.
  > Tu **l'as** mise en garde, Iwan **l'a** mise en garde.
  > (l'avais)   (l'avait)

● Ne confonds pas **ou** et **où** :

– **ou** (conjonction de coordination) indique un choix. On peut le remplacer par **ou bien**.
  > la jungle **ou** le marais
  >   (ou bien)

– **où** (adverbe interrogatif) indique une direction (***Où** vas-tu ?*), **où** (pronom relatif) indique un lieu (*L'immeuble **où** j'habite.*) et parfois un moment (*C'est l'heure **où** j'ai mon rendez-vous.*)

Remplacer les homophones pour les identifier

1 ⋆ Écris les phrases en mettant l'auxiliaire *avoir* à l'imparfait.

a. Avant de manger ta pomme, tu l'as lavée, puis tu l'as épluchée.

b. La maitresse a regardé Lou puis l'a interrogée.

c. Et ma chemise ? Où l'as-tu mise ?

d. Maman a préparé un poulet et l'a mis au four.

e. Ce roman, l'a-t-il déjà lu ?

2 ⋆ Remplace les noms en gras par les noms féminins proposés. Fais les changements nécessaires dans les phrases.

*Pose **ton blouson** sur le lit, je **le** rangerai.*
→ *Pose **ta veste** sur le lit, je **la** rangerai.*

a. J'ai déposé **le 4 x 4** chez le garagiste qui le révisera avant notre départ. (*la voiture*)

b. La babysitter emmène **Maxime** à l'école le matin et le ramène le soir. (*Capucine*)

c. Dénoyaute **l'abricot** puis pose-le sur le fond de tarte. (*la prune*)

d. **Ce feuilleton** me plait, je le regarde chaque mercredi. (*Cette émission*)

3 ⋆ Remplace les mots en gras par *ou bien* quand c'est possible.

a. Prendrez-vous de la salade **ou** du fromage ?

b. **Où** irez-vous cet été ? En Irlande **ou** en Écosse ?

c. Que préfères-tu ? Des haricots **ou** des carottes ?

d. **Où** fais-tu les courses ? Au supermarché **ou** à l'épicerie du village ?

e. Je n'ai pas revu la maison **où** j'ai vécu enfant.

Orthographier les homophones

4 ⋆ Complète les phrases avec *la* ou *là*.

a. Qui est …, derrière … porte ?

b. Son adresse, je … connais, il habite …-bas.

c. … première arrivée nous attendra … .

d. Si Lucie n'est pas … dans une heure, vous … rappellerez sur son portable.

e. Cette maison-…, c'est … maison de ma grand-mère.

5 ⋆ Complète avec *ou* ou bien *où*.

a. Savez-vous … est la sortie ?

b. … as-tu acheté tes chaussures ?

c. Je ne sais pas si je préfère les fraises … les cerises.

d. Veut-elle du thé … du café ?

e. C'était la nuit … le chien n'a pas cessé d'aboyer.

6 ⋆⋆ Complète avec *la, là, l'as* ou *l'a*.

« Hum ! Cette tarte est délicieuse. Je … préfère à celle d'Augustin. Comment …-tu faite ?

– J'ai étendu … pâte au rouleau à pâtisserie. J'y ai déposé … rhubarbe en petits morceaux. Puis j'ai recouvert les fruits avec de … crème, deux œufs battus et du sucre. … recette conseille ensuite de cuire … tarte à basse température. Je l'ai copiée …, dans mon carnet.

– Qui te … donnée ?

– C'est … recette d'Augustin ! »

Défi langue

Choisis les bons homophones et explique tes choix.

Tu as préparé (*la/là/l'a/l'as*) ratatouille et tu (*la/là/l'a/l'as*) cuite à feu doux : Martin (*la/là/l'a/l'as*) sentie depuis le fond du jardin (*ou/où*) il tondait (*la/là/l'a/l'as*) pelouse et, (*la/là/l'a/l'as*), cette odeur (*la/là/l'a/l'as*) incité à finir vite son travail !

J'écris

7 ⋆ À la manière de Jacques Charpentreau, écris un poème pour nous aider à protéger la nature. Tu utiliseras les homophones *la/l'a*.

La mer s'est retirée,
Qui **la** ramènera ?
La mer s'est démontée,
Qui **la** remontera ? […]

Jacques Charpentreau, « La mer », *Poèmes d'aujourd'hui pour les enfants de maintenant*, © Jacques Charpentreau.

La terre est surchauffée
Qui la refroidira ?

ce, se / ces, ses

Trace ces figures d'après leur description.

a. La figure est formée de deux carrés de 3 cm de côté qui ont un côté en commun. **Ces** deux carrés forment un rectangle. On a tracé une diagonale de **ce** rectangle.

b. La figure est un carré de 4 cm de côté, on a tracé **ses** deux diagonales et les deux segments qui relient les milieux de **ses** côtés opposés.

- Relevez les mots en rouge. Comment pouvez-vous les différencier ?
- Relevez le mot en vert. Cherchez un autre mot qui se prononce de la même façon. Comment pouvez-vous les différencier ?

Je retiens

- Ne confonds pas **ce** et **se** :
- **ce** (déterminant démonstratif) précède un nom masculin singulier. On peut le remplacer par **ces** au pluriel : **ce** *carré* → **ces** *carrés*
- **se** ou **s'** devant une voyelle (pronom personnel) précède un verbe. On peut le remplacer par **me** en changeant de sujet.

    Il **se** *déplace.* → *Je* **me** *déplace.   Il* **s'***oppose* → *Je* **m'***oppose*

- Ne confonds pas **ces** et **ses** :
- **ces** (déterminant démonstratif) précède un nom pluriel. On peut le remplacer par **ce**, **cet**, **cette** au singulier : **ces** *figures* → **cette** *figure*
- **ses** (déterminant possessif) précède un nom pluriel. On peut le remplacer par **son** ou **sa** au singulier : **ses** *côtés* → **son** *côté*

Remplacer les homophones pour les identifier

1 ⋆ **Conjugue les verbes selon le modèle.**
Il **se** *lève.* → *Je* **me** *lève.*

a. Il se pose.
b. Il se souvient.
c. Elle se rappelle.
d. Elle se change.
e. On se méfie.
f. On se gare.
g. Il s'écrie.
h. On s'étire.
i. Elle se maquille.
j. Il se méfie.
k. On se range.
l. Il se plaint.

2 ⋆ **Mets les groupes nominaux suivants au pluriel.**

a. ce carré • cette figure • ce losange • cet exercice • cette addition • ce triangle • cet énoncé

b. son côté • sa règle • sa diagonale • son rectangle • son trapèze • son équerre • sa division

3 ** Mets les groupes nominaux suivants au singulier.

a. ces nombres • ces mesures • ces calculs • ces angles • ces compas • ces aires • ces hectomètres

b. ses unités • ses exemples • ses additions • ses soustractions • ses droites • ses dizaines • ses cercles

Orthographier les homophones

4 * Complète avec *ce* ou *se*.

… rappeler • … sportif • … parler • … bâtiment • … poirier • … réchauffer • … train • … fatiguer • … doucher • … tournoi • … château • … réjouir • … comprendre

5 ** Écris *ce* ou *se* devant les mots, puis indique si ces mots sont des noms ou des verbes.

se *laver* (verbe) • **ce** *cahier* (nom)

… dépêcher • … livre • … cylindre • … pavé • … taire • … détendre • … cube • … défendre • … problème

6 ** Choisis l'orthographe correcte.

a. Léa (se, ce) connecte une heure par jour à Internet et passe la moitié de (se, ce) temps à rechercher des informations.

b. (Se, Ce) film (se, ce) déroule en Alaska.

c. (Se, Ce) soir, Clarisse (se, ce) rendra pour la première fois au théâtre.

d. Sofiane a résolu (se, ce) problème sans (se, ce) faire aider.

e. Dans (se, ce) château médiéval (se, ce) déroule une reconstitution costumée.

7 * Choisis l'orthographe correcte.

a. Maman a fini (ses, ces) courses, j'entends (ses, ces) pas sur le palier.

b. (Ses, Ces) poires sont mûres mais (ses, ces) pommes sont encore vertes.

c. La fillette met (ses, ces) bras autour du cou de sa grand-mère.

d. (Ses, Ces) jours-ci, Paul n'a pas appris (ses, ces) leçons.

e. Elle a griffé sa camarade avec (ses, ces) ongles !

8 ** Complète avec *ces* ou *ses*.

a. … cahiers seront répartis entre les élèves.

b. Julien a emmené … deux frères à la piscine.

c. Avez-vous vu … deux films primés à Cannes ?

d. Mona a passé … vacances à ranger … placards !

e. … fruits et … légumes ne me semblent pas très frais.

9 *** Complète les phrases avec *ce*, *se*, *ces* ou *ses*.

a. Aurélien … coiffe avec … doigts : … cheveux ressemblent à un nid !

b. … pantalon est-il en solde ? … robes sont à moitié prix.

c. Meriem … lève chaque matin à 7 h et … couche à 21 h.

d. Alice n'aime pas … taches de rousseur. Elle … maquille pour les cacher !

e. Qui a oublié … manteau et … gants dans la cour ?

Défi langue

Complète ce texte avec *ce/se/ces* ou *ses* en expliquant à chaque fois ta réponse.

Chaque année, je soigne … cerisier car … cerises sont excellentes : … confitures en contiennent. Ouvre … pot et tartine … tranches de pain pour le gouter.

J'écris

10 * Que fait madame Lendormy le matin ? Décris ses actions en utilisant les pronoms personnels *se* ou *s'*.
*Elle **se** lève, elle **s'** étire, elle **se** coiffe…*

11 * Décris cet animal en utilisant *ce* et *ses*.
***Ses** poils sont…*
On voit que
***ses** yeux sont…*

c'est, s'est / c'était, s'était

Le narrateur passe la nuit à bord du Ville de Marseille, *un bateau en route pour l'Algérie.*

La brise s'est levée. Accoudé au bastingage, je la laisse caresser mon visage. **C'est frais.** Je respire à fond pour devenir de plus en plus léger et si un miracle se produit, je vais dans un instant déployer mes ailes et faire un petit tour dans l'univers de la nuit où les étoiles, hier, **s'étaient** transformées en vers luisants dans mes rêves.

Azouz Begag, *Un train pour chez nous*, © Éditions Thierry Magnier, 2011.

- Réécrivez la phrase en rouge au présent. Conjuguez ensuite l'auxiliaire *être* à l'imparfait.
- Réécrivez la phrase en vert à l'imparfait, puis mettez-la à la forme négative.
- Quel est le sujet du verbe en bleu ? Si vous mettez le sujet au singulier, comment allez-vous écrire le verbe en bleu ?
- Observez toutes ces transformations et essayez de proposer une règle permettant de distinguer ces homophones.

Je retiens

- Ne confonds pas **s'est** et **c'est**, **s'était** et **c'était** :
- **s'est / s'était** : **s'** (pronom personnel) peut être remplacé par **se** ou **me**.

  Elle **s'est** levée. → Elle **se** lève. / Je **me** lève.

  Elle **s'était** transformée. → Elle **se** transforme. / Je **me** transforme.

- **c'est / c'était** : **c'** (pronom démonstratif) peut être remplacé, à la forme négative, par **ce**.

  C'est frais. → **Ce** n'est pas frais. **C'**était la nuit. → **Ce** n'était pas la nuit.

  ⚠ On écrit **c'est / c'était** devant un nom au singulier : **C'est / c'était** notre bateau.

  On écrit **ce sont / c'étaient** devant un nom au pluriel : **Ce sont / c'étaient** les vacances.

Remplacer les homophones pour les identifier

1 ★ **Conjugue les verbes selon le modèle.**

Il se repose. → *Il s'est reposé.*

Il se reposait. → *Il s'était reposé.*

a. Il se coiffe. Il se peigne. Il se brosse. Il se douche. Il se baigne.

b. Il s'habillait. Il s'arrêtait. Il se souvenait. Il s'étirait. Il s'occupait.

2 ★ **Écris ces phrases à la forme négative.**

C'est difficile. → *Ce n'est pas difficile.*

a. C'est gentil. C'est stupide. C'est bon. C'est mauvais. C'est amusant.

b. C'était mon maitre. C'était une belle journée. C'était ma petite sœur. C'était une réussite. C'était un bon souvenir.

3 ★★ Transforme chaque phrase en l'écrivant à la 3e personne du singulier du passé composé, puis à la 3e personne du singulier du présent.

Ils se sont lavés. → Il s'est lavé. → Il se lave.

a. Ils se sont cachés dans l'arbre.

b. Ils se sont perdus dans la forêt.

c. Ils se sont baignés dans cet étang.

d. Ils se sont régalés avec ces gâteaux.

e. Ils se sont amusés de cette blague.

f. Ils se sont garés devant la poste.

4 ★★ Transforme chaque phrase en écrivant l'auxiliaire *être* à l'imparfait à la 3e personne du singulier, puis du pluriel.

Elle s'est amusée. → Elle s'était amusée.
→ Elles s'étaient amusées.

a. Elle s'est envolée.   d. Elle s'est enfuie.

b. Elle s'est perdue.   e. Elle s'est égratignée.

c. Elle s'est endormie.   f. Elle s'est méfiée.

5 ★★ Réécris ces phrases au singulier.

Ce sont mes stylos → C'est mon stylo.

a. Ce sont des mammifères marins.

b. C'étaient d'excellents amis.

c. Ce sont mes camarades.

d. C'étaient des actrices célèbres.

e. Ce sont de beaux bijoux.

f. C'étaient mes jouets préférés.

Orthographier les homophones

Défi langue

Choisis le bon homophone et explique ton choix à chaque fois.

a. (*s'est/c'est*) Sarah … levée de bonne humeur.

b. (*s'était/c'était*) … le jour de l'évaluation d'histoire.

c. (*c'est/ce sont*) … la matière qu'elle déteste le plus !

d. (*c'était/c'étaient*) Dans son jardin, il y avait des fleurs magnifiques, … des roses multicolores.

6 ★ Écris *c'est* ou *ce sont*.

a. … des amis de longue date.

b. … mon frère et ma sœur.

c. … une forêt de chênes.

d. … un roman facile à lire.

e. … des sommets infranchissables.

7 ★★ Complète par *s'est* ou *c'est*.

a. Mon petit frère … caché sous le lit : … son habitude !

b. … une bonne idée, … dommage de ne pas l'avoir eue plus tôt !

c. Elle … amusée toute la journée puis … couchée très tôt.

d. … Lucas qui … souvenu du chemin du retour.

e. … le weekend : Anna … recouchée après le petit déjeuner.

8 ★★ Complète par *s'était* ou *c'était*.

a. … un matin où il … levé de mauvaise humeur !

b. Antoine … coupé et … mis à pleurer.

c. … un chemin étroit et pentu.

d. Elle … endormie devant la télévision, … habituel !

e. Il ne … jamais plaint de sa blessure.

9 ★★★ Complète avec *c'était*, *s'était* ou *s'étaient*.

… un dimanche où les enfants … levés tard. Ils … lavés puis … habillés. … déjà l'heure du déjeuner. Tout le monde … mis à table et … régalé d'une quiche aux légumes.

Comme il … mis à pleuvoir, les grands … plongés dans leur roman et les enfants … mis à jouer au Monopoly. … un vrai dimanche de repos !

J'écris

10 ★★ Comme Azouz Begag (p. 114), raconte une nuit à bord d'un bateau. Utilise *c'était, c'étaient, s'était, s'étaient*.

C'était la nuit. Les étoiles s'étaient levées…

leur, leurs

Cherchons

Au XIIIe siècle, seuls le boulanger et le meunier du village étaient des hommes libres.

Mais les serfs, eux, n'étaient pas libres. Il **leur** était interdit de quitter le domaine, ou de se marier sans l'autorisation du seigneur. Il **leur** était interdit de pêcher dans les ruisseaux ou de chasser dans la forêt. Ils n'avaient, pour toute possession, que leur cabane de boue séchée et leur petit lopin de terre, parfois un bœuf ou une vache, deux ou trois chèvres ou moutons, peut-être quelques volailles.

Dorothy Van Woerkom, *Perle et les ménestrels*, trad. R.-M. Vassalo, © Flammarion Jeunesse.

- ● Observez les groupes nominaux en bleu : quelle est la nature de *cabane* et de *lopin* ? Mettez ces groupes au pluriel. Que pouvez-vous en déduire sur l'accord de *leur* ?
- ● Observez les mots en rouge : quelle est la nature du mot qui suit ?
- ● Essayez de définir une règle qui permet de distinguer *leur* et *leurs*.

Je retiens

- ● Devant un verbe, *leur* (pronom personnel) est **invariable**. On peut le remplacer par *lui* : Il **leur** <u>était</u> interdit de pêcher.
    (lui) verbe
- ● Devant un nom, *leur* (déterminant possessif) **s'accorde** en **genre** et en **nombre**. On peut remplacer *leur* par *un*, *une* et *leurs* par *des*.
    Ils possèdent **leur** <u>cabane</u> et **leurs** <u>chèvres</u>.
    (une) nom   *(des)* nom

Remplacer les homophones pour les identifier

1 ✶ Remplace le nom en gras par le nom entre parenthèses.

Fais attention aux accords !

leur voiture (vélos) → *leurs vélos*

leur **terrasse** *(jardin)* · leurs **affaires** *(pyjamas)* · leur **potager** *(champs)* · leurs **armoires** *(table)* · leur **piquenique** *(cuisine)* · leurs **problèmes** *(solutions)* · leur **chambre** *(salles de bains)* · leurs **contrôles** *(note)* · leur **ami** *(amis)* · leurs **enfants** *(enfant)*

2 ✶ Remplace le pronom personnel *lui* par *leur*.

a. Je **lui** ai demandé de se taire.
b. Nous **lui** avons dit au revoir.
c. **Lui** as-tu acheté le journal ?
d. Papa ne **lui** a pas donné d'argent de poche.
e. Elle **lui** a fait du chocolat et des tartines.
f. Wassim **lui** a demandé de venir à son anniversaire, mercredi prochain.

3 ✶✶ **Accorde le nom entre parenthèses si nécessaire.**

a. Leurs *(enfant)* sont partis en vacances dans leur *(maison)* de campagne.

b. Tôt le matin, ils ont enfilé leur *(tenue)* et chaussé leurs *(ski)*.

c. Ils ont mis leurs *(vêtement)* dans leur *(valise)*.

4 ✶✶✶ **Remplace le GN en gras par celui proposé entre parenthèses.**

Fais les transformations nécessaires dans les phrases.

Ilan veut faire un exposé. Mathys **lui** prête son encyclopédie. *(Ilan et Simon)*
→ **Ilan et Simon** veulent faire un exposé. Mathys **leur** prête son encyclopédie.

a. Perla part en sortie pour la journée : je lui donne un piquenique. *(Perla et Louise)*

b. Antoine n'a plus de crayon à papier ; Mehdi lui prête le sien. *(Antoine et Robin)*

c. Pour rassurer **sa mère**, Paul lui a envoyé un message ce matin. *(ses parents)*

d. Voulez-vous lui écrire ? **Mme Dupuy** appréciera. *(M. et Mme Dupuy)*

e. Lui donne-t-on un kiwi ? Je crois que **Léa** est allergique. *(Léa et Noé)*

5 ✶✶✶ **Remplace les mots en gras par ceux proposés entre parenthèses et effectue les transformations nécessaires.**

a. Mariana *(Mariana et Victor)* va faire les courses : ses parents lui donnent de l'argent.

b. M. Samson *(M. et Mme Samson)* achète un lecteur CD : son **fils** *(enfants)* le lui a demandé pour Noël.

c. Louis *(Louis et Aristide)* aime ramasser des champignons : son panier est plein en moins d'une heure !

Orthographier les homophones

6 ✶ **Complète les noms avec l'un des déterminants possessifs : *leur* ou *leurs*.**

… enfants • … profession • … parents •
… dictionnaire • … cabane • … soirées •
… trottinette • … rollers • … nez •
… téléphone • … paire de chaussures

7 ✶✶ **Complète avec *leur* ou *leurs*.**

a. Vous … distribuerez … cahiers avant de sortir.

b. … notes, nous les … donnons maintenant.

c. Où sont … amis ? … ont-ils laissé … adresse ?

d. Ils ont … amis et nous, nous avons les nôtres qui ne … plaisent pas.

e. … projets, je les trouve intéressants et je … accorde toute mon attention.

f. Hugo … enverra un colis à … nouvelle adresse.

Défi langue

Les homophones *leur/leurs* sont-ils tous bien orthographiés dans ce texte ? Explique pourquoi.

Ce soir, nous allons chez les Dumas : inutile de leur offrir des fleurs. Leur maison a un balcon recouvert de géraniums et leur allées sont bordées de lavandes odorantes. Nous leurs apporterons des chocolats !

8 ✶✶✶ **Remplace les déterminants en gras par *leur* ou *leurs*.**

Fais toutes les transformations nécessaires.

a. Il a emporté **ses** affaires de piscine.

b. Elle a rangé **son** cahier dans **son** cartable.

c. Sa trousse est posée sur la table.

d. A-t-il pris **son** manteau et **ses** gants ?

e. Ses crayons ne sont plus dans **sa** pochette.

f. J'ai oublié **ses** chaussons dans **son** placard.

J'écris

9 ✶ **Explique ce que tu vas faire pour inviter tes amis à ton anniversaire. Utilise *leur* et *leurs*.**

Je leur écrirai une carte d'invitation. Je leur dirai la date…

quel, quels, quelle, quelles

Cherchons

« Mon Dieu ! **Quel** magnifique oiseau !
– Je vous l'avais bien dit que Nicostratos était le plus beau
pélican du monde ! Venez l'embrasser, Popa Kostas.
Je suis sûr qu'il va vous reconnaître.
Il a une excellente mémoire. »
Le prêtre s'avança vers le pélican aux yeux rouges qui
se mit aussitôt à grogner et à se dandiner d'une patte sur l'autre.

Éric Boisset, Nicostratos, © Magnard Jeunesse.

- Observez le mot en vert. Avec quel nom s'accorde-t-il ?
Comment s'écrirait-il si on remplaçait *oiseau* par *oiseaux*, puis par *cigogne* et *cigognes* ?
- Essayez de construire une règle d'orthographe des homophones de *quel*.

Je retiens

- ***Quel*, *quels*, *quelle*, *quelles*** (déterminants exclamatifs ou interrogatifs) **s'accordent en genre** et en **nombre** avec le nom auquel ils se rapportent.

  <u>Quelle</u> belle cigogne !   **<u>Quel</u>** âge as-tu ?
  déterminant exclamatif   déterminant interrogatif
  féminin singulier   masculin singulier

Orthographier les homophones

1 * Écris le genre et le nombre du nom en gras, puis complète avec *quel*, *quelle*, *quels* ou *quelles*.
Quelle **heure** est-il ? → *féminin singulier*
a. … **livres** veux-tu que je te prête ?
b. … **personnages** de BD préfères-tu ?
c. … **langue** apprendrez-vous en sixième ?
d. … sont les **nouvelles** ?
e. … **jour** sommes-nous ?
f. … sont tes **jours** de repos ?

2 * Écris le plus de phrases possible en associant les déterminants et les fins de phrases proposées.

Quel •	• talent !
	• voix !
	• heure est-il ?
Quels •	• sont les nouvelles ?
	• sont vos conseils ?
Quelle •	• succès !
	• âge a-t-elle ?
Quelles •	• temps fait-il ?
	• joie de vous voir !

3 ** Complète avec *quel, quels, quelle* ou *quelles*.

a. … est ton film préféré ?

b. … manèges préférez-vous ?

c. Sais-tu à … heure commence la séance ?

d. … spectacle irez-vous voir samedi ?

e. … sont les actrices qui jouent dans ce film ?

f. Dans … région veux-tu passer tes vacances ?

4 ** Complète chaque phrase avec le groupe nominal qui convient.

a. Quel … ont-ils acheté ?

b. Quelle … elle a eue !

c. Quels sont … que tu préfères ?

d. Quelle est … de ta naissance ?

e. Dans quelle … t'es-tu installé ?

f. Quelles … tu as faites !

5 ** Remplace les mots en gras par ceux qui te sont proposés, puis effectue les transformations nécessaires.

a. Quel beau **tableau** ! *(peinture)*

b. Quel est **le** plus rapide d'entre vous tous ? *(les)*

c. Quel grand **jardin** ! *(cour)*

d. Quel **vaste paysage** ! *(étendues sauvages)*

e. Dans quel **wagon** t'installes-tu ? *(chambre)*

f. Par quel **chemin** passes-tu ? *(route)*

6 *** Complète avec *quel, quelle, quels, quelles*.

a. … sont les principaux fleuves de France ?

b. … grandes villes la Seine traverse-t-elle ?

c. En … année êtes-vous né ?

d. … région et … villes du Maroc pensez-vous visiter l'été prochain ?

e. À … activités t'es-tu inscrite cette année ?

f. … genre de vêtements faut-il mettre pour cette soirée ? À … heure faut-il s'y rendre ? … amis y retrouvera-t-on ?

g. Avec … rapidité et … sang-froid les pompiers sont intervenus !

7 *** Retrouve la question qui a permis chacune de ces réponses. Utilise les homophones *quel, quelle, quels, quelles*.

a. Elle est passée par la rue Bonaparte et la rue Danton.

b. Robespierre est né en 1758.

c. Cette année, j'ai lu *La Guerre des clans* et *Harry Potter*.

d. J'ai vu le dernier James Bond au cinéma.

e. 21 se situe après 20.

f. Je souhaiterais porter ma robe bleue au mariage de mon cousin.

g. Je préfère les framboises.

Défi langue

Complète chaque phrase avec un nom de ton choix. Que dois-tu observer pour ne pas te tromper ?

a. Je ne sais pas quelle … Maïa et Alice nous préparent.

b. À quel … se trouve le nouveau bureau de la directrice ?

c. Elle se demande quelles … elle va inviter à son anniversaire.

d. Quels … as-tu lus pendant les vacances ?

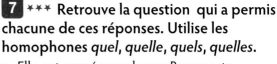

J'écris

8 * Tu es nouveau/nouvelle dans l'école. Imagine les questions ou les exclamations que tu peux formuler à tes nouveaux camarades. Utilise les homophones *quel, quels, quelle, quelles*.
*À **quelle** heure commence le cours de sport ? **Quel** grand gymnase ! etc.*

Je révise

1 ✶ **Complète avec les homophones proposés.**

a. *(et/est)* Il … encore malade … n'ira pas à l'école.

b. *(a/à)* Agnès est encore … la maison, elle … égaré ses gants.

c. *(ou/où)* … te caches-tu ? Dans la cave … dans le grenier ?

d. *(on/ont)* … aime revoir de vieux films qu'… a déjà vus. Ils … du charme !

e. *(son/sont)* Ils … allés passer quinze jours dans … chalet à la montagne.

f. *(ces/ses)* Lia ouvre … cadeaux d'anniversaire : … deux livres sont ceux qu'elle espérait !

2 ✶✶ **Complète les phrases avec *ce* ou *se*.**

a. Matthieu tombe, … plaint deux minutes puis … remet à courir !

b. … matin, Élodie … rendra chez sa grand-mère.

c. Mon petit frère … prend pour un super-héros, il … déguise souvent en Superman.

d. … cerisier n'a donné aucun fruit … printemps.

e. Sur scène, Clara … lamente et … désole puis est capable de … tordre de rire.

f. … film est excellent, le héros … sort de situations impossibles !

g. Il fait si froid … soir qu'il faut … dépêcher de rentrer !

3 ✶ **Associe les phrases qui ont le même sens.**

a. Ce sont ses affaires.   **1.** C'est celui-ci.

b. Ce sont ses copains.   **2.** C'est le mien.

c. C'est ce village.   **3.** Ce sont les siennes.

d. C'est cette maison.   **4.** Ce sont les siens.

e. C'est mon sac à dos.   **5.** C'est celle-ci.

4 ✶✶ **Complète par *on* ou *on n'*.**

Fais attention à la négation.

a. … revoit les leçons qu'… a pas bien comprises.

b. … arrive jamais à fermer cette porte. … graissera la serrure.

c. … a rien vu : … était derrière le mur.

d. … a lu un livre dont … avait jamais entendu parler.

e. … a voulu entrer mais … avait plus la clé.

f. … espère recevoir des nouvelles d'Alice car … a plus son adresse.

5 ✶✶ **Complète avec *la*, *là*, *l'as* ou *l'a*.**

a. … porte est fermée, elle … claquée en sortant.

b. J'aime … vue qu'on a de … fenêtre.

c. Cette maison-…, à … sortie du village, est en vente.

d. … semaine dernière, … machine à laver est tombée en panne : …-tu fait réparer ?

e. Demande à Robin où il gare … voiture : il … prend tous les jours.

f. Élise ? Tu … connais ! Tu … rencontrée … semaine dernière à … sortie du cinéma.

6 ✶✶ **Complète avec *ces*, *ses*, *c'est* ou *s'est*.**

a. … l'été ! Lucas … inscrit à un stage de voile.

b. … chemins de randonnée n'ont pas été entretenus : … difficile d'y marcher.

c. Myriam a fermé … valises et … dirigée vers la gare.

d. … inutile d'emporter … cartes routières, nous en avons dans la voiture.

e. Karim … déconcentré pendant … contrôles : … notes ne reflètent pas … capacités.

f. … la rentrée : Adeline … décidée à apprendre l'espagnol ; … cours commencent demain.

7 ✲✲ **Choisis la bonne orthographe.**

a. *(Leur, Leurs)* as-tu dit l'heure du rendez-vous ?

b. Le directeur ne *(leur, leurs)* rendra pas *(leur, leurs)* jouets.

c. Il ne faut pas *(leur, leurs)* donner de sucre : *(leur, leurs)* dents s'abimeraient.

d. *(Leur, Leurs)* voiture est tombée en panne, *(leur, leurs)* départ est retardé.

e. Il faut *(leur, leurs)* apprendre un peu d'espagnol : *(leur, leurs)* voyage en Espagne sera facilité.

8 ✲✲✲ **Complète avec *ce, se, c'* ou *s'*.**

a. … était un triste jour de pluie où le soleil ne … est pas montré.

b. Je vois chaque jour une mésange … envoler de … pommier.

c. … roman … vend très bien en librairie.

d. La reine … regarde dans le miroir et … demande qui est la plus belle.

e. … matin, Chloé … est aperçue de son erreur.

f. Un accrochage a eu lieu dans la rue : … est incroyable, aucun conducteur ne … est fâché !

9 ✲✲✲ **Complète avec *ce, se, c'* ou *s'*.**

a. … soir-là, Castor-Gris avait prévu d'établir le campement de l'autre côté du Mackenzie, car … était par là qu'il comptait trouver du gibier.

b. Croc-Blanc … attendait à une raclée. À cette pensée, il … tassa sur lui-même et son poil … hérissa légèrement.

c. Il finit ainsi par … retrouver couché aux pieds de son maître ; il … livrait à lui entièrement, corps et âme.

Jack London, *Croc-Blanc*, texte abrégé,
trad. D. Alibert-Kouraquine,
© Le Livre de Poche Jeunesse, 2015.

10 ✲✲✲ **Complète par *ou, où, la, là, l'as* ou *l'a*.**

a. … carte vous indique les endroits … passer.

b. … maison … ils vivent se situe …-bas.

c. … as-tu rangé mon écharpe ? …-tu mise dans … commode … dans … penderie ?

d. Nous avons vu Saturne dans … lunette d'astronomie : on … reconnait à ses anneaux.

e. Une araignée traversait … pièce : Lena … attrapée et … jetée par … fenêtre !

11 ✲✲✲ **Complète avec *quel, quelle, quels, quelles*.**

a. À … revue es-tu abonné ?

b. De … acteurs parles-tu ?

c. En … année es-tu allée aux États-Unis ?

d. Dis-moi … film tu veux aller voir et à … heure.

e. … belles cascades ! … belles photos nous allons prendre !

f. … film émouvant ! De … pays est le réalisateur ?

12 ✲✲✲ **Remplace *Julien* par *Julien et Romain*.**

Effectue les transformations nécessaires.

a. Je crois que Julien a égaré son cahier : quel distrait !

b. Julien fêtera son anniversaire en décembre, il est impatient.

c. Julien a trouvé des champignons : il les cherche dans son guide.

d. Julien adore mon nouveau jeu : je le lui prêterai la semaine prochaine.

e. Julien est sportif, il a de nombreuses coupes.

f. Julien est en grande forme : il emporte toujours ses baskets et son short.

13 ✲✲✲ **Remplace *Alice* par *Alice et Ambre*.**

Effectue les transformations nécessaires.

a. Alice a pris ses crayons de couleur pour le cours de dessin.

b. Alice pense qu'elle n'ira pas en classe de nature cette année.

c. Alice m'a prêté un DVD : je ne le lui rendrai que la semaine prochaine.

d. Alice oublie toujours ses affaires de piscine : quelle étourdie !

e. Alice est en CM2 ; elle adore ses amies et son professeur d'arts plastiques.

f. Alice a vu des marmottes ; elle les a prises en photo.

Le féminin des noms

Cherchons

1910 : La Seine en crue force les Parisiens à abandonner leur logis.

Les sans-logis s'aidaient les uns les autres, et Justin trimballa successivement l'horloge de faux marbre du père Barbotte, un cantonnier à la retraite, la collection de perruques de M. Lepoux, un ancien **coiffeur** désormais plus chauve qu'une boule de billard, et le fauteuil à bascule de Mme Michu, une très vieille **couturière** qui avait bien connu la **cousine** de la belle-sœur de l'**amie** intime d'une **voisine** de la femme de chambre préférée de l'**impératrice** Eugénie.

Paul Thiès, *Crimes à la une*, © Seuil Jeunesse.

- Et si la couturière, la cousine, l'amie, la voisine et l'impératrice étaient de genre masculin ? Changez les noms en gras de la fin du texte.
- Comment distinguez-vous en général le nom masculin du nom féminin ?
- Quels autres noms masculins du texte pourriez-vous mettre au féminin ?

Je retiens

- Le **féminin d'un nom** se forme généralement **en ajoutant un -e** au nom masculin.

  un voisin → une voisine   un ami → une amie

- Parfois, pour former le féminin d'un nom, il faut :

– **ajouter un accent grave (è) + -e** : *un couturier → une couturière*

– **doubler la consonne finale + -e** : *le pharmacien → la pharmacienne*

– **changer la consonne finale + -e** : *un veuf → une veuve   un époux → une épouse*

– **changer le suffixe** : *un coiffeur → une coiffeuse   un lecteur → une lectrice*

un comte → une comtesse

- Certains noms n'ont **pas de féminin**. On utilise alors un **autre mot**.

  mon frère → ma sœur   un empereur → une impératrice

! Certains mots s'écrivent de la même manière au **masculin** et au **féminin**.

  un fleuriste → une fleuriste   un architecte → une architecte

Former le masculin et le féminin des noms

1 * **Mets ces noms au féminin.**

a. un voisin • un client • un passant • un surveillant • un cousin • un Américain

b. un invité • un ami • un employé • un marié • un inconnu • un apprenti

c. un ogre • un âne • un tigre • un diable • un prince • un duc

d. un boulanger • un boucher • un berger • un héritier • un messager • un étranger

e. un acteur • un directeur • un animateur • un admirateur • un spectateur • un facteur

2 * **Mets ces noms au masculin.**

a. une danseuse • une chanteuse • une menteuse • une dompteuse • une chercheuse

b. une cuisinière • une épicière • une ouvrière • une droitière • une sorcière • une écolière

c. une architecte • une alpiniste • une élève • une vétérinaire • une guitariste • une astronaute

d. une lionne • une collégienne • une chatte • une gardienne • une championne

e. une veuve • une épouse • une louve • une captive • une héroïne • une copine

3 ** **Mets les noms masculins en gras au féminin, puis fais les transformations nécessaires.**

a. L'**ogre** dévore ses sept petits **garçons**.

b. Le **loup** poursuit un **bouc**.

c. Mon **compagnon** est **employé** de banque.

d. Mon **oncle** possède deux **chiens** noirs.

e. Le **dompteur** fait sauter le **tigre** dans un cerceau.

Associer le masculin et le féminin des noms

4 * **Choisis le féminin correct de chaque nom masculin.**

le porc → la porche / la truie / la cochonne

le sanglier → la laie / la haie / la taie

le bélier → la brebis / la chèvre / la bélière

le loup → la loupe / la loutre / la louve

le cerf → la cervelle / la biche / la servante

5 ** **Retrouve les couples d'animaux.**

Aide-toi du dictionnaire.

le jars • la pouliche • le lièvre • la chèvre • le chevreuil • l'étalon • le singe • le poulain • le chameau • la poule • la chevrette • la vache • la hase • le coq • l'oie • la chamelle • le bouc • le taureau • la jument • la guenon

6 ** **Trouve le nom des habitants des villes et des régions indiquées sur la carte et donne leur féminin.**

Aide-toi du dictionnaire.

7 ** **Complète ce tableau avec les noms masculins et féminins qui correspondent aux verbes.**

verbe	nom masculin	nom féminin
plonger	*le plongeur*	*la plongeuse*

a. hériter   **c.** enseigner   **e.** garder

b. chanter   **d.** décorer   **f.** présenter

Défi langue

Ces noms de métier ont un point commun. Lequel à ton avis ?

ministre – juriste – dentiste – pilote – fleuriste

J'écris

8 * **Écris plusieurs couples de prénoms et invente une poésie amusante.**
Marin et Marine sont voisin et voisine.

9 ** **Cherche quatre noms masculins et quatre noms féminins de métiers du cirque, puis raconte une représentation en expliquant ce que fait chacun.**

Le féminin des adjectifs qualificatifs

Quand on vit sur une planète surnommée « Planète bleue », *a priori* on ne craint pas de manquer d'eau ! Pourtant, même s'il y a beaucoup d'eau sur la Terre, la grande majorité est de l'eau salée, et une toute petite part seulement est de l'eau douce utilisable par les hommes.

Anne Jankéliowitch et Philippe Bourseiller,
50 gestes pour la Terre, © De La Martinière Jeunesse.

- **Relevez tous les adjectifs qualificatifs du texte. Quel est leur genre ?**
- **Quelle lettre marque le féminin ?**

Je retiens

- En général, on forme le **féminin des adjectifs qualificatifs** en ajoutant un **-e** au masculin.
  bleu → bleue   *grand → grande*

  ⚠ Les **adjectifs** qui se terminent par un **-e** au **masculin ne changent pas** au **féminin**.
  un quartier calme → une mer calme

- Dans certains cas, il faut :
  - **ajouter un accent grave (è) + e** : *léger → légère*
  - **doubler la consonne finale + e** : *rituel → rituelle   mignon → mignonne*
  - **changer la consonne finale + e** : *neuf → neuve   doux → douce*
  - **changer le suffixe** : *menteur → menteuse   destructeur → destructrice*

- Les adjectifs en **-et** ont en général un féminin :
  - en **-ette** : *muet → muette   coquet → coquette*
  - en **-ète** : *complet → complète   discret → discrète   inquiet → inquiète*
    secret → secrète   concret → concrète

  ⚠ Certains **adjectifs** ont une terminaison **différente** entre le **masculin** et le **féminin**.
  vieux (vieil devant une voyelle ou h muet) → vieille
  beau (bel devant une voyelle ou h muet) → belle
  mou, fou (mol, fol devant une voyelle ou h muet) → molle, folle

Écrire le masculin des adjectifs

1 ⭐ Écris les adjectifs au masculin.

Tu peux utiliser un dictionnaire au besoin.

magique • exacte • gentille • publique • agile • aquatique • laïque • molle • aigüe • attentive
libératrice • farceuse • fière • franche • vieille • pareille

2 * Remplace le nom en gras par le nom entre parenthèses, puis accorde l'adjectif.

a. une **assiette** creuse *(un chemin)*

b. une **chatte** rousse *(un écureuil)*

c. une belle **bague** *(un bracelet)*

d. une **sacoche** neuve *(un cartable)*

e. une **jument** blanche *(un cheval)*

f. une **main** molle *(un pain)*

Former le féminin des adjectifs

3 * Accorde les adjectifs des GN suivants.

a. une glace *(savoureux)*   f. une libellule *(léger)*

b. une fille *(secret)*   g. une journée *(orageux)*

c. une idée *(fou)*   h. une poire *(mûr)*

d. une réunion *(amical)*   i. une artiste *(créatif)*

e. une voleuse *(agressif)*   j. une amie *(naïf)*

4 * Remplace les mots en gras par ceux entre parenthèses, puis accorde l'adjectif.

a. un **champ** cultivé *(une plaine)*

b. une superbe **maison** neuve *(un chalet)*

c. le **torrent** impétueux et boueux *(la rivière)*

d. la **fée** gentille et douce *(le lutin)*

e. sa dernière **trouvaille** ingénieuse *(son projet)*

f. une **enseignante** souriante et patiente *(un maitre)*

5 ** Classe les adjectifs dans le tableau selon la terminaison de leur féminin.

discret • simplet • désert • complet • correct • muet • inquiet • concret • violet • secret

-ette	-ète	-te

6 ** Remplace le nom en gras par son féminin, puis accorde l'adjectif.

*un **cheval** vif mais docile → une **jument** vive mais docile*

a. un jeune **artiste** génial

b. un **conducteur** prudent et attentif

c. un petit **garçon** matinal et discret

d. un **chien** blanc et fou

e. un **singe** malin et agile

f. un vieux **sorcier** agressif

---

7 *** Recopie les phrases en accordant correctement l'adjectif entre parenthèses.

a. C'est une affaire *(personnel)* et *(secret)* qui ne vous regarde pas !

b. La douleur *(consécutif)* à cette chute *(accidentel)* reste *(aigu)*.

c. La jeune chatte de ma sœur *(ainé)* est vraiment *(mignon)* et *(docile)*. Elle est aussi très *(affectueux)* et *(gentil)* avec ma *(petit)* nièce.

d. Une *(haut)* cheminée est perchée sur la toiture très *(pentu)* de la maison.

e. Pour cette randonnée *(sportif)*, je me suis équipé d'une tente *(neuf)*, d'une gourde *(isotherme)* et d'une *(long)* cape de pluie.

f. J'ai acheté une tenue *(complet)* pour le mariage de mon cousin : une robe *(violet)* et une écharpe en soie *(vert)*.

g. Mme Levert est toujours *(inquiet)* quand Héloïse rentre tard, mais elle sait que sa fille est *(bavard)* et oublie l'heure *(tardif)*.

Défi langue

À ton avis, dit-on :

– un vieux arbre ou un vieil arbre ?

– un bel homme ou un beau homme ?

– un fou amour ou un fol amour ?

Explique pourquoi.

J'écris 🖉

8 * Décris cette sirène. Utilise au moins cinq adjectifs au féminin.

Le pluriel des noms en *s*

Cherchons

Danse et fête populaire

Aucune fête révolutionnaire ne se passe sans danses, chansons et banquets. Presque partout, les banquets se terminent par une danse particulière : la farandole. Ouverte par des officiers et des soldats, elle accueille les citoyens et les citoyennes en signe d'appartenance à la nouvelle société. Danses et chansons tirées de la culture populaire deviennent les symboles d'une aspiration enthousiaste à l'égalité, en même temps que le rejet des fêtes aristocratiques de la cour.

H.-U. Thamer, *La Révolution française, la chute de l'Ancien Régime*, trad. C. Pachnike, © Éditions Gallimard Jeunesse.

- Relevez tous les noms au pluriel du texte. Écrivez-les au singulier.
- Dans ce texte, quelle lettre ajoute-t-on pour former le pluriel ?

Je retiens

- Le plus souvent, la **marque du pluriel** est *-s* : *un citoyen → des citoyens*
- Les noms déjà terminés par *-s*, *-x* ou *-z* ne prennent **pas de marque du pluriel**.
  une souris → des souris ; *un nez → des nez* ; *un prix → des prix*
- Les noms en *-ou* prennent un *-s* au pluriel : *un clou → des clous*
  Sauf : *un bijou → des bijoux* ; *un caillou → des cailloux* ; *un chou → des choux* ; *un genou → des genoux* ; *un hibou → des hiboux* ; *un joujou → des joujoux* ; *un pou → des poux*

Écrire le singulier des noms

1 * Recopie chaque liste en écrivant les mots au singulier. Entoure l'intrus.
a. des mois • des anchois • des rois • des putois • des bourgeois • des chamois
b. des poux • des toux • des bijoux • des genoux • des choux • des hiboux
c. des prix • des choix • des perdrix • des croix • des joujoux • des noix

2 * Recopie chaque liste en écrivant les mots au singulier. Entoure l'intrus.
a. des paris • des tamis • des salsifis • des radis • des tapis • des souris
b. les temps • les puits • les poids • les champs • les printemps • les corps
c. les amas • les tas • des agendas • les bras • les repas • des cadenas

3 ★★ Recopie les phrases en mettant les groupes nominaux en gras au singulier.

a. Hier, on a ramassé **des noix**, **des pommes** et **des noisettes**.

b. Eliott a cueilli **des cèpes** et **des bolets**.

c. Ma petite sœur prend **les empreintes des feuilles des houx** et **des chênes**.

d. Quand elle entend **les hiboux** hululer, Fanny plonge sous **les draps**.

e. Nous nous amusons à marcher sur **les amas** de feuilles, **les branches** et **les tapis** de mousse.

f. Chaque soir, papa me raconte **des histoires**.

Identifier et former le pluriel des noms

4 ★ Recopie ce texte. Souligne en bleu les noms au pluriel et entoure la marque du pluriel.

Les vieux béliers viennent d'abord, la corne en avant, l'air sauvage ; derrière eux le gros des moutons, les mères un peu lasses, leurs nourrissons dans les pattes ; les mules à pompons rouges portant dans des paniers les agnelets d'un jour qu'elles bercent doucement en marchant ; puis les chiens tout suants, avec des langues jusqu'à terre, et deux grands coquins de bergers drapés dans des manteaux de cadis roux qui leur tombent sur les talons comme des chapes.

Alphonse Daudet, *Les Lettres de mon moulin*.

5 ★★ Recopie les phrases en mettant les groupes nominaux en gras au pluriel.

a. Lucas préfère **le dessert** à la fraise.

b. Il voit **le chien** tourner comme **un fou** dans le jardin.

c. Pour Noël, M. Leroux a décoré **la fenêtre** avec **une guirlande**, et **la porte** avec **une couronne** de houx.

d. Élise est tombée sur **un caillou** et s'est blessé **le genou**.

e. L'entomologiste observe aussi bien **la coccinelle** que **le sphinx** ou **la fourmi**.

f. Ce pâtissier fait **un gâteau** au chocolat et **un chou** à la crème délicieux.

Défi langue

Tout cela pèse le même poids, mais le complément du nom doit-il prendre un « s » ou non ? Explique tes réponses.

un kilo de (*plomb / plombs*) – un kilo de (*plume / plumes*) – un kilo de (*sable / sables*) – un kilo de (*caillou / cailloux*) – un kilo de (*haricot / haricots*) – un kilo de (*farine / farines*) – un kilo de (*sucre / sucres*) – un kilo de (*lessive / lessives*)

6 ★★ Mets le deuxième nom au pluriel, si nécessaire.

un plat (*de spaghetti*) • un album (*de timbre*) • un panier (*à provision*) • une course (*de lévrier*) • une grappe (*de raisin*) • un paquet (*de bonbon*) • un paquet (*de thé*) • une boite (*de chocolat*) • un bac (*à sable*)

7 ★★★ Écris les noms entre parenthèses au pluriel.

a. Pour les (*repas*) du weekend, nous avons pris deux (*botte*) de (*radis*), trois (*salade*), un kilo de (*tomate*), des (*pizza*) aux (*anchois*) et aux (*olive*), des (*spaghetti*) et deux (*fromage*) aux (*noix*).

b. Pour les (*réparation*) de la maison, il faudra acheter des (*clou*), des (*vis*) et des (*écrou*).

c. En tombant sur les (*caillou*), je me suis écorché les deux (*genou*) et les deux (*coude*).

d. Les (*pou*) sont de retour à l'école ! Ne prêtez ni vos (*écharpe*) ni vos (*bonnet*) ; préférez les (*natte*), les (*couette*) et les (*queue*) de cheval !

J'écris

8 ★ Observe les ingrédients que va utiliser le sorcier pour sa potion. Imagine sa recette et écris-la.

Le pluriel des noms en x

Cherchons

Le corail

L'apparence des coraux est des plus étranges. Ils sont fixés sur le fond de la mer. Parce qu'ils ont parfois plusieurs branches, on pourrait les confondre avec des végétaux. Par leur rigidité, ils se rapprochent des coquillages. Pourtant, il s'agit d'animaux marins, possédant un squelette. Il en existe quelque 2 500 espèces, de toutes les couleurs et de toutes les formes (branches, champignons, cerveaux humains…). Ils servent d'abri à de nombreuses espèces animales.

Les Docs de Mon Quotidien, n° 39 – Les animaux marins – été 2012, Play Bac Presse. *Mon Quotidien*, pour les 10-14 ans : 10 minutes de lecture chaque jour, www.monquotidien.fr

- Relevez tous les noms au pluriel.
- Quelle est la marque la plus fréquente du pluriel ?
- Quelle autre lettre marque le pluriel ?

Je retiens

- Les noms terminés par **-eau**, **-au** ou **-eu** ont un pluriel en **-x** : *un cerveau* → *des cerveaux* ; *un tuyau* → *des tuyaux* ; *un jeu* → *des jeux*
Sauf : *un bleu* → *des bleus* ; *un pneu* → *des pneus* ; *un landau* → *des landaus*…

- Les noms terminés par **-al** ont un pluriel en **-aux** : *un végétal* → *des végétaux*
Sauf : *un bal* → *des bals* ; *un carnaval* → *des carnavals* ; *un chacal* → *des chacals* ; *un festival* → *des festivals* ; *un récital* → *des récitals*…

- La plupart des noms terminés par **-ail** ont un pluriel en **-s** : *un rail* → *des rails*
Sauf : *un corail* → *des coraux* ; *un émail* → *des émaux* ; *un travail* → *des travaux* ; *un vitrail* → *des vitraux*…

! Certains pluriels sont très différents des singuliers : *un œil* → *des yeux* *un monsieur* → *des messieurs*…

Distinguer les pluriels en -x

1 * Indique pour chaque série si les noms ont un pluriel en *-x*, en *-aux* ou en *-s*.
a. cerveau, tuyau, jeu
b. végétal, animal, cheval
c. bal, carnaval, chacal
d. corail, émail, vitrail
e. rail, chandail, éventail

2 ★ Écris chaque liste de noms au singulier et complète-la avec un des mots suivants.

tableau • métal • hibou • feu

a. bureaux • poireaux • moineaux • écriteaux
b. bijoux • cailloux • poux • genoux
c. aveux • neveux • milieux • cheveux
d. locaux • chevaux • cristaux • signaux • canaux

3 ★ Écris les GN de chaque liste au singulier, puis entoure l'intrus.

a. des cadeaux • des chameaux • des drapeaux • des bocaux • des fourneaux
b. des baux • des travaux • des chevaux • des coraux • des émaux
c. des tribunaux • des originaux • des signaux • des végétaux • des vitraux

Former le pluriel des noms

4 ★ Écris ces GN au pluriel.

un rail • un détail • un corail • un festival • un minéral • un éventail • un travail • un végétal • un bocal • un portail • un bal • un journal • un chandail • un chacal • un attirail • un caporal

5 ★ Recopie les phrases en écrivant les groupes nominaux en gras au pluriel.

a. Il m'a fait plaisir avec **ce cadeau**.
b. J'ai vu **un landau** à vendre chez le brocanteur.
c. Les péniches circulent sur **le canal**.
d. Le boxeur a **un bleu** au visage.
e. Elle est venue avec **son neveu**.
f. Je n'ai pas fermé **l'œil** de la nuit.

6 ★ Écris les GN de chaque liste au pluriel, puis entoure l'intrus.

a. un étau • un préau • un noyau • un landau • un tuyau
b. un neveu • un pneu • un cheveu • un feu • un vœu
c. un animal • un général • un bocal • un hôpital • un festival
d. un vitrail • un rail • un chandail • un détail • un épouvantail
e. un fou • un clou • un genou • un écrou • un trou

7 ★★★ Écris les noms entre parenthèses au pluriel.

Après avoir vu *Le Seigneur des* (anneau), j'ai fait des (cauchemar) toute la nuit. Mes (genou) s'entrechoquaient et mon cœur envoyait des (signal) de détresse : ces (oiseau) nocturnes étaient-ils des (hibou) ou des (archéoptéryx) ? Ces (cri) d'(animal) provenaient-ils de (lynx) furieux ou de (serpent) venimeux ? Des (rat) sournois couverts de (pou) allaient-ils m'attaquer ? Devant mon visage pendaient des (végétal) étranges et des (toile) d'(araignée). Il ne manquait que les (hurlement) des (loup) et des (chacal) ou le galop de (cheval) aux (naseau) fumants ! Quelle nuit !

Défi langue

Accorde, si nécessaire, les mots en gras. Explique chacune de tes réponses.

À l'image de **pétale** autour d'un **cœur**, sept **panneau** circulaires entouraient un huitième **tableau**, rond lui aussi. De son **centre** partaient des **sorte** de **rivière** qui couraient sur les sept **panneau** extérieurs et prenaient des **ton** différents selon chacun des sept **tableau**.

Emmanuelle Advenier, *Le Gardien d'Oniriaa*, Tome 1, coll. Tipik, © Magnard Jeunesse.

J'écris

8 ★ Trouve huit noms qui se terminent par le son [o] au pluriel. Écris un poème dont les vers se termineront par ces mots.

9 ★★ Raconte ce que tu as vu en visitant une ménagerie. Utilise des noms d'animaux au pluriel.

Le pluriel des adjectifs qualificatifs

Cherchons

La voix humaine est le premier instrument de musique !
Dans un opéra, la voix permet d'associer mots
et musique.

Les voix d'hommes

Les basses sont des voix d'hommes très graves et
profondes. Ils chantent souvent des rôles de personnages
puissants et inquiétants.

Les barytons sont un peu moins graves. Ce sont les **voix**
les plus nombreuses chez les hommes. Les barytons jouent
souvent des personnages de méchants.

Les ténors sont les voix d'hommes les moins graves.
Ils ont souvent le rôle du héros ou de l'amoureux.

M. Rosenfeld, *Tout sur la musique !*, © Éditions Gallimard Jeunesse.

- Relevez les adjectifs qualificatifs au pluriel dans ce texte.
- Proposez d'autres adjectifs pour qualifier les noms en vert.
- Quelle lettre marque en général le pluriel de l'adjectif qualificatif ?

Je retiens

- L'**adjectif qualificatif** s'accorde **en genre** (féminin ou masculin) et **en nombre**
(singulier ou pluriel) avec le nom qu'il précise. La plupart des adjectifs prennent un **-s**
au **pluriel**.

  profond → profonds   profonde → profondes

- Les adjectifs qui se terminent par **-s** ou **-x ne changent pas** au masculin-pluriel.

  un chant mélodieux → des chants mélodieux

- Les adjectifs qui se terminent par **-eau** prennent un **-x**.

  beau → beaux   nouveau → nouveaux

- Les adjectifs en **-al** ont un pluriel en **-aux** : *matinal → matinaux*
Sauf : *banal, bancal, fatal, natal, naval,* qui prennent un **-s** au pluriel.

  (!) Au pluriel, on utilise **de** au lieu de **des** devant un adjectif : **de** *jolies robes*

Distinguer le genre et le nombre des adjectifs

1 ✶ Classe les adjectifs du texte
« Cherchons » dans le tableau.

masculin singulier	féminin singulier	masculin pluriel	féminin pluriel

2 ✶✶ Observe le genre et le nombre de chaque adjectif, puis trouve un nom qu'il peut compléter.

N'oublie pas que l'adjectif peut se placer avant ou après le nom.

… *boueuses* → ***des chaussures*** *boueuses*

… agressifs • … curieuses • … vieilles • … secret • … principaux • … hivernales

3 ✶✶ Indique le genre et le nombre de chacun des adjectifs de ce texte.

Le réfrigérateur d'une sorcière contient des aliments étonnants : des œufs rouges à rayures vertes, du lait phosphorescent, une bouteille de bave visqueuse, un gâteau moisi, des crapauds confits et des saucisses de dragon fumées ! Bon appétit !

4 ✶✶✶ Complète le tableau.

masculin singulier	féminin singulier	masculin pluriel	féminin pluriel
grand	*grande*	*grands*	*grandes*
	joyeuse		
			nationales
naturel			
		roux	
			inactives
bancal			
		complets	

Former le pluriel des adjectifs

Défi langue

Un intrus s'est glissé dans chaque liste. Trouve-le et explique ton choix.
a. banal – royal – bancal – fatal – natal
b. mélodieux – affectueux – nouveaux – curieux – généreux

5 ✶ Écris les groupes nominaux au pluriel.

un exercice difficile • une jeune chienne intrépide • un grand froid matinal • un évènement national inattendu • une belle veste neuve • un vieux tabouret bancal

6 ✶✶ Complète les phrases avec les adjectifs suivants que tu accorderas correctement.

vert • méchant • étranger • furieux • craintif
a. Les enfants étaient vraiment …, on leur avait pris leur gouter !
b. Ce sont des grenouilles … que vous entendez coasser le soir !
c. Sarah ne collectionne que les timbres … .
d. Ces chiennes sont …, mais pas … .

7 ✶✶ Écris les groupes nominaux au masculin pluriel, puis au féminin pluriel.

un ami séduisant • le singe agile • le dernier concurrent • un artiste génial • ce voisin mystérieux • ce garçon discret • son gentil chat • un acteur célèbre

8 ✶✶✶ Accorde les adjectifs qualificatifs entre parenthèses.

Margaret, l'ainée des quatre sœurs, avait seize ans. Elle était très (*joli*) : des joues (*rond*) au teint (*clair*), de (*grand*) yeux, de (*beau*) cheveux (*brun*), une bouche (*doux*) et de (*beau*) mains (*blanc*) dont elle était assez (*fier*). Jo, quinze ans, était très (*grand*), (*mince*) et (*brun*). Elle faisait penser à un poulain ; car elle semblait ne jamais savoir que faire de ses (*long*) membres. Elle avait une bouche (*décidé*), un nez (*retroussé*), des yeux (*gris*) qui voyaient tout et pouvaient tour à tour être (*coléreux*), (*moqueur*) ou (*pensif*).

Louisa May Alcott, *Les Quatre Filles du docteur March*, trad. A. Joba, © Le Livre de Poche Jeunesse, 2002.

J'écris ✎

9 ✶ Décris les habitudes d'un groupe d'animaux qui t'intéresse.
Utilise des adjectifs au pluriel.
*Les crocodiles sont **dangereux**. Leurs dents **aiguisées** sont de **véritables** armes…*

Les accords dans le groupe nominal

Cherchons

La rôtisserie du Chapon Blanc faisait l'angle de la rue
Berthelot et du boulevard Paul Cézanne. **Ses hautes
vitrines enluminées** de dorures laissaient
entrevoir **de grandes corbeilles en osier** pleines
de produits de luxe : boîtes de foie gras, conserves
artisanales de cassoulet à la graisse d'oie, petits
pots de caviar, **vins fins**. À toute heure de la journée,
d'infortunées volailles tournaient sur des broches
dans **un genre de gril électrique vitré** qui occupait toute la largeur du trottoir.

Éric Boisset, *Le Grimoire d'Arkandias*, © Magnard Jeunesse.

- Quel est le nom noyau de chacun des groupes nominaux en rose ? Précisez à chaque fois le genre et le nombre de ces noms noyaux.
- Quel est le genre et le nombre des adjectifs qui accompagnent ces noms noyaux ?
- Quelle règle pouvez-vous en déduire ?

Je retiens

- Dans le groupe nominal, les **déterminants** et les **adjectifs qualificatifs s'accordent en genre et en nombre** avec le **nom noyau**.

  ses hautes **vitrines** *enluminées* → nom noyau du GN féminin pluriel

  ⚠ Quand le groupe nominal est composé d'un **nom féminin** et d'un **nom masculin**, l'adjectif se met au **masculin pluriel** : *une conserve et un vin* **artisanaux**

Reconnaitre le genre et le nombre du nom noyau

1 ⭑ Souligne chaque groupe nominal, encadre le nom noyau, puis indique son genre et son nombre.

a. Sur la grande plage ensoleillée, des baigneurs bronzés sont allongés sur leurs serviettes.

b. Par cette fraiche matinée, les courageux cyclistes partent sur les routes.

c. Les guenons effrontées lancent leurs vieilles peaux de banane sur les promeneurs effrayés.

d. Les odorantes clochettes blanches du muguet, les fragiles jonquilles jaunes et les frêles jacinthes bleues parsèment la forêt au printemps.

e. Sur un étroit sentier de montagne, un groupe de randonneurs avance vers le col enneigé.

f. Quelques belles pêches jaunes et des abricots veloutés remplissent la corbeille de fruits.

g. Les quatre enfants salivent devant les volailles rôties et les charcuteries variées de la vitrine.

2 ⋆ **Relie les groupes nominaux aux adjectifs qui conviennent.**

Plusieurs solutions sont possibles.

a. un garçon et son père   **1.** gaies

b. des filles   **2.** joyeux

c. des parents et des enfants   **3.** calmes

d. une tante   **4.** pressés

e. un oncle et une tante   **5.** fluet

f. un cousin   **6.** maigre

Accorder les groupes nominaux

3 ⋆ **Écris ces groupes nominaux au singulier.**

des progrès scientifiques • des champs moissonnés • de vieux tapis • des noix mûres • des repas frugaux • les dés colorés • les accès interdits • les vœux réalisés • les temps passés • les vacanciers joyeux • des actrices élégantes

4 ⋆ **Accorde les noms et adjectifs entre parenthèses.**

a. Dans ces *(landau) (bleu)*, il y a des *(jumeau)* qui sont nés il y a quelques *(jour)*.

b. Qu'alliez-vous faire dans les *(bois)* derrière le *(château) (isolé)* ?

c. Nous avons vu des *(autruche) (bruyant)*.

d. A-t-il changé ses *(vieux) (pneu)* et vérifié les *(essieu)* avant de partir en vacances ?

e. Plus tard, je visiterai des *(ville) (lointain)* et survolerai les *(océan) (glacial)*.

5 ⋆⋆ **Accorde les adjectifs entre parenthèses.**

L'adjectif qualificatif peut être éloigné du nom auquel il se rapporte.

a. *(Alourdi)* par les fruits, les branches *(fragile)* menacent de casser.

b. Nos valises bien trop *(lourd)* et *(volumineux)* nous ont ralentis dans les escaliers du métro.

c. *(Fatigué)* de leur journée et *(pressé)* d'aller au lit, Sarah et Lucas n'ont même pas regardé leur émission *(préféré)*.

d. Les garçons et les filles *(impatient)* se rendent à la fête, *(costumé)* et *(enthousiaste)*.

6 ⋆⋆⋆ **Accorde les noms et adjectifs entre parenthèses.**

Imaginez une *(forêt) (touffu)*, aux *(arbre) (archicentenaire)*, dont les *(racine) (chenu)* labourent l'*(humus) (tapissé)* de *(feuille) (mort)*, s'enchevêtrent les unes aux autres, se disputent la *(moindre) (parcelle)* de terre, et voient prospérer sur leur *(écorce) (vermoulu)* des *(myriade)* de *(champignon) (multicolore)*, aux *(forme) (tentaculaire)*, et où s'ébattent quantité d'*(insecte)*, *(lucane)*, *(termite)*, *(blatte)* et *(punaise)*.

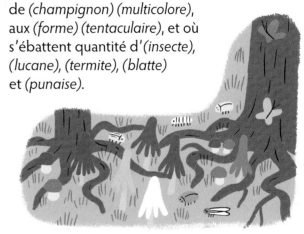

Thierry Jonquet, *Lapoigne et la fiole mystérieuse*, © Nathan Jeunesse.

Défi langue   Vers la **6ᵉ**

Accorde les groupes nominaux entre parenthèses. Explique tes choix.

a. *(La totalité des élève)* a rendu son contrôle de géométrie.

b. *(L'équipe de jeune footballeuse)* a remporté *(la majorité des épreuve)*.

c. *(Une bande de garçon bavard)* a été punie par la maitresse.

J'écris

7 ⋆ **Portrait chinois : pense à un camarade de ta classe et décris-le en quelques lignes. Utilise des groupes nominaux avec des adjectifs qualificatifs. Échange ta description avec celle de ton voisin : il doit deviner à qui tu as pensé.**

L'accord du verbe avec le sujet

Les cyclones

Ils se forment dans les mers chaudes. Ce sont d'abord des dépressions tropicales. En quelques jours, les vents deviennent plus forts (jusqu'à 250 ou 280 km/h). La dépression devient un cyclone, large de plusieurs centaines de kilomètres. Il tourne sur lui-même, finit par toucher des côtes et balaie tout sur son passage.

Mon Quotidien Environnement, mercredi 12 octobre 2011,
second cahier du n° 4487, © Play Bac Presse.

- Relevez les sujets et les verbes conjugués de ce texte.
- Mettez au pluriel les sujets et les verbes qui sont au singulier.
- Mettez au singulier les sujets et les verbes qui sont au pluriel.
- Comparez les terminaisons des verbes avant et après la transformation.

Je retiens

- Le **verbe s'accorde toujours** avec son **sujet**.
  Le cyclone balaie tout sur son passage. → *Les cyclones balaient tout sur leur passage.*
- Lorsqu'un verbe a **plusieurs sujets au singulier**, il se met au **pluriel**.
  Le cyclone, l'inondation et le tremblement de terre sont des catastrophes naturelles.
- **Plusieurs verbes** peuvent s'accorder avec un **même sujet**.
  Le cyclone tourne, finit par toucher les côtes et balaie tout sur son passage.
- Lorsqu'il y a **plusieurs sujets de personnes différentes**, il faut remplacer le sujet par le **pronom personnel correspondant** pour bien accorder le verbe :
  – la 1re personne l'emporte sur les autres.
    Ta sœur, toi et moi rêvons. → *nous* (1re pers. du pluriel)
  – la 2e personne l'emporte sur la 3e personne.
    Tes parents et toi rêvez. → *vous* (2e pers. du pluriel)
- Le sujet peut être placé **avant le verbe**, **après le verbe** ou **éloigné du verbe**.
  La rivière déborde. Déborde-t-elle ? La rivière, grossie par les pluies, déborde.

Repérer le sujet et le verbe

1 * Recopie uniquement le verbe et le sujet de chaque phrase dans ce tableau.

sujets	verbes
nous	étudierons

Cette année, nous étudierons la Grande Guerre.

a. Ignorez-vous le Code de la route ?
b. Le directeur parle aux élèves de CM2.
c. Le train, l'avion, la voiture sont des moyens de transport très utilisés.
d. Léo les voyait passer depuis sa fenêtre.
e. Les souris grignotent, rongent et digèrent même le papier !

2 * Encadre le(s) verbe(s) et souligne le(s) sujet(s) de chaque phrase. Indique s'ils sont au pluriel ou au singulier.

a. La pluie tombe avec violence depuis hier.

b. Les voitures traversent les flaques d'eau et éclaboussent les passants.

c. Dans cette rue circulent uniquement les autobus et les taxis.

d. Sur les toits des maisons, les antennes subissent le vent de la tempête.

3 * Complète ces phrases avec un sujet qui convient.

a. … prendront le thé à cinq heures.

b. Penses-… qu'elle va venir ?

c. … leur offrent de jolis bijoux.

d. Irons-… au cinéma ce soir ?

e. … met toujours sa robe noire pour sortir.

Accorder le verbe avec un sujet placé avant lui

4 * Choisis la forme verbale correcte.

a. Plusieurs filles (*préparent/prépare*) un spectacle de théâtre.

b. Aucun élève (*n'oubliera/n'oublieront*) son livre.

c. Les jeunes de ce quartier (*ont créé/a créé*) une association.

d. Chaque souris (*doit/doivent*) retourner dans sa cage.

5 * Forme toutes les associations possibles en respectant les accords.

a. Les enfants du village

b. La classe de CM1

c. Les parents des élèves

d. Les garçons de CM2

e. Le groupe des grands

f. L'équipe du relais

....

1. se prépareront.

2. se préparait.

3. se prépare.

4. se préparent.

5. se préparera.

6. se préparaient.

6 * Réécris ces phrases en utilisant le sujet entre parenthèses.

a. Elle voit les séquences. (*Nous*)

b. Je fais répéter le dialogue. (*Vous*)

c. Ils choisissent le plan. (*Je*)

d. Il réussit la cascade. (*Ils*)

e. Vous paraissez calmes. (*Les acteurs*)

7 ** Remplace le sujet en gras par celui entre parenthèses.

a. **Il** écoutait le dernier morceau de ce groupe. (*Pierre et Noémie*)

b. Est-ce que **tu** resteras ici la semaine prochaine ? (*Rachid et Adèle*)

c. **Elle** a rêvé de ce voyage pendant longtemps. (*Marie et moi*)

d. **Je** veux réussir ce parcours. (*Maxence et toi*)

e. **Elles** ne souhaitaient visiter que cette partie du musée. (*Ludivine*)

L'accord du verbe avec le sujet

8 ** Choisis la forme verbale correcte.

Commence par bien identifier le sujet du verbe.

a. Lucie, Carla et Alexis (*rencontrons/rencontrent*) leurs amis devant l'école.

b. Ses amis, Louis les (*guette/guettent*) au coin de la rue.

c. L'autocar de ramassage des élèves (*était/étaient*) en retard ce matin.

d. Les parents d'Anthony nous (*prendront/prendrons*) au carrefour, après le stade.

e. Arthur et toi (*voyiez/voyaient*) les voitures passer sans s'arrêter.

9 ** Écris la terminaison correcte du verbe au présent.

a. Les randonneurs prépar… leur sac, attrap… leurs bâtons et déval… le sentier.

b. Nous chois… des cartes, les écriv… puis les post….

c. Je fai… ma liste de courses, saut… dans la voiture et descend… au supermarché.

d. Le train et la voiture rest… les moyens de transport que les Français préfèr….

L'accord du verbe avec le sujet

Accorder le verbe avec un sujet éloigné

10 ** **Conjugue les verbes au présent puis à l'imparfait.**

a. Je la *(manger)*. • Je lui *(dire)*. • Je leur *(donner)*.

b. Tu la *(remarquer)*. • Tu nous *(manquer)*. • Tu la *(regarder)*.

c. On les *(oublier)*. • On la *(réveiller)*. • On lui *(donner)*.

d. Nous le *(choisir)*. • Nous les *(cueillir)*. • Nous leur *(recommander)*.

e. Vous nous *(énerver)*. • Vous leur *(écrire)*. • Vous les *(aimer)*.

f. Ils les *(embrasser)* • Ils leur *(parler)* • Ils nous *(observer)*.

11 ** **Conjugue le verbe entre parenthèses au présent puis au futur.**

a. C'est moi qui *(inviter)*.

b. C'est toi qui *(chanter)*.

c. C'est lui qui *(payer)*.

d. C'est elle qui *(travailler)*.

e. C'est la maitresse qui *(distribuer)*.

f. C'est nous qui *(apporter)* le dessert.

12 *** **Conjugue les verbes entre parenthèses au présent, puis au futur.**

a. Louis *(porter)* les paquets puis les *(poser)* dans l'entrée.

b. Vous *(finir)* vos bracelets, vous les *(distribuer)* à vos amies.

c. Émilie et Delphine *(s'entrainer)* pour leur enchainement. Elles le *(maitriser)* bien.

d. Tu *(lire)* ce texte, puis tu le *(donner)* à ton voisin.

e. Nous *(pousser)* la porte et vous la *(refermer)* derrière vous.

f. Je *(rendre)* mon livre à la bibliothèque et je le *(recommander)* à un ami.

13 *** **Conjugue le verbe entre parenthèses au présent.**

a. On regarde un film qui nous *(amuser)* beaucoup.

b. J'aime les livres qui *(parler)* d'animaux.

c. Le plat qui *(mijoter)* *(répandre)* une délicieuse odeur dans tout l'appartement.

d. Les petits *(écouter)* leur mamie raconter une histoire qui les *(émerveiller)*.

e. On apprécie les romans qui *(sortir)* de l'ordinaire.

f. Je ne mange que des gâteaux qui ne *(contenir)* pas de chocolat.

Accorder le verbe avec un sujet inversé

14 ** **Souligne le sujet et conjugue le verbe au présent de l'indicatif.**

a. Loin devant, au-delà des collines, *(galoper)* les chevaux.

b. Devant le théâtre *(attendre)* les spectateurs.

c. Après cette animation *(avoir lieu)* un débat.

d. Tout en haut de la colline *(se détacher)* les ruines d'un château fort.

e. *(Vouloir)*-tu nous accompagner ?

f. Sous la terrasse *(se terrer)* un nid de couleuvres.

15 *** **Conjugue le verbe entre parenthèses au temps demandé.**

a. Présent : *(Entendre)*-tu le chien aboyer ?

b. Futur : *(Prendre)*-ils le train ou la voiture ?

c. Imparfait : Derrière la porte, *(se cacher)* Sylvain et sa sœur.

d. Passé simple : Du fond du couloir *(surgir)* Sophie et son cousin.

e. Présent : Devant le rang, *(s'avancer)* le directeur et notre maitresse.

f. Futur : Dans l'appartement voisin *(s'installer)* bientôt un couple de personnes âgées.

Accorder le verbe avec le sujet

16 ✶✶ **Conjugue les verbes au présent, puis à l'imparfait.**

a. Les élèves *(bavarder)* et n'*(écouter)* pas le professeur.

b. Nous leur *(conseiller)* souvent cet exercice.

c. Sur le cerisier *(piailler)* des étourneaux qui *(picorer)* les fruits.

d. *(Pouvoir)*-vous ranger le linge dans le placard ?

17 ✶✶ **Conjugue les verbes au présent.**

Les passagers ont du mal à sortir du métro bondé. La narratrice surveille une fille aux yeux étranges.

Tout le monde *(se précipiter)* pour sortir. Je n'*(échapper)* à l'emprise de ces yeux que pour voir Julien qui *(basculer)* comme une masse, de tout son long, et qui *(s'effondrer)* par terre, entre les portes, sans même faire un geste pour amortir le choc. Il *(être)* allongé par terre, tout blanc, encore plus pâle que moi ; il ne *(bouger)* pas. Ce n'*(être)* pourtant pas son genre, de s'évanouir. Des voyageurs l'*(enjamber)* pour descendre ; Anaïs *(se pencher)* sur lui, *(essayer)* de le redresser, mais il ne *(réagir)* pas.

Jean-Baptiste Evette, *Mademoiselle V.,*
© Magnard Jeunesse.

18 ✶✶✶ **Accorde les verbes entre parenthèses à l'imparfait.**

Dehors, il *(faire)* terriblement sombre. Je contemplai un moment, par la fenêtre, les énormes flocons qui *(descendre)* sans trêve et *(se coller)* parfois un instant à la vitre. Je me *(sentir)* envahi par de sombres pressentiments. Ils *(être)* si beaux, si purs, ces papillons blancs ! Mais ils *(tomber)* si dru, comme s'ils *(provenir)* de quelque réserve inépuisable, et leur innocence même *(avoir)* quelque chose de mortellement dangereux.

Alan Wildsmith, *Un hiver aux arpents,*
trad. R.-M. Vassalo, © Flammarion Jeunesse.

Choisis la conjugaison correcte des verbes entre parenthèses. Explique chacune de tes réponses.

a. Une grande majorité des enfants *(apprécie/apprécient)* le chocolat.

b. La plupart des Français *(possède/possèdent)* un ordinateur.

c. La totalité de mes courses *(ira/iront)* aux associations caritatives.

d. Tout le monde *(aime / aiment)* ma nouvelle coupe.

J'écris ✐

19 ✶ **À la manière de Pierre Ferran, raconte ce que les ouvriers devraient faire au lieu de dormir !**

Attention, chantier !

Le vitrier dort,

Les maçons sommeillent,

Le serrurier ronfle,

L'architecte rêve,

Les peintres reposent,

Les menuisiers somnolent, […]

Pierre Ferran, dans J. Charpentreau,
La Nouvelle Guirlande de Julie,
coll. « Enfance heureuse », © Éditions ouvrières /
Éditions de l'Atelier, 1976.

Le menuisier plante des clous, les vitriers posent des carreaux…

20 ✶✶ **Explique ce qui se passe sur cette image en utilisant au moins trois verbes conjugués au présent.**

L'accord de l'attribut du sujet

Cherchons

Briséis et Alexandre campent près de l'étang de Citis, lieu d'évènements étranges.

Tandis que Briséis pelait poétiquement ses pommes de terre, Alexandre, les mains grasses de beurre, tartinait fébrilement d'énormes tranches de pain. L'air s'emplissait du parfum du chocolat chaud. Au pied de la colline, **l'étang** de Citis paraissait plus bleu que les autres matins. Mais **Alexandre** restait insensible à ces délices, **il** était bien trop soucieux, et les regards furtifs qu'il jetait tantôt sur la tente, tantôt vers le rempart trahissaient justement sa double angoisse.

Nicole Ciravégna, *Les Tambours de la nuit*,
« Classiques et contemporains », © Magnard.

- Relevez dans le texte les verbes d'état, leur sujet et leur attribut du sujet.
- Remplacez *l'étang* par *la mer*, puis par *les sources* ; *Alexandre* par *Alexandre et Briséis*, il par *ils*, puis *elles*. Que remarquez-vous ?
- Quelle règle d'accord de l'attribut du sujet pouvez-vous en déduire ?

Je retiens

- **L'attribut du sujet** donne une **information** sur le **sujet**. Il est relié au sujet par un **verbe d'état** : *être, paraitre, devenir, demeurer, sembler, rester.*

  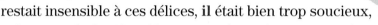

  Alexandre | restait | insensible.
  sujet | verbe d'état | attribut du sujet

- **L'attribut du sujet** (adjectif qualificatif, nom ou groupe nominal) **s'accorde** en **genre** et en **nombre** avec le **sujet**, sur le même modèle qu'un participe passé employé avec l'auxiliaire *être.*

  Il était *soucieux ; elle* était *soucieuse ; elles* étaient *soucieuses.*

Identifier l'attribut du sujet

1 ⭐ Dans chaque phrase, encadre le verbe d'état en rouge et souligne le sujet et l'attribut du sujet en bleu. Indique leur genre et leur nombre.

a. Cet artiste est devenu célèbre à trente ans.

b. Éliette était soucieuse : son frère paraissait grippé.

c. Cette rue devient très bruyante, j'ai hâte de déménager.

d. Les melons paraissent sucrés et savoureux cette année.

e. Avec cette lampe de poche, Marc et Léo seront plus sûrs d'eux pour rentrer la nuit.

2 ⋆ **Ne recopie que les phrases qui contiennent un attribut du sujet.**

a. Le marchand de journaux est en face de notre immeuble.

b. Le marchand de journaux est ouvert tous les jours sauf le lundi.

c. Les problèmes me paraissent toujours compliqués quand je les lis.

d. Ces revues paraissent une fois par mois.

e. Élise reste toujours impressionnée à la vue des araignées.

f. Notre chat restera chez les voisins pendant les vacances.

Accorder l'attribut du sujet

Défi langue

Qui se cache derrière chaque pronom personnel en gras ? *Un garçon, des garçons, une fille, des filles, une fille et un garçon, des filles et des garçons…?* Explique chacune de tes réponses.

a. **Je** suis déçue par ma note.

b. **Tu** parais toujours joyeux sans raison.

c. Ta mère et moi demeurerons inflexibles : **tu** es privée de ta tablette toute la semaine.

d. Les enfants, êtes-**vous** rangés deux par deux ? dit la maitresse.

e. **Nous** sommes épuisées, quelle journée !

3 ⋆ **Complète chaque phrase avec un sujet qui convient.**

N'oublie pas les majuscules en début de phrase.

a. … demeurait muette devant ce spectacle.

b. … semblèrent ravies après cette journée.

c. … restera enfermé tout le weekend.

d. … sont toujours impatients à l'arrivée des vacances.

e. En hiver, … deviennent toujours bleus de froid.

f. … sont amarrés au port depuis une semaine à cause du mauvais temps.

4 ⋆⋆ **Accorde, si nécessaire, l'attribut du sujet entre parenthèses.**

a. Le mont Blanc est moins (*haut*) que l'Everest.

b. Les frites sont plus (*gras*) que les légumes.

c. Les bananes sont (*sucré*) et les citrons (*acide*).

d. Les tarentules sont aussi (*dangereux*) que les mygales.

e. Mes tomates sont (*meilleur*) que celles du supermarché.

f. L'atmosphère de ce château est (*pesant*).

5 ⋆⋆ **Remplace le sujet en gras par le sujet entre parenthèses et effectue les transformations nécessaires.**

a. **Mon appartement** sera repeint pendant les vacances. (*Ma chambre*)

b. **Cette rue** reste bruyante et agité même la nuit. (*Ce quartier*)

c. **L'eau de la rivière** paraissait limpide et pure. (*Les eaux*)

d. **Éric** est devenu appliqué et autonome au début du CM2. (*Elsa et Perrine*)

e. **Les exercices de maths** me paraissent toujours compliqués. (*Les leçons de maths*)

f. **Sybille** parait heureuse depuis qu'elle a changé d'école. (*Paul et Rachid*)

6 ⋆⋆ **Complète chaque phrase avec un attribut du sujet correctement accordé.**

a. Depuis son dixième anniversaire, Lucie est plus … .

b. Nous deviendrons … si nous travaillons dur.

c. Les pommiers paraissent plus … que … .

d. Inventée par Gutenberg, l'imprimerie fut … .

e. En voiture, Simon semblait toujours … .

f. Ces fruits semblent … pour la saison.

J'écris

7 ⋆ **Décris un ou une camarade en utilisant des attributs du sujet.**
Axel est grand et brun. Il semble toujours joyeux…

L'accord du participe passé

Cherchons

a. Je suis née dans la bibliothèque du château, où j'ai rongé beaucoup de papier !

b. Les humains, qui nous avaient entendus, ont posé des pièges partout dans la maison.

c. Les graines que j'ai grignotées m'ont donné le hoquet : j'ai peut-être été empoisonné !

d. Nous avons trotté jusqu'à notre trou et attendu que le chat s'en aille : nous étions affolées.

- Cherchez qui parle dans chaque phrase : un rat, plusieurs rats, une souris, plusieurs souris ?
- Quels mots vous ont permis de repérer le genre et le nombre des personnages ?
- Comment pouvez-vous expliquer l'accord de ces mots ?

Je retiens

- Employé **avec l'auxiliaire *être*, le participe passé s'accorde** en **genre** et en **nombre avec le sujet** :

    La petite souris est née dans la bibliothèque.

    <small>GN sujet   participe passé
fém. sing.   fém. sing.</small>

- Employé **avec l'auxiliaire *avoir*, le participe passé ne s'accorde jamais avec le sujet** : *Nous avons trotté.*

- Lorsqu'un **participe passé** est employé **sans auxiliaire**, il s'accorde en **genre** et en **nombre** avec le nom auquel il se rapporte : *Les graines grignotées.*

Accorder les participes passés employés avec l'auxiliaire être

1 * Écris ces verbes au passé composé avec le sujet demandé.

a. Matthieu (*tomber*).

b. Les médecins (*arriver*).

c. Juliette et Esther (*partir*).

d. Mme Dubreuil (*sortir*).

e. Antonin et Lina (*entrer*).

f. Julie (*rester*).

2 ** Écris les phrases au pluriel.

*Tu es **allé** à la patinoire. → Vous êtes **allés** à la patinoire.*

a. Quand est-elle sortie ?

b. Je suis tombée dans la cour.

c. Il est parti après le repas.

d. Es-tu allé à la campagne ?

e. Je ne suis pas venue pour cela !

3 ✳✳✳ **Réécris les phrases en remplaçant le sujet en gras par le sujet entre parenthèses.**

a. **La chambre** sera rangée et nettoyée. (*Les dortoirs*)

b. **L'arbre centenaire** a été abattu par les bucherons. (*Les chênes*)

c. **Les élèves** étaient allés visiter ce musée. (*La classe*)

d. **L'oiseau** est installé dans son nid. (*Les oiseaux*)

e. **Ces cordes à sauter** ont été retrouvées sur le terrain de sport ! (*Ces ballons*)

Accorder les participes passés employés avec l'auxiliaire avoir

4 ✳ **Écris les phrases au singulier.**

Nous avons joué tout l'après-midi.

→ *J'ai joué tout l'après-midi.*

a. Elles ont bronzé au soleil.

b. Où avez-vous passé les vacances ?

c. Nous avons enregistré l'émission.

d. Avez-vous vu ce nouveau film ?

e. Ont-ils lavé la vaisselle ?

5 ✳✳ **Conjugue les verbes en gras au passé composé.**

a. Je **gare** la voiture devant le garage.

b. Nous **passons** nos vacances à la montagne.

c. Quel papier peint **choisissent**-ils pour le salon ?

d. Luc **range** sa trousse neuve dans son cartable.

e. Vous **utilisez** tous ces outils pour réparer mon vélo !

Accorder les participes passés en fonction de l'auxiliaire

6 ✳✳ **Remplace les sujets en gras par les sujets entre parenthèses.**

a. **Caroline et Fanny** sont allées au cinéma. (*Stéphane et Thomas*)

b. **Mes frères** ont rangé le garage, puis sont allés faire du vélo. (*Ma mère*)

c. Avez-**vous** réussi à finir ce coloriage ? (*tu*)

d. **Les élèves de Mme Beaugrand** sont partis en classe de découverte la semaine dernière. (*La classe de CM2*)

---

7 ✳✳✳ **Accorde si nécessaire les participes passés entre parenthèses.**

Ils étaient (*resté*) à Saint-Hippolyte au début des événements, n'ayant à priori rien à craindre des Allemands. Et puis, une nuit, ils ont été (*réveillé*) par deux soldats. Ils étaient furieux, et ont (*fouillé*) dans toute la maison. Le couple dormait au rez-de-chaussée, et leurs deux enfants en bas âge à l'étage. Ils n'ont pas été (*inquiété*), mais cette visite les a terrorisés. Le lendemain, ils pliaient bagage.

Francisco Arcis, *Le Mystère du marronnier*, © Magnard.

Accorder le participe passé employé sans auxiliaire

8 ✳ **Accorde correctement le participe passé des verbes entre parenthèses.**

a. les pommes et les poires (*tomber*)

b. une dinde (*farcir*) aux marrons

c. la piscine (*fermer*)

d. la viande (*griller*) au barbecue

e. les feuilles (*jaunir*)

f. les châtaignes (*fendre*)

Défi langue

Choisis la bonne orthographe des participes passés et explique chacun de tes choix.

a. Les enfants ! Où êtes-vous donc (*passé-passés-passée-passées*) ?

b. Où as-tu (*caché-cachée-cachés-cachées*) la surprise pour Papy ?

c. Par où sont-elles (*parti-partie-partis-parties*) ?

d. Nous avons (*apporté-apportée-apportés-apportées*) des disques pour la fête.

J'écris ✏

9 ✳ **Des souris sont entrées dans le grenier ! Raconte au passé composé leurs méfaits et leurs aventures !**

Les souris ont grignoté... Elles sont passées par un petit trou dans le plancher...

Participe passé en -*é* ou infinitif en -*er* ?

Cherchons

On va **inaugurer** une statue dans le quartier de l'école, et nous on va **défiler**. C'est ce que nous a dit

le directeur quand il est **entré** en classe ce matin et on s'est tous **levés**, sauf Clotaire qui dormait et il a été puni. Clotaire a été drôlement **étonné** quand on l'a **réveillé** pour lui dire qu'il serait en retenue jeudi. Il s'est mis à **pleurer** et ça faisait du bruit et moi je crois qu'on aurait dû **continuer** à le **laisser** dormir.

René Goscinny et Jean-Jacques Sempé, extrait de « Le défilé », *Les Récrés du Petit Nicolas*, IMAV éditions, 2013.

- **Quel est le point commun des mots en couleur ?**
- **Remplacez** *inaugurer* par *construire* et *étonné* par *surpris*.
- **Proposez maintenant une méthode pour ne pas confondre l'infinitif et le participe passé des verbes en -*er*.**

Je retiens

- Il ne faut pas confondre le **participe passé** des verbes en -*er* (1er groupe) en -*é*, -*és*, -*ée*, -*ées* avec l'**infinitif** en -*er*.

- Pour savoir si un verbe est au participe passé ou à l'infinitif, on peut le **remplacer par un verbe** comme *prendre, conduire, partir* (3e groupe)… pour entendre la **syllabe finale**.

On va **inaugurer** une statue. Il est **entré** en classe.
     (prendre)   (conduit)
     infinitif   participe passé

- Si le verbe est au participe passé, il ne faut pas oublier de l'accorder selon les règles.

Remplacer les infinitifs et les participes passés

1 * Remplace le verbe en gras par l'une des formes entre parenthèses.

a. Florent est **parti** manger. (*aller/allé*)

b. Camille et Vanessa ont **mis** des graines dans ce pot. (*semer/semé*)

c. Quand vas-tu **cueillir** les cerises ? (*ramasser/ramassé*)

d. Leïla n'a pas **vu** les rosiers en fleur ! (*regarder/regardé*)

2 ** Remplace le verbe *dire* par un synonyme de la liste que tu mettras à l'infinitif ou au participe passé.

prononcer • annoncer • réciter • exprimer

a. Thomas nous a dit qu'il allait partir quelques jours.

b. Cet élève n'a aucune difficulté à dire son texte de poésie.

c. Quand va-t-il dire son discours ?

d. Diane a dit à tous ses amis son bonheur de les revoir.

3 ✶✶ **Transforme les phrases comme dans le modèle.**

Pose ton stylo. → *Tu dois poser ton stylo.*
→ *Je l'ai déjà posé.*

a. Répare ton vélo.

b. Range ton bureau.

c. Allume ton ordinateur.

d. Appelle ton grand-père.

e. Envoie ce colis.

4 ✶✶ **Remplace les infinitifs et les participes passés en gras par des synonymes correctement accordés.**

a. Nous n'avons pas **mangé** le reste des fruits !

b. Elle s'est **regardée** dans la glace.

c. **Effrayés** par le grondement de l'orage, les moutons essayaient de **s'échapper** de leur enclos.

d. Mamie aime **sommeiller** devant la télévision ; elle se sent **reposée** ensuite.

e. Elle a **porté** cette robe pour le mariage de Pierre et Lila.

Orthographier correctement les verbes

5 ✶ **Complète les phrases avec l'infinitif ou le participe passé du verbe proposé.**

jouer • joué

a. Nous avons … longtemps dans la cour ce matin !

b. Veux-tu … aux billes avec moi ?

c. Il ne faut pas … sur la pelouse lorsqu'il a plu.

d. Laura a très bien … son morceau de piano cet après-midi.

e. J'ai appris à … aux osselets.

6 ✶✶ **Écris la terminaison des verbes en accordant le participe passé, si nécessaire.**

a. Vous auriez gagn… s'il n'avait pas trich… !

b. Elles n'ont même pas encore commenc… !

c. Solange est couch… depuis une heure !

d. On ne peut plus pass…, la prairie est inond… .

e. Va-t-elle pouvoir rentr… ?

7 ✶✶✶ **Complète les phrases avec l'infinitif en -*er* ou le participe en -*é* des verbes.**

« Holà ! On dirait que tu viens de rencontr… le diable en personne !

Je dois en effet avoir conserv… sur le visage tout mon étonnement.

– Tu ne crois pas si bien dire, je lui lance, essouffl… .

– Quoi, tu as vraiment rencontr… le diable ? plaisante-t-il, le ton faussement sérieux.

– Écoute, François, il faut que je te montre quelque chose d'incroyable. Mais il faut d'abord me promettre de n'en parl… absolument à personne. Je suis sérieux, c'est un truc que tu ne peux même pas imagin… »

Francisco Arcis, *Le Mystère du marronnier*, © Magnard.

Défi langue

Choisis la bonne orthographe en expliquant chacun de tes choix.

terminer • terminés • terminée • terminées

a. Les tartes ont été … en un clin d'œil !

b. Les devoirs sont …, je peux jouer dans ma chambre.

c. La pièce de théâtre est …, nous pouvons rentrer.

d. Faut-il … cet exercice avant ce soir ?

J'écris

8 ✶ **Décris la scène. Choisis des verbes en -*er* (1er groupe) au passé composé ou le verbe *aller* suivi d'un infinitif.**

Ils ont plongé…, elles vont sauter…

Je révise

Reconnaitre les éléments du GN

1 ✳ Souligne le nom noyau de chaque groupe nominal. Indique son genre et son nombre.

a. ma grande cape noire et chaude

b. des enfants polis et respectueux

c. de trop longs exercices grammaticaux

d. quelques longs après-midis pluvieux

e. les mignonnes petites souris grises

2 ✳ Souligne tous les adjectifs qui qualifient le nom noyau en gras.

a. Immense et respectée, la très célèbre **actrice** salua son public.

b. Accablés par la chaleur, les **randonneurs** assoiffés se rafraichissaient à la fontaine.

c. Mon cousin est un **enfant** grognon, paresseux, impoli et irascible !

d. Trempés par l'averse, les **touristes**, fatigués par leur journée, se réfugient, soulagés, dans un café.

Accorder les groupes nominaux

3 ✳ Accorde, lorsque cela est nécessaire, les noms et les adjectifs entre parenthèses.

Je n'ai à la (maison) que deux (chien), quatre (chat), six (petit) (lapin), deux (perruche), trois (canari), un (perroquet) (vert), une (tortue), un (bocal) (plein) de (poisson) (rouge), une (cage) (plein) de (souris) (blanc) et un (vieux) (hamster) complètement gaga ! Je veux un (écureuil) !

Roald Dahl, *Charlie et la chocolaterie*, trad. É. Gaspar,
© Éditions Gallimard, © R. Dahl Nominee Ltd.

4 ✳✳ Écris les groupes nominaux au masculin singulier.

a. mes meilleures amies d'enfance

b. ces vitraux médiévaux somptueux

c. ces juments noires et ombrageuses

d. ses douloureux genoux égratignés

5 ✳✳ Remplace le nom en gras par celui entre parenthèses, puis accorde ce nouveau groupe nominal.

a. un joli **chemin** frais et ombragé (*une allée*)

b. un **garçon** agressif et querelleur (*une fillette*)

c. un **appartement** coquet et soigné (*une maison*)

d. un long **roman** passionnant (*une histoire*)

e. un joyeux **piquenique** estival (*une fête*)

6 ✳✳ Accorde les adjectifs entre parenthèses avec le nom en gras.

a. des **patries** (*natal et lointain*)

b. des **poutres** (*gros et inégal*)

c. les **cyclistes** (*dernier et épuisé*)

d. des **vaisseaux** (*spatial et interplanétaire*)

e. des **pays** (*équatorial et immense*)

f. les **peintures** (*ancien et coûteux*)

7 ✳✳ Complète chaque nom noyau en gras avec un adjectif qualificatif de ton choix.

Après cette **pluie** …, la nature resplendissait. Un **soleil** … réchauffait l'atmosphère. Les … **oiseaux** gazouillaient et les **feuilles** … s'égouttaient. Le **chemin** … serpentait entre les **talus** …. Le **ciel** très … était lavé des **nuages** … de l'**heure** … . On pouvait commencer une … **chasse** aux escargots !

Accorder le verbe avec le sujet

8 ✳ Mets le sujet en gras au pluriel et accorde correctement le verbe.

a. **La guêpe** surgit devant la vitre.

b. **Ma sœur** cueille les tomates du jardin.

c. **Ce poissonnier** vend de magnifiques dorades.

d. **Mon voisin** meurt d'envie d'aller en Chine.

e. **La bourrasque** secoue l'arbre avec violence.

f. **La serveuse** met les couverts sur la table.

9 * Remplace le sujet en gras par le sujet entre parenthèses, puis accorde le verbe.

a. **Le médecin** recommande un nouveau médicament. *(Le médecin et son infirmière)*

b. **Le chant du coq** retentit au petit matin. *(Le chant du coq et l'aboiement d'un chien)*

c. **Ma mère** prépare un délicieux poulet rôti aux herbes. *(Ma mère et mon père)*

d. **La balle** rebondit contre le mur. *(La balle et le ballon)*

e. **Sylvain** organise un voyage au Vietnam. *(Sylvain et Lucie)*

Accorder l'attribut du sujet

10 * Choisis l'orthographe correcte de l'adjectif entre parenthèses.

a. Les juments sont *(fougueux/fougueuse/fougueuses)*.

b. Les tigres semblent *(puissant /puissants)* mais leur espèce est *(menacé/menacée/menacés)*.

c. La girafe est *(haut/haute)* et *(tacheté/tachetée)*.

d. Le rhinocéros est hélas *(chassé/chassés)* pour sa corne et est devenu très *(rare/rares)*.

11 ** Accorde correctement l'adjectif en italique.

a. Le blé et l'avoine étaient *mûr*.

b. Le frère et la sœur semblaient *fâché*.

c. Le bracelet, le collier et la bague sont *doré*.

d. L'épingle et l'aiguille étaient *pointu*.

e. La jupe et le pantalon sont *noir*.

f. La poire et la pomme paraissent *pourri*.

Accorder le participe passé

12 * Accorde les participes passés.

a. la porte et la fenêtre fermé…

b. le camion et la voiture embourbé…

c. le pêcher et l'abricotier fleuri…

d. la lampe et le plafonnier éteint…

e. mon animateur et mon animatrice préféré…

---

13 * Accorde si nécessaire le participe passé entre parenthèses.

a. Nous avons *(lu)* tous ces livres. • La lettre des correspondants est *(lu)* devant toute la classe.

b. Les vagues ont *(battu)* la côte toute la nuit. • Les Français sont *(battu)* en finale.

c. Mamie a *(mangé)* tous les chocolats ! • La tarte a été *(mangé)* en deux minutes !

d. Ma voiture sera *(réparé)* demain. • Elles ont *(réparé)* ce vieux poste de radio.

Distinguer l'infinitif du participe passé

14 * Complète chaque phrase avec le participe passé ou l'infinitif qui convient.

a. *(remarqué/remarquer)* Le général Bonaparte s'est fait … par ses victoires.

b. *(sacré/sacrer)* Le 2 décembre 1804, Bonaparte se fait … empereur sous le nom de Napoléon Ier.

c. *(exécuté/exécuter)* Il fait … de grands travaux : routes, ponts, canaux.

d. *(remporté/remporter)* Entre 1805 et 1809, il a … de nombreuses batailles.

e. *(déporté/déporter)* Après la défaite de Waterloo, il est … par les Anglais sur l'ile de Sainte-Hélène.

f. *(causé/causer)* Les guerres napoléoniennes ont … des millions de morts.

---

15 *** Complète les verbes par -er, -é, -és, -ée, ou -ees.

a. À l'aéroport Charles-de-Gaulle, les passagers sont transport… à partir d'un terminal.

b. Le terminal peut être reli… à un satellite d'embarquement pour recevoir plus d'avions.

c. Seules les marchandises couteuses sont expédi… par avion.

d. Les contrôleurs aériens donnent l'ordre aux avions de décoll… ou de se dirig… vers les pistes ou les terminaux.

e. L'une des pistes est réserv… au décollage : les avions ont besoin d'une longue distance pour décoll…

Ce que je dois savoir à la fin de mon CM2

Connaitre le féminin des noms et des adjectifs

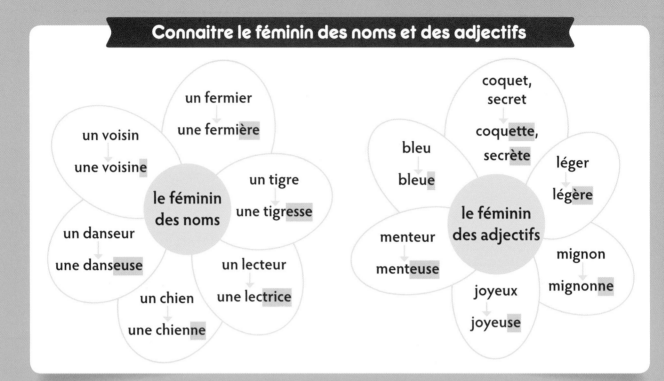

un fermier → une fermière

un voisin → une voisine

un tigre → une tigresse

le féminin des noms

un danseur → une danseuse

un lecteur → une lectrice

un chien → une chienne

coquet, secret → coquette, secrète

bleu → bleue

léger → légère

le féminin des adjectifs

menteur → menteuse

mignon → mignonne

joyeux → joyeuse

Connaitre le pluriel des noms et des adjectifs

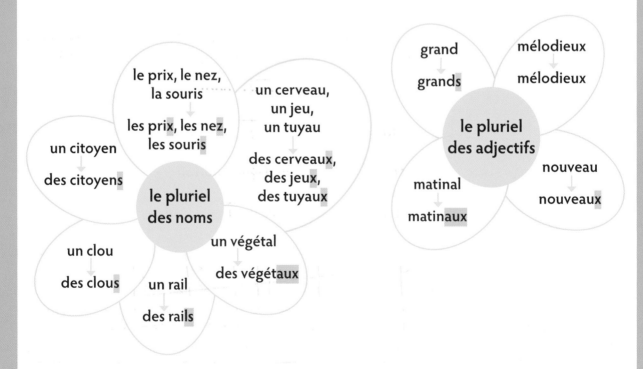

le prix, le nez, la souris → les prix, les nez, les souris

un cerveau, un jeu, un tuyau → des cerveaux, des jeux, des tuyaux

un citoyen → des citoyens

le pluriel des noms

un clou → des clous

un végétal → des végétaux

un rail → des rails

grand → grands

mélodieux → mélodieux

le pluriel des adjectifs

matinal → matinaux

nouveau → nouveaux

Accorder les éléments du groupe nominal

Dans le groupe nominal, les déterminants et les adjectifs qualificatifs s'accordent en genre et en nombre avec le nom noyau.

le petit chien noir — masculin / singulier

les petits chiens noirs — masculin / pluriel

la petite chienne noire — féminin / singulier

les petites chiennes noires — féminin / pluriel

Accorder le verbe avec le sujet

Le cyclone (sujet au singulier) emporte (verbe au singulier) tout sur son passage.

Le cyclones (sujet au pluriel) emportent (verbe au pluriel) tout sur leur passage.

Le cyclone (sujet 1 au singulier) et le tremblement de terre (sujet 2 au singulier) sont (verbe au pluriel) des catastrophes naturelles.

Le cyclone (sujet au singulier) tourne (verbe 1 au singulier) et emporte (verbe 2 au singulier) tout sur son passage.

La rivière (sujet placé avant le verbe) déborde (verbe). Déborde (verbe) -t-elle (sujet placé après le verbe) ? La rivière, grossie par les pluies, (sujet éloigné du verbe) déborde (verbe).

Accorder l'attribut du sujet et le participe passé employé avec être

Il était matinal. (attribut du sujet)
Elle était matinale.
Ils étaient matinaux.
Elles étaient matinales.

Il est parti. (participe passé)
Elle est partie.
Ils sont partis.
Elles sont parties.

Distinguer l'infinitif et le participe passé

Pour distinguer l'infinitif et le participe passé des verbes en **-er** (chanter et chanté), il faut remplacer le verbe en **-er** par un verbe en **-dre** comme prendre.

J'ai (mangé/manger) une pomme. → J'ai pris /prendre une pomme. → J'ai **mangé** une pomme.

Chercher un mot dans le dictionnaire

périple

périple **n. m.** Long voyage où l'on passe par beaucoup d'endroits. *Le journaliste raconte son périple en Grèce.*

périr, **périssant**, **péri** **v.** Mourir, disparaitre. *Beaucoup de gens ont péri dans l'incendie. Le souvenir de cet acte héroïque ne périra jamais.* SYN. s'effacer.

▶ REM. Ce mot appartient à la langue soutenue.

périscope **n. m.** Appareil composé d'un tube et d'un système d'optique qui permet de voir par-dessus un obstacle. *Les sous-marins sont équipés d'un périscope.*

HISTOIRE DU MOT Vient du grec *peri* qui signifie « autour » et *skopein*, qui signifie « regarder ».

périssable **adj.** *Des produits périssables ne se conservent pas longtemps. La viande, le poisson, les fruits sont des denrées périssables.*

Dictionnaire *Super major*, © Larousse, 2015.

- Comment sont classés les mots de cet extrait de dictionnaire ?
- Quand tous les mots commencent par la même lettre, comment fait-on pour les classer ?
- Comment appelle-t-on le mot écrit en haut à gauche d'une page de dictionnaire ?
- Listez toutes les informations que peut apporter un dictionnaire.

Je retiens

- Pour chercher dans un dictionnaire, il faut bien connaitre l'**ordre alphabétique**. Les premier et dernier mots écrits en haut à gauche et à droite d'une double-page de dictionnaire s'appellent des **mots repères**.

- Dans un dictionnaire, les verbes apparaissent à l'infinitif (*périr*), les noms au singulier (*périple*) et les adjectifs d'abord au masculin singulier (*périssable*).

Classer les mots dans l'ordre alphabétique

1 ⋆ Classe ces mots dans l'ordre alphabétique.

a. caïman • couleuvre • chèvre • canard • chat • chien • crocodile • cheval • crevette • cygne
b. macareux • moule • mygale • moustique • mouche • macaque • murène • mouflon • mouette

2 ⋆ Recopie chaque liste en ajoutant le mot en gras à sa place dans l'ordre alphabétique.

a. humain : humaniser • humanitaire • humanité • humanoïde • humble • humecter
b. terrer : terrain • terrasse • terrassement • terrasser • terrassier • terre • terreau
c. entremets : entrée • entrefilet • entrelacer • entremise • entrepont • entreposer • entrepôt
d. décharge : déchainer • déchanter • décharger • décharné • déchausser • déchet

3 ✶✶ Souligne en rouge les mots qui sont situés avant le mot en gras et en bleu ceux qui sont situés après dans l'ordre alphabétique.

a. insensible : insensé • insignifiant • insecticide • insigne • inséparable • insister • insécurité

b. manie : manigancer • manifestement • manière • manioc • manipuler • manifester • manivelle

c. entremêler : entrevoir • entrecouper • entrecroiser • entrée • entrepôt • entrecôte • entreprendre

d. velours : veillée • vendange • velouté • vénéneux • vendre • vélodrome • véloce • vendeur

Défi langue

Dans chacune de ces listes, les mots sont-ils correctement classés par ordre alphabétique ? Explique pourquoi à chaque fois.

a. chagrin • chahut • chair • chaise • chainon

b. pupitre • purée • pureté • purifier • purger

c. mitoyen • mitrailler • mitron • mixture • mixte

d. cinq • cinquante • cinquantaine • cinquantenaire • cinquième

Savoir sous quelle forme sont les mots dans un dictionnaire

4 ✶✶ Trouve sous quelle forme apparaissent ces mots dans un dictionnaire puis indique la nature de chaque série de mots.

chantez → chanter → verbe

a. lançais • finissons • voudrez • saurai • iront • ont joué • sera • tiennent • changeront • viendra

b. gaies • soigneuses • folle • rousse • naïve • vieille • coquette • douce • nouvelles • entières

c. skieurs • chevaux • couteaux • travaux • chanteuse • cliquetis • poux • houx • épouse • lectrice

Utiliser les mots repères

5 ✶ Écris à chaque fois deux mots qui seraient placés entre les mots repères suivants.

a. naissance / naturaliser

b. capitale / caractéristique

c. arbre / arctique

d. licencier / lilas

e. tourisme / tracer

6 ✶✶ Écris un mot qui pourrait être placé avant les mots repères et un mot qui pourrait être placé après.

a. matinal /mèche

b. sécateur / secteur

c. palais / pancarte

d. rejet / relever

e. bougie / bourde

7 ✶✶ Indique où tu dois chercher le mot indiqué en fonction des mots repères donnés.

mots à chercher	mots repères	dans les pages	aller plus loin	revenir en arrière
couteau	*couper courir*		X	
fourchette	fourbu fourmi			
assiette	assis associer			
verre	verser vertical			
nappe	naitre nature			
serviette	service sévère			

J'écris

8 ✶ Écris une phrase dont le premier mot commence par la lettre *a*, le deuxième par la lettre *b*… Va le plus loin possible !

Alice boude car …

149

Utiliser un article de dictionnaire

> **vital, ale, aux adj.** ❶ Qui permet de maintenir un organisme en vie : *La respiration est une fonction vitale. Le minimum vital est la quantité de nourriture nécessaire pour survivre.* ❷ Qui est absolument nécessaire. *Il est vital pour toi de réussir cet examen.* SYN. capital, essentiel. *L'existence de cette usine est vitale pour la région.* SYN. crucial.

Dictionnaire *Super major*, © Larousse, 2015.

- Que signifient les abréviations *adj.* et *syn.* ?
- Quand utilise-t-on l'écriture en italique ?
- Quelle est la classe grammaticale du mot *vital* ?
- Comment écrit-on *vital* au féminin ? au pluriel ?

Je retiens

- On utilise un dictionnaire pour :
  – vérifier l'**orthographe** d'un mot ;
  – trouver la **classe grammaticale** (ou nature) d'un mot ;
  – comprendre les **différents sens** d'un mot inconnu ;
  – connaitre la **prononciation** d'un mot ;
  – chercher des **mots de la même famille**, des **synonymes** ou des **contraires** ;
  – connaitre l'**origine** d'un mot (étymologie).

Comprendre les abréviations utilisées dans un dictionnaire

1 * Donne la signification de ces abréviations.
a. v. · interj.
b. adj. · adv.
c. n. m. · prép.
d. fam. · n. f.
e. contr. · syn.
f. abrév. · lat.

2 * À l'aide d'un dictionnaire, écris l'abréviation correspondant aux mots suivants.
a. exclamation · interrogation
b. histoire · géographie
c. littéraire · populaire
d. exemple · environ
e. invariable · figuré
f. pronom · conjugaison

3 ** Cherche le genre de ces noms dans un dictionnaire.
pétale · pédale · espèce · hippocampe · réglisse · omoplate · aparté · atmosphère · planisphère · équinoxe · solstice · icône · effluve · aspect · incident · anicroche · étincelle

4 ** Souligne en vert les mots qui sont à la fois noms et verbes et en noir ceux qui sont noms et adjectifs.

Aide-toi du dictionnaire.

aller · devoir · bas · battant · bête · boucher · calme · capital · centenaire · chouette · commode · complexe · louche · noyer

Lire un article de dictionnaire

5 Lis ces articles de dictionnaire et complète les questionnaires.

A

> **1. domestique adj.**
> ❶ Qui concerne la maison, le ménage : *les travaux domestiques.* SYN. ménager. *Les accidents domestiques.* ❷ *Un animal domestique* vit auprès de l'homme et lui obéit. CONTR. sauvage
> HISTOIRE DU MOT Vient du latin *domus* qui signifie « maison » et que l'on retrouve dans *domicile.*
> **2. domestique n.** Personne employée pour le service, l'entretien d'une maison.
> ▶ REM. Ce mot ne s'emploie plus beaucoup, on dit aujourd'hui « employé de maison ».

Dictionnaire *Super major*, © Larousse, 2015.

a. Les classes grammaticales du mot *domestique* : …

b. Le nombre de sens de l'adjectif *domestique* : …

c. La définition du premier sens : …

d. Un des exemples du premier sens : …

e. Le contraire du deuxième sens : …

f. L'origine de l'adjectif *domestique* :…

g. Le nom donné aujourd'hui aux *domestiques* : …

B

> **Cervantès** Miguel de **(1547-1616)**
> Écrivain espagnol. Il perdit un bras à la bataille de Lépante face aux Turcs, fut capturé par des pirates, emprisonné à plusieurs reprises et fréquenta la cour du roi d'Espagne à la fin de sa vie. Auteur de pièces de théâtre et de courts récits, il est surtout célèbre pour ses romans satiriques et notamment pour son *Don Quichotte de la Manche.*
> ŒUVRES PRINCIPALES *Numance*, 1582 ; *Don Quichotte de la Manche*, 1605-1615 ; *Nouvelles exemplaires*, 1613.

Dictionnaire *Super major*, © Larousse, 2015.

a. Les dates de naissance et de décès de Cervantès : …

b. Son pays d'origine : …

c. Le roman qui l'a fait connaitre mondialement : …

d. Les genres d'œuvres littéraires qu'il a écrites : …

Vérifier l'orthographe d'un mot

6 Cherche dans un dictionnaire le nom des animaux dessinés et écris ces mots.

7 ★★ Écris correctement les mots qui répondent à ces définitions après avoir vérifié leur orthographe dans un dictionnaire.

a. C'est un spécialiste des oiseaux : l'orni… .

b. Mammifère herbivore à la peau coriace ayant une ou deux cornes sur le nez : le r… .

c. C'est un avion qui atterrit sur l'eau : l'…avion.

d. C'est le contraire de *vertical* : …al.

e. Liquide servant au lavage des cheveux : le … .

Connaitre les différents sens d'un mot

8 ★ Associe chaque nom à sa définition.

a. diadème

b. marmotter

c. corvette

....

1. Couronne garnie de bijoux.

2. Bâtiment de guerre à trois mâts.

3. Dire entre ses dents.

J'écris

9 ★ Pour chacun des mots inventés ci-dessous, écris un article tel qu'il pourrait apparaitre dans un dictionnaire. Note la classe grammaticale du mot, invente une définition et termine en écrivant une phrase d'exemple.

a. une tourniquette

b. abomifreux

c. une biotifoule

d. un formifiant

Les mots de la même famille

Cherchons

M. Brunner était un quinquagénaire* en fauteuil roulant électrique. Il avait les cheveux clairsemés, la barbe hirsute et une veste en tweed élimé qui sentait toujours le café. *A priori* pas le portrait-robot du type super cool, pourtant il racontait des histoires, plaisantait et nous faisait faire des jeux en cours. Comme, en plus, il avait une redoutable collection d'armes et d'armures romaines, c'était le seul professeur dont les cours ne m'endormaient pas.

*quinquagénaire : personne âgée de cinquante ans.

Rick Riordan, *Percy Jackson*, t. 1, *Le Voleur de foudre*, trad. M. de Pracontal, © Albin Michel Jeunesse.

- Dans ce texte, trouvez les deux mots qui se ressemblent.
- Sont-ils de la même famille ? Pourquoi ?
- Trouvez d'autres mots de cette famille.

Je retiens

- Les mots qui ont un **radical commun** appartiennent à la **même famille**.

  arme, **arm**ure, dés**arm**er

- Le radical peut se modifier selon la **conjugaison du verbe d'origine** ou selon **l'origine latine du mot**.

  boire
  - je **bois** → **bois**son
  - nous **buv**ons → **buv**able

  la **nuit**
  - une **nuit**ée
  - **noct**urne (de **noct**is en latin).

! Certains mots peuvent avoir un radical identique mais ne pas être de la même famille.

  terre → **terr**itoire, en**terr**er   **terr**eur → **terr**ifiant

- **Chercher les mots d'une même famille** (ou mots dérivés) peut aider à :
- connaitre l'**orthographe** d'un mot.
  - → po**mm**ier s'écrit avec **-mm-** comme po**mm**e.
  - → *lait* s'écrit avec un **-t-** qu'on entend dans *laitier*.
- comprendre le **sens** d'un mot.
  - → une *pommeraie* est un terrain planté de *pommiers*.

Reconnaitre les mots d'une même famille

1 * Recopie les listes de mots en supprimant l'intrus.

a. noir • noircir • noirceur • noirâtre • noircissement • noix

b. bleuté • bleuet • blouson • bleu • bleuâtre

c. rouge • infrarouge • routine • rougeoyer • rougeâtre • rougeole

d. ver • vert • verdure • verdâtre • verdir

2 ✶ Encadre le radical commun des mots de chaque famille.

a. lait • laitage • laiterie • laitier • allaiter • allaitement

b. laid • laideur • laideron • enlaidir • enlaidissement

c. terre • enterrer • terrestre • territoire • atterrir • souterrain

d. vol • envoler • survoler • volant • voleter • volière

e. volonté • volontairement • involontairement • volontaire • volontiers

3 ✶ Recopie huit mots de la famille de *couleur* cachés dans cette grille.

A	M	U	L	T	I	C	O	L	O	R	E
R	D	E	C	O	L	O	R	E	R	L	O
O	L	I	N	C	O	L	O	R	E	B	R
C	B	I	C	O	L	O	R	E	U	C	O
E	O	C	O	L	O	R	A	T	I	O	N
C	O	L	O	R	I	E	R	T	I	O	N
D	C	O	L	O	R	I	A	G	E	T	I

4 ✶✶ Recopie en bleu les mots de la famille de *sale* et en noir ceux de la famille de *sel*.

saler • salir • salant • saleté • salaison • salière • salissure • salement • salissant • salage

5 ✶✶ Retrouve et recopie les quatre familles de mots.

teinture • portant • peindre • teint • exporter • exister • repeindre • existence • porteur • coexister • peinture • teinturier • peintre • inexistant • transporter • déteindre

6 ✶✶✶ Associe les mots de la même famille. Attention, le radical change.
À l'aide des mots de la première colonne, écris le sens des mots de la seconde colonne.

a. mère	**1.** diurne
b. frère	**2.** nocturne
c. mer	**3.** altitude
d. haut	**4.** maritime
e. nuit	**5.** fratrie
f. doigt	**6.** maternité
g. jour	**7.** digital

Trouver des mots de la même famille

7 ✶ Cherche des mots de la même famille que les mots proposés. Donne la classe grammaticale de chacun des mots trouvés.
chaine → enchainer (verbe) ; enchainement (nom) ; enchainé (adjectif)

a. habiter
b. ranger
c. éclair

8 ✶✶ Complète le tableau avec des mots de la même famille, de différentes classes.

verbe	nom	adjectif
	accident	
aimer		
		simple
triompher		
	vie	

Défi langue

À ton avis, combien y a-t-il de familles de mots dans cette liste ? Explique ta réponse.

reliure – relire – lire – lier – liaison – lien – lisible – allié – lisiblement – relier

J'écris

9 ✶ À la manière de Luc Bérimont, écris un court texte comprenant plusieurs mots de la même famille.

Les pompiers

Les pompiers
Un jour d'incendie
Étaient à côté de leur pompe
Le pommier
Au vent de la nuit
Manquait de tomber dans les pommes […]

Luc Bérimont, *L'Esprit d'enfance,*
coll. « Enfance heureuse », © Éditions ouvrières /
Éditions de l'Atelier, 1980.

Les préfixes et les suffixes

Aldabra fait partie des Seychelles, c'est un lointain atoll de l'océan Indien, le plus grand atoll d'origine volcanique du monde. Je lus qu'il était devenu un sanctuaire, un refuge protégé où l'on veillait sur les tortues d'Aldabra, une race en voie d'extinction. *Geochelone gigantea*, tel est le nom de la créature préhistorique qui parcourait la planète avant même l'arrivée des dinosaures.

Silvana Gandolfi, *Aldabra : la tortue qui aimait Shakespeare*, trad. N. Bauer, © Seuil Jeunesse.

- ● Recherchez dans ce texte des mots formés sur les noms *volcan* et *histoire*, puis sur les verbes *courir* et *créer*.
- ● Comment ces mots sont-ils construits ?
- ● Comment s'appellent les éléments qui ont été ajoutés à ces mots ?

Je retiens

- ● On peut former un **mot dérivé** en ajoutant un **préfixe** ou un **suffixe** au **radical**.

  histoire → **pré**histoire → histor**ique**
  (préfixe)   (suffixe)

- ● **Les préfixes modifient le sens du mot**. Ils peuvent indiquer :

– le **contraire** (*il-, im-, in-, ir-, dé-, des-, dis-, mal-*).

  complet → **in**complet   *barbouiller* → **dé**barbouiller

– la **répétition** (*re-, ré-*).

  lire → **re**lire

- ● **Les suffixes modifient** :

– la **classe grammaticale** du mot.

  utile (adjectif) → *util**ité*** (nom), *util**iser*** (verbe)

– le **sens**.

  tour → *tour**elle*** (= petite tour), *fille* → *fill**ette*** (= petite fille)

  noir → *noir**âtre*** (sens péjoratif)

Reconnaitre les préfixes et les suffixes

1 * Classe ces mots dans le tableau selon que la première syllabe (*re-* ou *ré-*) est un préfixe ou appartient au radical.

re- est un préfixe	*re-* appartient au radical
refaire	*résine*

retenir • regard • reproduction • reposant • relais • repiquer • repeint • relief • relever • reçu • redescendre • repas • repasser • réglisse • retouche • réunir • répondre • revêtir • réinvestir

2 ** Classe les noms suivants en fonction du sens du préfixe qui exprime une quantité.
Bicyclette est à classer dans la colonne 2 car c'est un vélo à 2 roues.

1	2	3	4	10	beaucoup

unijambiste • trimestre • bipède • quadriréacteur • monoski • décalitre • quadrupède • multicolore • quadruplés • tricycle • bimensuel • polyculture • décathlon • bilatéral • trident • monosyllabe • quadrilatère • décamètre • multinational

3 ** Encadre le radical, puis souligne le préfixe et/ou le suffixe de chaque mot.

rectangulaire • dissymétrique • agrandissement • multiplicateur • fractionner • décroissant • proportionnel • décomposition • additionner

4 *** Trouve dans chaque liste le mot qui n'est pas formé d'un radical et d'un préfixe. Recopie les listes sans intrus, puis indique le préfixe commun des mots.

a. antidopage • anticyclone • antiatomique • antigel • antipoison • antilope
b. préfixe • préhistoire • prémolaire • préfet • prévenir • prédire
c. malsain • malade • malchanceux • maladroit • malhonnête • maltraité
d. Superman • supermarché • supercarburant • superbe • superstar • supersonique

5 *** Trouve dans chaque liste le mot qui n'est pas formé d'un radical et d'un suffixe. Recopie les listes sans intrus et indique le suffixe commun des mots.

a. pianiste • artiste • journaliste • piste • trapéziste • guitariste
b. savoyard • renard • campagnard • vieillard • chauffard
c. rasoir • plongeoir • lavoir • bougeoir • accoudoir • soir
d. enseignant • gagnant • habitant • participant • chant • récitant
e. craintif • plaintif • suif • définitif • impératif
f. imprimeur • décorateur • facteur • maquilleur • malheur

Utiliser les préfixes et les suffixes

6 * Associe les préfixes de la première colonne aux verbes de la deuxième colonne pour former des verbes dérivés.

a. dé-
b. re-
c. pré-
d. em-

1. faire
2. voir
3. mêler
4. couper
5. dire
6. mener
7. monter

7 * À l'aide des verbes et des suffixes, forme des noms dérivés.

verbes : piloter • naviguer • amuser • découper • bricoler • fabriquer
suffixes : -age • -ement • -ation

8 ** Utilise les suffixes suivants pour former des verbes dérivés :

-oter • *-ailler* • *-iller* • *-ouiller* • *-onner*
vivre • siffler • discuter • mordre • mâcher • gratter • trainer • chanter • tousser

Défi langue

Relève les mots dérivés de neuf parties du corps humain. Explique tes choix en nommant les parties du corps. Attention aux intrus !

œilleton • oreillette • oseille • affronter • agenouiller • digital • pédicure • pédiatre • boucherie • collier • couture • accoudoir • coudre • demain • manucure

J'écris

9 * Crée des noms qui n'existent pas en utilisant des préfixes et des suffixes.
La rigolation (au lieu de la rigolade).
Puis rédige les définitions de ces mots nouveaux.
La rigolation est une maladie des mâchoires qui oblige à rire en permanence.

Je révise

Chercher un mot dans le dictionnaire

1 ⋆ **Classe ces mots selon l'ordre alphabétique.**

a. ardu • ardoise • ardent • arbre • araignée • arrivée • armoire • armurier

b. devise • barbare • prévention • dériver • bredouille • perpétuel • permanent • détail

c. grimoire • grimace • agricole • gratter • guerre • grimacer • gredin • agreste

2 ⋆ **Recopie l'orthographe correcte de chaque mot en t'aidant d'un dictionnaire.**

a. amétriste • améthiste • améthyste

b. crisalide • crysalide • chrysalide

c. armonieux • harmonyeux • harmonieux

d. hortophoniste • orthophoniste • rothophoniste

3 ⋆ **Pour chaque abréviation, cherche trois mots dans un dictionnaire et recopie-les.**

a. n. f.   **b.** n. m.   **c.** adj.   **d.** adv.   **e.** v.

4 ⋆⋆ **Écris sous quelle forme tu trouveras ces mots dans le dictionnaire.**

a. institutrice • poteaux • locaux • tigresse • travaux • iront

b. belle • vécurent • coquette • naïves • joyeuse

c. molle • craignons • coraux • banale • baignons

d. active • burent • fit • cheveux • croisent

e. adroites • eut • soyeuses • vinrent • crut

5 ⋆⋆ **Recopie les mots qui se trouvent entre les mots repères en gras.**

a. ordinaire / organe : orfèvre, ordre, ordonnance, ordure, optimiste, oreille, organisation

b. corail / corneille : corde, coriace, coquin, corne, cormoran, cornemuse, cordial

c. miner / minute : ministre, minuit, minuscule, mincir, minuterie, miniature, minou

d. filament / filtre : filtrer, filage, fils, file, filer, fille

6 ⋆⋆ **Précise la classe grammaticale des mots en gras en t'aidant d'un dictionnaire.**

a. Les enfants travaillaient à l'usine jusqu'à 12 **ou** 14 heures **par** jour, avec **peu** de temps de repos. Ils se blessaient avec les machines, **parfois** mortellement. En 1841, le **travail** des moins de huit ans fut interdit en **France**.

b. À partir des années 1790, les machines à vapeur remplacèrent les machines mues par la **force** de l'eau. **Dans** les usines, le bruit était **assourdissant**. La fumée **rendait** les villes sales et insalubres.

La Grande Encyclopédie, © Éditions Gallimard Jeunesse, © Dorling Kindersley Ltd.

7 ⋆⋆ **Recopie pour chaque mot les définitions correctes.**

Aide-toi d'un dictionnaire. Attention, il peut y avoir deux définitions.

▶ **insigne** (n. f.) :

a. Marque extérieure et distinctive d'une dignité, d'un grade.

b. Ce que l'on fait comprendre sans le dire, sans l'affirmer. Fait d'insinuer.

c. Signe distinctif des membres d'un groupe ou d'un groupement.

▶ **dague** (n. f.) :

a. Construction servant à contenir les eaux marines ou fluviales.

b. Épée très courte ; poignard à lame très aigüe.

▶ **lutrin** (n. m.) :

a. Petit démon familier d'esprit malicieux ou taquin.

b. Pupitre sur pied, support oblique sur lequel on pose un livre encombrant et lourd pour le consulter commodément.

▶ **calotte** (n. f.) :

a. Épaisse couche de glace des régions polaires.

b. Petit bonnet rond qui ne couvre que le sommet du crâne.

▶ **rotule** (n. f.) :

a. Petit os plat et mobile situé à la partie inférieure du genou.

b. État d'une personne ou d'un héritage qui n'est pas noble.

c. Articulation formée d'une pièce sphérique tournant dans un logement, permettant la rotation dans toutes les directions.

▶ **harde** (n. f.) :

a. Troupeau de bêtes sauvages.

b. Instrument de musique formé d'un cadre triangulaire dans lequel sont tendues des cordes.

c. Mauvaise humeur qui se manifeste par un comportement agressif.

Trouver des mots de la même famille

8 ⋆ **Écris la classe grammaticale des mots de la même famille suivants.**

a. colle • décoller • décollage • collant

b. vert • reverdir • verdure • verdoyant

c. vent • venteux • paravent • venter

d. porter • emporter • portage • apport

e. suffire • suffisamment • suffisant • insuffisant

f. habitude • habituel • habituellement • habituer

9 ⋆⋆ **À partir du mot proposé, trouve d'autres mots de la même famille et de la classe demandée.**

verbe	nom	adjectif	adverbe
		lent	
servir			
vivre			
	paix		
			peureusement
			passionnément

10 ⋆⋆ **Écris le contraire des mots en ajoutant les préfixes** *in-, im-, il-, ir-, dé-* **ou** *dés-*.

a. intéressé • habiller • patient

b. imaginable • lisible • ordonné

c. réel • couper • légal

d. acceptable • palpable • hériter

e. équilibrer • habituel • régulier

11 ⋆⋆ **À l'aide des suffixes suivants** *-ette, -elle, -eau, -et, -on,* **trouve le nom dérivé de chaque nom proposé.**

Vérifie l'orthographe dans un dictionnaire.

un chat → *un chaton*

a. une malle • une tour • une souris

b. un canard • une gaufre • un garçon

c. un lapin • un sac • un renard

d. un âne • une fille • un éléphant

e. une poule • une cabine • un chat

f. une cabane • un lion • une cloche

12 ⋆⋆⋆ **Complète chaque phrase avec un mot appartenant à la famille du nom « son ». Souligne en bleu les préfixes et en vert les suffixes qui composent ces mots.**

Tu peux t'aider d'un dictionnaire.

a. Il faut appuyer très fort sur la … .

b. Dans la cour de la caserne, tous les matins, retentit la … du clairon.

c. Quasimodo était le … des cloches de Notre-Dame.

d. Ce violon a une belle … .

e. La musique va … dans toute la maison.

13 ⋆⋆⋆ **Complète chaque ensemble de phrases par des mots de la même famille.**

a. Le … envahit progressivement le nord de l'Afrique. • Peu d'animaux survivent dans cette région … .

b. Le vent m'a …, mes cheveux sont emmêlés. • Mes cheveux sont trop longs, il faut que j'aille chez le … .

c. Les Britanniques circulent à … de la chaussée. • Ma sœur est … mais se sert aisément de sa main droite.

d. Le maître a effectué la … du contrôle au tableau. • J'utilise souvent le … orthographique de mon ordinateur. • Jack a eu un comportement … avec l'animateur et a été puni.

Les noms génériques

Cherchons

Le sport

Les sports réunissant le plus vaste public en Amérique du Nord sont le **basket-ball**, le **base-ball**, le **football américain** et le **hockey sur glace**. Les footballs américain et canadien obéissent à des règles différentes du football européen. Le Mexique, en revanche, préfère la version européenne.

La Grande Encyclopédie, © Éditions Gallimard Jeunesse, © Dorling Kindersley Ltd.

- Relevez dans le texte le nom qui peut regrouper tous les noms en rouge.
- Cherchez d'autres noms pouvant compléter cette liste de noms en rouge.

Je retiens

- Un **nom générique** désigne une collection, un ensemble d'objets ou d'êtres vivants. Chaque élément de la collection est nommé **nom spécifique** ou **nom particulier**.

  métiers : *commerçant, enseignant, informaticien, médecin*
  nom générique — noms spécifiques ou particuliers

- On utilise soit les **noms génériques**, soit les **noms spécifiques** :
– pour **éviter les répétitions**.

  J'aime les **roses** *; ces* **fleurs** *parfument mon jardin.*
  nom spécifique — nom générique

– pour **regrouper différents éléments** dans les textes documentaires.

  La **Terre**, **Mars** *et* **Jupiter** *sont des* **planètes** *du système solaire.*
  noms spécifiques — nom générique

Identifier les noms génériques

1 ★ Relève le nom générique de chaque série.

a. pommier • érable • hêtre • arbre • chêne • cerisier

b. légume • courgette • aubergine • haricot • chou

c. ours • cerf • mammifère • chevreuil • lapin •

d. amour • haine • honte • joie • sentiment

e. géographie • français • discipline • mathématiques

2 * Souligne en vert le nom générique et en rouge les noms spécifiques.

Les États-Unis sont le berceau de plusieurs des styles de musique les plus populaires du monde, parmi lesquels le jazz, le rock and roll, le blues, le hip-hop et la country.

La Grande Encyclopédie, © Éditions Gallimard Jeunesse, © Dorling Kindersley Ltd.

Utiliser les noms génériques et spécifiques

3 * Trouve le nom générique correspondant à chaque liste de noms spécifiques.

a. abricot • pomme • prune • poire • fraise

b. péroné • tibia • humérus • cubitus • phalange • sternum

c. scie • marteau • pince • râpe • ciseau • lime

d. fourmi • abeille • guêpe • mouche • moustique • bourdon

e. tarte • éclair • religieuse • fondant • crumble • clafoutis

f. triangle • rectangle • cercle • carré • losange • hexagone

4 ** Écris cinq noms spécifiques pour chacun des noms génériques.

Attention aux majuscules, ce sont des noms propres.

pays • fleuve • département • massif montagneux • capitale • continent • ville

5 ** Remplace les noms spécifiques en gras par le nom générique qui leur correspond.

*Mes parents ont placé **un canapé, une table et des chaises** dans le salon. → Mes parents ont placé **des meubles** dans le salon.*

a. Je me suis blessé **le pouce, l'index et l'annulaire** en coupant du saucisson.

b. Il y a **des primevères, des anémones et des jacinthes** dans ce petit bouquet.

c. **Ce rose et ce bleu** se marient bien.

d. On ne place pas **le python, l'anaconda et le cobra** dans le même vivarium.

e. J'adore **le camembert, le chèvre et le cantal** !

6 ** Associe chaque nom générique à un nom spécifique.

a.
moyen de transport •   • cylindre
solide •   • polyamide
tissu •   • arbalète
arme •   • jonque

b.
poète •   • Pablo Picasso
peintre •   • Nijinski
danseur •   • Erik Satie
musicien •   • Arthur Rimbaud

7 ** Complète chaque phrase avec un nom générique auquel tu ajouteras une précision.

*La moto est **un véhicule qui possède deux roues**.*

a. Le tambour est un …

b. Le tyrannosaure est un …

c. L'aigle est un …

d. La tulipe est une …

8 *** Remplace les noms génériques en gras par trois noms spécifiques.

*On a arraché **trois dents** à mon grand-père !*
*→ On a arraché **une molaire, une incisive et une canine** à mon grand-père !*

a. Nous avons mangé **trois céréales différentes** au cours du repas.

b. Anaïs a tracé **trois quadrilatères**.

c. Il faut mettre **trois couverts** autour de l'assiette.

d. Pour sa recette, maman a acheté **trois sortes de poissons** chez le poissonnier.

J'écris

9 * Jeu du baccalauréat (deux joueurs minimum).

Tire une lettre de l'alphabet au hasard et remplis le plus vite possible ce tableau. Celui qui a fini le premier annonce ses mots, puis c'est au tour des autres joueurs. Quand deux joueurs ont mis le même mot, ils perdent le point. Tu peux varier les colonnes du tableau.

fleur	métier	arbre	animal	couleur

Les synonymes

Cherchons

Cubitus se vante de ne pas être un chien de race.

Cubitus, tome 39, *Tu te la coules douce…*, Dupa, © Le Lombard (Dargaud-Lombard s.a.), 2016.

- Relevez les adjectifs cités par Cubitus pour caractériser sa race.
- À votre avis, que veut dire « synonyme » ?

Je retiens

- Des mots qui signifient la **même chose** ou ont un **sens voisin** sont des **synonymes**.
*La race du chien Cubitus est **indéterminée**. La race du chien Cubitus est **imprécise**.*

- On utilise des synonymes pour **éviter les répétitions** ou **enrichir un texte** en apportant des nuances.
*Quelle délicieuse **odeur** ! C'est le **parfum** du chocolat !*

- Les mots synonymes ont la **même classe grammaticale** : le synonyme d'un nom est un nom, le synonyme d'un adjectif est un adjectif, etc.

- Selon le contexte, un même mot peut avoir des synonymes différents.
*une chambre **obscure** → une chambre **sombre***
*une idée **obscure** → une idée **incompréhensible***

Reconnaître des synonymes

1 * Classe les mots dans le tableau.

superbe • gai • joyeux • joli • satisfait • ravi • splendide • gracieux • plaisant • enchanté

synonymes de *content*	synonymes de *beau*

2 * Recopie chaque liste en supprimant le mot qui n'est pas synonyme.

Tu peux t'aider d'un dictionnaire.

a. mince • frêle • trapu • fin • maigre
b. peur • frayeur • terreur • crainte • souffrance
c. gagner • vaincre • posséder • remporter
d. retirer • enlever • ôter • éliminer • glisser

3 ** Retrouve, dans cette grille, huit synonymes du verbe *demander*.

R	E	V	O	I	B	C	Z	O	H	F	A
P	X	R	E	C	D	E	S	I	R	E	R
R	I	R	E	C	L	A	M	E	R	I	T
I	G	S	U	I	V	O	U	L	O	I	R
E	E	C	O	M	M	A	N	D	E	R	E
R	R	S	O	L	L	I	C	I	T	E	R
Q	U	E	S	T	I	O	N	N	E	R	R

4 ** Classe ces adjectifs synonymes par ordre croissant.

a. délicieux • bon • succulent
b. froid • glacial • frais
c. humide • mouillé • détrempé
d. infini • grand • immense
e. énorme • dodu • gros

5 *** Relève dans ce texte les synonymes de : *calme, honnête, sage, obéissant* et *tendre*.

Chaque adjectif peut avoir plusieurs synonymes.

Francis Scrymgeour, employé à la banque d'Écosse à Édimbourg, avait atteint l'âge de vingt-cinq ans au sein d'une famille paisible et honorable. Sa mère était morte alors qu'il était enfant ; mais son père, homme probe et sensé, lui avait donné une excellente éducation et l'avait élevé sous son toit dans le respect de l'ordre et de la frugalité. Francis, qui était d'un naturel docile et affectueux, avait tiré profit avec zèle de ces attentions, et se consacrait pleinement à son travail.

R.-L. Stevenson, *Le Diamant du rajah*, trad. Ch. Ballarin, © Éditions Gallimard Jeunesse.

Utiliser des synonymes

6 * Dans les phrases, remplace l'adjectif *rapide* par un des synonymes proposés.
expéditif • précipité • bref • vif • soudain
a. Il a été condamné après un jugement rapide.
b. As-tu vu passer cet écureuil ? Il est très rapide.
c. Elle jeta un rapide coup d'œil à sa leçon.
d. Son départ rapide a surpris tout le monde !
e. Ce changement d'avis fut très rapide.

7 ** Recopie chaque expression en remplaçant le verbe *dire* par le synonyme qui convient.
raconter • réciter • chuchoter • annoncer • confier • déclamer
a. Dire la solution à l'oreille de son voisin.
b. Dire un secret à un ami.
c. Dire les résultats d'un concours.
d. Dire une histoire.
e. Dire un poème.
f. Dire une réplique au théâtre.

8 ** Dans ces expressions, des mots ont été remplacés par des synonymes. Réécris-les correctement.
Chercher le petit animal. → Chercher la petite bête.
a. Avoir d'autres matous à battre.
b. Battre l'acier pendant qu'il est brulant.
c. Poser tous ses œufs dans la même corbeille.
d. Être potage au lait.

Défi langue

Explique la nuance de sens entre les deux mots en gras, puis propose des synonymes qui éviteront la répétition.
a. une pièce **lumineuse** / une idée **lumineuse**
b. un meuble **lourd** / un temps **lourd**
c. un exercice **difficile** / un enfant **difficile**

J'écris

9 * Réécris cette recette en remplaçant les mots en gras par des synonymes plus précis.
Mettre trois œufs dans un saladier. **Mettre** deux verres de lait, puis **mettre** la farine, le chocolat et la levure. Bien mélanger. **Mettre** 30 minutes dans le four. Quand le gâteau est cuit, le **mettre** sur un plat. **Mettre** enfin du sucre glace pour le décorer.

Les homonymes

Cherchons

*Les héros expérimentent un voyage en ballon
à six mille pieds (ou 1 800 mètres) d'altitude.*

À six mille pieds, la densité de l'**air** a déjà diminué
sensiblement ; le **son** s'y transporte avec difficulté
et la **voix** se fait moins bien entendre.

Jules Verne, *Cinq semaines en ballon.*

- Connaissez-vous des mots qui se prononcent
comme les mots en rose mais qui s'écrivent
différemment ? Comment appelle-t-on ces mots ?
- Comment faites-vous pour les distinguer ?
- Trouvez d'autres mots se prononçant de
la même façon mais s'écrivant différemment.

Je retiens

- Les mots qui **se prononcent de la même façon**, mais ont un **sens différent**, sont
des **homonymes**.
→ *air* (gaz) / *ère* (période) / *aire* (surface)
→ *voix* (son émis par les cordes vocales) / *voie* (chemin) / *il voit* (verbe *voir*)
→ *son* (bruit) / *sont* (verbe *être* au présent, 3ᵉ pers. du singulier)
- Il faut réfléchir au **sens de la phrase** pour écrire correctement les homonymes.

(!) Certains homonymes ont la **même orthographe** : *le* **moule** (à gâteaux) / *la* **moule**
(le fruit de mer).

Connaitre des séries d'homonymes

1 ✱ **Parmi ces définitions, retrouve celles qui correspondent aux homonymes suivants.**

sceau	serre	ver
a. Bête.	**a.** Mâle de la biche.	**a.** Couleur.
b. Bond.	**b.** Paysan au Moyen Âge.	**b.** Vit dans la terre.
c. Ferme avec de la cire.	**c.** Construction en verre.	**c.** Se brise facilement.

2 ★ Relie chaque mot à la définition qui lui convient.

roux •   • partie qui porte le pneu
roue •   • travail
tâche •   • couleur de cheveux
tache •   • fruit
amende •   • contravention
amande •   • saleté

3 ★★ Ajoute un complément du nom qui précise le sens de ces homonymes.

a. Connaissez-vous le maire ... ?

b. Ça y est, je vois la mer ... ?

c. La dame qui porte une jupe, c'est la mère ... .

d. As-tu acheté du pain ... ?

e. Mon frère fait la sieste à l'ombre des pins ... .

Distinguer et utiliser les homonymes

4 ★ Complète les phrases en utilisant l'homonyme correct.

a. Quand cessera-t-il de faire des ... ? (bons • bonds)

b. Ce chanteur travaille beaucoup sa ... . (voix • voie)

c. Avez-vous vu le ... de notre nouvelle maison ? (plan • plant)

d. Cet insecte vert est une ... religieuse. (menthe • mante)

e. Est-ce l'heure de la ... café ? (pause • pose)

5 ★★ Place un pronom personnel devant les verbes et un article devant les noms.

... signale • ... signales • ... signal
→ **il** signale • **tu** signales • **le** signal

a. ... réveilles • ... réveil • ... réveils

b. ... soupires • ... soupirs • ... soupirent

c. ... filme • ... filmes • ... films

d. ... vis • ... vie • ... vit

e. ... conseil • ... conseille • ... conseils

6 ★★ Trouve les paires d'homonymes qui peuvent compléter ces phrases.

a. La ... a été couronnée. Les Lapons élèvent des ... .

b. N'oubliez pas votre ... de lunettes. Neuf est-il un nombre ... ?

c. Pour faire passer le ..., on dit qu'il faut faire peur ! Avez-vous assisté au match de ... sur glace ?

d. La tour Eiffel mesure 324 ... . Les élèves se rangent devant le ... .

7 ★★ Trouve un homonyme aux mots suivants, puis emploie chaque mot dans une phrase.

a. conte   c. point   e. cygne
b. fin   d. pouce   f. rang

Défi langue

Quels noms propres se cachent derrière ces devinettes ?

Vérifie leur orthographe dans le dictionnaire si tu as un doute.

a. Grande ville de France, homonyme du roi des animaux.

b. Ville de la Côte d'Azur, homonyme de la femelle du canard.

c. Prénom féminin, dont l'homonyme est le contraire de *foncée*.

8 ★★★ Voici des paires d'homonymes. Trouve un mot de la même famille que chaque homonyme afin de les distinguer.

a. sang / cent   c. fin / faim   e. pin / pain
b. point / poing   d. lait / laid   f. champ/chant

J'écris

9 ★★ Écris des petits dialogues amusants en utilisant des homonymes.

*« Comment est la mer aujourd'hui ? agitée ?
– Ma mère ? Non, elle est très calme, pourquoi ? »*

Les contraires

Kenny, un petit lapin, rencontre un dragon qui devient son ami.
Sur ce, Kenny dévala la colline et sauta sur son vélo.
Tout excité, il pédala à fond jusqu'à sa maison, impatient
de raconter à ses parents que le dragon qui s'appelait
Grahame était, chose incroyable mais vraie, une créature
extrêmement curieuse et cultivée.

Tony DiTerlizzi, *Kenny et le Dragon*, trad. F. Budon,
© Pocket Jeunesse, un département d'Univers Poche, 2010.

- Relevez les adjectifs qualificatifs de ce texte.
- Pouvez-vous donner le contraire de chacun des adjectifs ?
- Cherchez d'autres couples d'adjectifs qualificatifs, de verbes ou de noms de sens contraires.

Je retiens

- Pour exprimer des **idées opposées**, on utilise des **mots de sens contraires**.
  un défaut / une qualité   excité / calme   entrer / sortir

- On peut former des mots contraires en ajoutant un **préfixe**.
  *heureux / **mal**heureux   patient / **im**patient   monter / **dé**monter*

- Les mots contraires ont la **même classe grammaticale** : le contraire d'un nom est un nom, le contraire d'un adjectif est un adjectif, etc.

  ! On peut aussi exprimer le contraire en utilisant la forme négative, mais le sens peut être légèrement différent.
  Ce tableau est laid. → *Ce tableau n'est pas laid.* → *Ce tableau est beau.*

Trouver les mots contraires

1 ⋆ Associe les verbes de sens contraires.

partir • s'énerver • entrer • éteindre • ouvrir •
se calmer • arriver • économiser • trier • salir •
nettoyer • dépenser • mélanger • sortir •
allumer • fermer

2 ⋆ Écris le contraire de ces noms.

a. le haut   d. la droite
b. le début   e. la rapidité
c. le premier   f. la jeunesse

3 ⋆ Écris le contraire de ces adjectifs.

a. beau   c. généreux   e. bavard
b. gros   d. agréable   f. fade

Défi langue

Explique pourquoi ces listes de mots ne correspondent pas à la leçon sur les contraires.

a. rival – ennemi – adversaire – opposant
b. pénible – ennuyeux – contrariant – gênant – agaçant – regrettable
c. calomnier – accuser – discréditer – diffamer – dénigrer – décrier

4 ＊ **Dans chaque série d'adjectifs, relève celui qui n'est pas le contraire du mot en gras.**

a. triste : sinistre • joyeux • gai • jovial • réjoui

b. gros : petit • minuscule • mince • important • minime • étroit

c. calme : agité • nerveux • paisible • remuant • turbulent • mouvementé

d. peureux : brave • poltron • hardi • vaillant • courageux • valeureux

e. clair : obscur • foncé • noir • bronzé • lumineux • ténébreux

5 ＊＊ **Recopie ces listes, puis entoure en vert les deux synonymes et en rouge leur contraire.**

a. généreux – charitable – égoïste

b. médiocre – sensationnel – stupéfiant

c. exécrable – excellent – immangeable

d. loyal – fourbe – traitre

e. prohiber – consentir – interdire

6 ＊＊＊ **Associe chaque qualité à son contraire.**

a. le courage
b. la générosité
c. l'attention
d. le calme
e. la modestie
f. la politesse

1. l'avarice
2. l'orgueil
3. la lâcheté
4. la distraction
5. la grossièreté
6. l'agitation

Former des contraires avec des préfixes

7 ＊ **Forme le contraire de ces verbes à l'aide des préfixes dé-, dés- ou dis-.**

a. faire
b. embarquer
c. coller
d. régler

e. espérer
f. emmêler
g. qualifier
h. tendre

8 ＊＊ **Écris le contraire de ces adjectifs à l'aide de préfixes.**

a. compréhensible
b. agréable
c. content
d. possible

e. couvert
f. chanceux
g. responsable
h. habituel

Utiliser des contraires

9 ＊＊ **Transforme ces phrases pour écrire le contraire de deux façons :**
– en utilisant la forme négative ;
– avec des contraires.

Ce chien est gentil.
→ *Ce chien **n'**est **pas** gentil.*
→ *Ce chien est **méchant**.*

a. Il fait froid ce matin !

b. Erwan est très gai aujourd'hui.

c. Laurie adore les croquemonsieurs.

d. Yann voulait une grosse part de gâteau.

e. Je veux changer ces affiches.

10 ＊＊ **Dans chaque phrase, remplace le mot en gras par son contraire.**

a. Antoine est un élève très **passif** en classe.

b. Mais il est très **turbulent** dans les couloirs.

c. Ses notes sont très **basses**.

d. Il est très **étourdi** pendant les dictées.

e. Il est toujours **endormi** le matin.

f. Sa maitresse le trouve très **irrégulier** dans son travail.

11 ＊＊＊ **Complète les GN avec un mot de la liste suivante.**

un père • du bois • un enfant • un travail • un lit
… dur ou … frais
→ ***du pain** dur ou **du pain** frais*

a. … dur ou … moelleux

b. … dur ou … facile

c. … dur ou … tendre

d. … dur ou … sage

e. … dur ou … indulgent

J'écris

12 ＊＊ **Observe Julie. Fais le portrait de sa meilleure amie, Emma, qui est tout son contraire. Décris sa taille, ses cheveux, etc.**

Les différents sens d'un mot

Le petit Tistou a bien du mal à rester éveillé pendant la classe !

« Je ne veux pas dormir, je ne veux pas dormir », se disait Tistou. Il **vissait** les yeux au tableau, **collait** ses oreilles à la voix du maître. Mais il sentait venir le petit picotement... Il essayait de lutter par tous les moyens contre le sommeil.

Maurice Druon, Tistou les pouces verts, D.R.

- **Quel est le sens habituel des verbes en rose ? Quel est leur sens dans ce texte ?**
- **Relevez un verbe à l'infinitif qui n'est pas utilisé dans son sens habituel.**
- **Cherchez d'autres verbes, noms ou adjectifs qui ont aussi plusieurs sens.**

Je retiens

- Un mot peut avoir **plusieurs sens**.

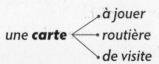

une **carte** ⟨ à jouer / routière / de visite

- Quand on ne connait pas le sens d'un mot, le **contexte** aide à le deviner.

  *Ils ont joué aux **cartes** tout l'après-midi.*

  *Il a vérifié l'itinéraire sur la **carte**.*

- Certains mots ont un **sens propre** et un **sens figuré**. Le sens **propre** est le sens **concret**, **habituel**, d'un mot. Le sens **figuré** est un sens **imagé**.

  Il <u>colle</u> un timbre sur l'enveloppe. Il <u>colle</u> ses oreilles à la voix de son professeur.

sens propre   sens figuré

Comprendre le sens d'après le contexte

1 ✶ Associe chaque définition du mot « propre » à l'exemple qui lui convient en t'aidant du contexte.

a. Qui est net, sans saleté.

b. Qui est particulier à quelqu'un.

....

1. À la patinoire, Éva préfère apporter ses propres patins à glace.
2. Ce sol est très propre, quel produit as-tu utilisé ?

2 ✶ À l'aide du contexte, retrouve le sens des mots en gras.

Ils avaient une tête triangulaire, comme les serpents à sonnette du Montana, mais leurs corps couleur de boue étaient d'un **embonpoint** qui ne disait rien qui vaille. Roy reconnut des **mocassins** « bouches-de-coton », très venimeux.

▸ **embonpoint** : excès de poids / récompense.

▸ **mocassin** : chaussure souple / serpent.

C. Hiaasen, Chouette, trad. Y. Sarda,
© Éditions Gallimard Jeunesse.

3 ✱✱ **Écris le sens des mots en gras à l'aide du contexte.**

Pendant dix minutes, Roy demeura dans le kiosque, **dégoulinant** sur le sol, attendant que l'averse diminue. Le tonnerre et les éclairs semblèrent rouler vers l'est, mais la pluie ne cessait pas. Roy finit par sortir, tête baissée, et prit en **pataugeant** la direction de son quartier. Chaque pas provoquait une **gerbe** d'éclaboussures. Des gouttes de pluie **sillonnaient** son front et s'accrochaient à ses cils. Il aurait aimé porter une casquette.

C. Hiaasen, *Chouette*, trad. Y. Sarda,
© Éditions Gallimard Jeunesse.

Connaitre les différents sens d'un mot

4 ✱ **Associe chaque mot à sa définition.**

a. banc
b. arbre
c. bouche
d. quartier
e. bleu

....

1. Il peut être végétal ou généalogique.
2. Il peut être une partie de ville ou de fruit.
3. On peut s'asseoir dessus et il peut être constitué de poissons.
4. Ce peut être une couleur ou la trace d'un coup sur la peau.
5. Elle peut servir à l'aération ou permettre de manger.

5 ✱✱ **Remplace les mots en gras par un des synonymes suivants.**

morceau • leçon • milieu • carte • instituteur • propriétaire

a. J'ai perdu une **pièce** de mon puzzle.
b. Pense à prendre ta **pièce** d'identité.
c. Ce chien n'obéit pas à son **maitre**.
d. Les élèves écoutaient leur **maitre**.
e. Ne m'attends pas, j'ai un **cours** de piano.
f. Il a appris la nouvelle au **cours** d'une conversation.

Quel mot ayant plusieurs sens peut compléter toutes ces phrases, à ton avis ? Quels indices t'ont permis de trouver la réponse ?

a. Tu as raté une … de l'escalier et tu es tombé jusqu'en bas.
b. Elle n'aime pas la …, elle préfère la course.
c. Il faudrait remettre cet appareil en état de … .
d. J'ai réservé une place de train dans le sens de la … .

Distinguer le sens propre et le sens figuré d'un mot

6 ✱ **Indique si le mot est employé au sens propre ou au sens figuré.**

a. Avec son arc et ses flèches (*sens …*), il se prend pour un Indien.
b. La flèche (*sens …*) de cette cathédrale est la plus haute de la région.
c. Pourquoi dis-tu que ce n'est pas une flèche (*sens …*) ? Il me parait dégourdi !
d. Vous ne pouvez pas vous perdre si vous suivez les flèches (*sens …*).

7 ✱✱✱ **Dans chaque phrase, le mot en gras est utilisé au sens figuré. Invente une phrase dans laquelle il sera utilisé au sens propre.**

a. Quelle déception **amère**, nous pensions vraiment pouvoir venir !
b. Cette nouvelle nous a causé un **choc**.
c. Il n'y avait pas de quoi en faire tout un **plat** !
d. Il faut une bonne **dose** de patience pour supporter tes grimaces !
e. Avant de parler, pense à **peser** tes mots.

J'écris ✎

8 ✱ **Invente des phrases dans lesquelles un verbe est utilisé au sens figuré.**
Je **tombe** de sommeil.
Je **plonge** dans mon lit.

Les niveaux de langage

Cherchons

Lena et Trille fabriquent une sorcière qui doit bruler lors des feux de la Saint-Jean.
Le frère de Trille se moque d'eux.

– **C'est quoi ce que vous nous avez** bricolé**, là ?**
Un épouvantail ?
– **C'est une sorcière, j'ai expliqué.**
Il a éclaté de rire.
– **Ça ? Jamais de ma vie j'ai vu une sorcière plus** pourrie **que la vôtre. Encore heureux qu'elle** crame
dans pas longtemps.

Maria Parr, *Cascades et Gaufres à gogo*, trad. J.-B. Coursaud, © Éditions Thierry Magnier, 2011.

- **Comment qualifieriez-vous le langage de ce texte ?**
- **Remplacez les mots en bleu par des mots du langage courant.**
- **Comment transformeriez-vous les phrases en rose pour qu'elles soient correctes à l'écrit ?**

Je retiens

- On ne s'exprime pas de la même façon selon la **personne** à qui on s'adresse, la **situation** dans laquelle on se trouve, à l'**oral** ou à l'**écrit**.

- Le **niveau de langage** peut être :
- **familier** (à l'oral uniquement ou pour rapporter un dialogue à l'écrit ; langage employé entre camarades) : *T'as vu l'heure ?*
- **courant** (à l'oral et à l'écrit ; langage correct compris par tout le monde, adultes et enfants, au quotidien) : *As-tu vu l'heure ?*
- **soutenu** (à l'oral et à l'écrit ; langage adressé à un personnage important) : *Avez-vous remarqué l'heure qu'il est ?*

Reconnaitre les différents niveaux de langage

1 ∗ Classe ces noms selon le niveau de langage auquel ils appartiennent.

familier	courant	soutenu

a. bagnole • voiture • véhicule
b. chaussure • soulier • pompe
c. bicyclette • vélo • bécane
d. appréhension • trouille • peur
e. ouvrage • bouquin • livre
f. profession • boulot • travail

2 ∗∗ Regroupe par paires les mots de langage familier et de langage courant désignant des parties du corps.

tronche • paluches • tête • ventre • pif • guibolles • cheveux • mains • tignasse • bidon • nez • jambes

3 ✷✷ Trouve un synonyme en langage courant de ces verbes appartenant au langage soutenu.

Cherche les mots que tu ne connais pas dans le dictionnaire.

se restaurer • rédiger • s'esquiver • lacérer • tressaillir • se fourvoyer • dérober • résider • feindre • se morfondre • hausser • s'assoupir

4 ✷✷ Trouve un synonyme en langage courant de ces noms appartenant au langage familier.

Cherche les mots que tu ne connais pas dans le dictionnaire.

un cabot • du fric • un rafiot • du boucan • un pote • du pot • une baraque • un gamin • une frimousse • des fringues • une raclée

5 ✷✷✷ Complète le tableau avec des verbes synonymes appartenant aux différents niveaux de langage.

Tu peux utiliser ton dictionnaire.

soutenu	courant	familier
		rouspéter
se quereller		
	se dépêcher	
		paumer
choir		

Utiliser les différents niveaux de langage

6 ✷ Choisis le mot qui convient selon le niveau de langage de la phrase.

a. C'est l'heure de piquer un petit (*roupillon • somme*).

b. Je souhaiterais que tu fasses un effort et que tu (*bouffes • manges*) tout ce que tu as dans ton assiette.

c. C'est quoi (*ta profession • ton boulot*) ?

d. Qui m'a fauché mon (*bouquin • ouvrage*) ?

e. J'ai eu la frousse : j'ai les (*guibolles • jambes*) en coton.

7 ✷✷ Remplace les mots de langage soutenu en gras par des synonymes de langage courant.

a. Ne peux-tu pas te **vêtir** plus simplement ?

b. Cette **demeure** est **somptueuse**.

c. Cet ouvrage **relate** une histoire **énigmatique**.

d. Ils se **hâtèrent** et arrivèrent **promptement**.

e. Nos **convives** ont apprécié ce **succulent** plat.

8 ✷✷ Ces phrases sont écrites en langage familier. Réécris-les en langage courant.

a. C'est quand qu'on mange ?

b. C'est qui qui l'a pris ?

c. Pourquoi t'as fait ça ?

d. Y a qu'à le laisser !

e. Y en a plus.

Défi langue

À quel langage associes-tu les phrases en orange ? en bleu ? en vert ? Explique tes réponses.

– Je te l'ai dit mille fois, c'est à la source qu'il faut chercher les fossiles. Ils sont super beaux là-bas.

– Mais il fait trop sombre.

– Pas le matin tôt. Le matin tôt, il fait pas sombre.

– Vas-y toute seule, alors. Moi, je viens pas.

– T'as peur d'y entrer, c'est ça ?

– N'importe quoi !

Gaïa Guasti, *La Tête dans les choux*,
© Éditions Thierry Magnier, 2011.

J'écris

9 ✷ Tu t'es disputé avec un autre élève de l'école. Raconte l'incident à tes parents puis à tes camarades. Adapte le niveau de langage à chacun.

Je révise

Utiliser les noms génériques

1 ★ **Complète chaque phrase avec un nom générique.**

a. Le français, les mathématiques, la géographie et l'histoire sont des … .

b. La Corse, la Sicile, la Sardaigne et les Baléares sont des … .

c. Un pyjama, une robe, une jupe et un pantalon sont des … .

d. Un violon, une contrebasse, un violoncelle et une harpe sont des … .

2 ★★ **Regroupe ces noms spécifiques par séries, puis trouve le nom générique qui leur convient.**

bol • triangle • banquette • commode • hexagone • assiette • desserte • tibia • bureau • pentagone • omoplate • quadrilatère • vertèbre • saladier • humérus • tasse

3 ★★ **Pour chaque nom générique, écris cinq noms spécifiques.**

a. poisson
b. mammifère
c. oiseau
d. insecte
e. mollusque

Utiliser les synonymes, les contraires et les homonymes

4 ★★ **Complète ces couples de phrases avec des homonymes.**

a. L'… noire se lit en général très bien.
Le bateau a jeté l'… dans les calanques de Marseille.

b. En sport, nous apprenons à faire du … en hauteur.
Il faut apporter un …d'eau pour éteindre le feu de camp.

5 ★★ **Afin d'éviter la répétition du verbe** *dire*, **remplace chaque verbe en gras par un des synonymes proposés.**

s'exclame • demande • répond • soupire • termine • ronchonne

« Bonjour Yohan, dit Valentin.

– Salut Valentin, **dit** Yohan.

– Tu ne vas pas au foot aujourd'hui ? **dit** Valentin.

– Non, je me suis fait mal au tibia la dernière fois, **dit** Yohan.

– Tu as intérêt à revenir la semaine prochaine pour le match ! **dit** Valentin.

– Bof, je n'ai plus envie d'y aller, ça me fatigue ! **dit** Yohan.

– Tu n'es vraiment pas courageux, **dit** Valentin. »

6 ★★★ **Relève dans ce texte :**

a. deux synonymes du nom *odeur*.

b. un synonyme du nom *boisson*.

c. un synonyme de l'adjectif *fort*.

d. un synonyme de l'adjectif *sucré*.

e. un contraire du nom *douceur*.

Au fond d'un petit récipient, qui ressemblait fort aux cafetières qu'elle avait vues chez la marquise, restaient quelques gouttes d'un épais liquide brun. La fillette reconnut les odeurs mélangées du lait, du sucre, de la girofle et de la vanille.

Mais il y avait quelque chose de plus. D'abord la couleur, mais surtout un arôme qui dominait tous les autres.

– Tu n'as jamais vu une chocolatière sale ! se moqua un garçon de cuisine qui passait par là.

Ainsi, ce parfum gourmand, intense et suave à la fois, où se mêlaient délicatement amertume et douceur, c'était celui du cacao dont on parlait tant !

La fillette récupéra sur son index un peu du breuvage et le goûta. C'était délicieux.

Annie Pietri, *Les Orangers de Versailles*,
© Bayard Éditions.

Reconnaitre les différents sens d'un mot

7 ★ Indique si les mots en gras sont employés au sens propre ou au sens figuré.

a. Basile **dévore** les livres de la bibliothèque. Apolline **dévore** son pain au chocolat.

b. Le chien a **flairé** une piste. Le commissaire a **flairé** un piège.

c. Je suis devant la **façade** de l'immeuble. Sa gentillesse n'est qu'une **façade**.

8 ★★ Associe chaque phrase au sens du mot en gras.

a. Examen minutieux permettant de vérifier l'état d'un objet, la validité d'un acte…

b. Linge absorbant mis entre les jambes d'un bébé.

c. Disposition d'éléments en épaisseurs superposées.

d. Petit élément intégré dans les micro-processeurs.

e. Insecte parasite de l'homme.

....

1. Bertille a changé la **puce** de son téléphone portable.

2. Simon met encore une **couche** la nuit.

3. Le **contrôle** des papiers est obligatoire à l'aéroport.

4. Le peintre doit remettre une **couche** de peinture sur les volets.

5. Nous avons été dévorés par des **puces** sur la plage.

Reconnaitre et utiliser les différents niveaux de langage

9 ★★ Classe les mots dans le tableau.

pauvre • turlupiner • poireauter • voler • patienter • misérable • dérober • contrarier

familier	courant	soutenu
chiper		
	attendre	
fauché		
		importuner

10 ★ Indique le niveau de langage de chaque phrase.

a. Nous avons dégusté de succulentes spécialités dans cet établissement.

b. On s'est goinfré, la bouffe était géniale.

c. J'ai mangé une entrée, un plat et un dessert délicieux.

d. Si tu nous fais l'honneur de ta présence, nous serons enchantés.

11 ★★ Réécris chacune de ces phrases en langage courant.

a. T'as vu sa tronche ? Il a les tifs dans les yeux et le pif qui coule !

b. Pourriez-vous sommer cet individu de se retirer ?

c. Où t'as mis mes fringues ? Rapplique vite, j'les trouve pas !

d. Prenez place à bord de cette superbe automobile.

12 ★★★ Réécris en langage courant les passages en gras de ce texte.

– **Fonce, papy !** j'ai crié. **Fonce comme un dératé !** Et papy a foncé.

Pour la première fois, j'ai compris pourquoi maman ne voulait pas qu'on roule avec lui, installés dans cette **caisse**. Même Lena n'avait pas l'air très rassurée quand on a commencé à **dévaler** la colline. On filait **à toute berzingue** dans les descentes, on faisait des bonds de deux mètres de haut à cause des nids-de-poule, à tel point que je me suis mordu la langue à trois reprises. Et pourtant, on n'allait pas assez vite.

– **Grouille-toi !** Le ferry vient de baisser la barrière ! j'ai crié.

– **Reviens, abruti de ferry !** a crié Lena.

Maria Parr, *Cascades et Gaufres à gogo*, trad. J.-B. Coursaud, © Éditions Thierry Magnier, 2011.

Exprimer ses sentiments et ses émotions

« Au vocabulaire de l'amour » est une boutique qui vend des mots à ceux qui en manquent. Une femme en larmes vient y chercher un mot pour décrire sa tristesse.

Le vendeur, un jeunot, commença par rougir, « tout de suite, tout de suite », plongea dans un vieux volume et se mit à feuilleter comme un forcené « j'ai ce qu'il vous faut, une petite seconde. Voilà, vous avez le choix : affliction… »

– Ça sonne mal.

– Neurasthénie…

– On dirait un médicament.

– Désespérade.

– Je préfère, celui-là, il me plaît. Désespérade, je suis en pleine désespérade !

Erik Orsenna, *La grammaire est une chanson douce*, © Éditions Stock, 2001.

- **Quel sentiment la cliente cherche-t-elle à exprimer ?**
- **Quels mots propose le vendeur ? Le mot *désespérade* existe-t-il ?**
- **Si vous étiez vendeur dans cette boutique, quels mots proposeriez-vous pour exprimer la tristesse ? la joie ? la peur ? l'amour ? la colère ?**
- **À vous d'inventer un nouveau mot pour exprimer l'amour, la colère, la peur, la joie.**

Nommer les sentiments

1 ⭐ **Classe ces mots selon le sentiment qu'ils expriment.**

joie	tristesse

la gaité – la mélancolie – le désespoir – la satisfaction – l'allégresse – la jubilation – l'affliction – le bonheur – le malheur – la détresse – l'enchantement

2 ⭐ **Recopie les noms exprimant l'amour ou l'amitié.**

la passion – l'affection – la fureur – la colère – l'engouement –le courroux – la méchanceté – la bienveillance – la malveillance

3 ⭐ **Relève l'intrus de la liste.**

la frousse – la trouille – la panique – la témérité – l'effroi – la frayeur – l'épouvante – l'angoisse – la terreur – la crainte – l'anxiété

4 ⭐ **Indique quel est le sentiment ou l'émotion exprimé dans chaque phrase.**

a. Chouette ! J'ai réussi mon examen de piano !

b. Ouf ! J'ai évité le vélo de justesse !

c. Hélas ! Aucun de mes amis ne peut venir à mon anniversaire.

d. Bravo ! C'est mon groupe préféré, la chanteuse est super !

e. Appelez vite les pompiers ! La maison est en flammes !

f. Wouah ! Je n'ai jamais rien vu d'aussi beau !

g. Quelle horreur ! Une araignée sur mon bras !

Exprimer des sentiments

5 ** Écris le verbe correspondant au nom, puis emploie-le dans une phrase.

l'amour → aimer → J'aime mes parents.

a. la crainte
b. l'effroi
c. le courage
d. la déception
e. la haine
f. l'espoir

6 ** Écris le ou les adjectif(s) qualificatif(s) correspondant au nom.

le désespoir → désespéré, désespérant

a. la frayeur
b. la terreur
c. la satisfaction
d. la colère
e. la passion
f. l'épouvante
g. la fureur
h. l'amitié

7 *** Pour chaque sentiment, écris deux phrases qui décrivent ce que tu éprouves.

la peur → Je tremble comme une feuille.
→ Je transpire à grosses gouttes.

a. la colère
b. l'amour
c. la haine
d. la honte
e. la joie
f. la tristesse

J'écris

8 ** Tu viens de vivre un évènement heureux (mariage, fête d'anniversaire…). Raconte ce moment en exprimant tes sentiments, émotions et sensations.

▶ Choisis d'abord l'évènement que tu veux raconter.
Le mariage de mon cousin…

▶ Liste les étapes de ta journée, puis les sentiments que tu as éprouvés.
– mariage à la mairie, repas, soirée dansante…
– joie, impatience, euphorie, bonheur, émotion, enthousiasme…

▶ Raconte ta journée chronologiquement en utilisant les sentiments que tu as trouvés.

> *Aide-toi aussi du vocabulaire ou des expressions rencontrées dans les exercices.*

À la sortie de la mairie, nous avons applaudi les mariés et nous avons crié de joie. C'était le bonheur !

9 *** À ton tour d'entrer dans la boutique *Au vocabulaire de l'amour*. Quels sentiments souhaites-tu acheter ?

▶ Liste trois sentiments auxquels tu penses et explique pourquoi tu veux les acheter.
l'amitié : j'en ai besoin pour me faire de nouveaux amis…

Que te propose le vendeur ? (Dans sa boutique, il vend aussi bien des noms que des verbes ou des adjectifs qualificatifs !)

▶ Liste cette fois-ci les noms, les adjectifs et les verbes que t'évoque chacun des sentiments. Tu peux y mêler des mots inventés comme dans le texte du « Cherchons ».
amitié, ami, copain, camarade, aimable, aimer…

Imagine ensuite un petit dialogue entre le vendeur et toi en utilisant les mots que tu as trouvés.

> *Aide-toi aussi du vocabulaire ou des expressions rencontrées dans les exercices.*

– Bonjour monsieur, je voudrais un mot pour me faire de nouveaux amis.
– Je peux vous proposer…

Écrire un article de journal

Cherchons

L'objectif de tout journaliste est d'être lu !

Pour cela, il faut trouver le bon sujet : une nouvelle étonnante, un mystère résolu, une actualité forte… Géronimo, par exemple, trouve les scoops* qui font la renommée** de son journal grâce à ses aventures. Une fois l'info trouvée, place à l'écriture ! Mais… par où commencer ?

———
* **scoop** : information sensationnelle.   ** **renommée** : bonne réputation.

Trucs et astuces

Pour structurer leur article, les journalistes ont une astuce. Ils répondent à cette question : « Qui a fait quoi, où, quand et pourquoi ? » Ainsi, ils sont sûrs de ne rien oublier. Pour donner envie, l'article doit être clair, sans fautes d'orthographe, et… dynamique ! Intégrer des citations, par exemple, est un bon moyen de le rendre plus vivant. Une fois l'article rédigé, il faut lui trouver un titre qui donne envie de lire la suite. Il peut être informatif (« La recette de l'amitié »), mystérieux (« Le secret du lac disparu ») ou encore interpeller le lecteur (« Qui a volé le diamant géant ? »).

Édition Spéciale de *Mon Quotidien* du 27 mars 2014, réalisée avec les Éditions Albin Michel.

- Qu'est-ce qui fait la renommée du journal de Geronimo Stilton ?
- Quelles sont les questions auxquelles tout journaliste doit répondre dans son article ?
- Une fois l'article rédigé, que doit-on lui ajouter pour qu'il soit terminé ? Cet ajout est-il important ? Expliquez pourquoi en citant le texte.
- Cherchez et citez plusieurs types de journaux.

Connaitre et utiliser le vocabulaire de l'information

1 * Associe chaque lettre au numéro qui convient.

a. Un journal qui parait chaque jour.
b. Un magazine qui parait chaque semaine.
c. Un magazine qui parait chaque mois.
d. Un magazine qui parait deux fois par mois.
e. Un magazine qui parait tous les trois mois.

1. un bimensuel
2. un hebdomadaire
3. un mensuel
4. un quotidien
5. un trimestriel

2 ★ **Trouve les réponses à ces devinettes.**

lecteur • téléspectateur • internaute • auditeur

a. Je regarde la télévision, je suis un … .

b. J'écoute la radio, je suis un … .

c. Je lis le journal, je suis un … .

d. Je consulte des sites sur Internet, je suis un … .

3 ★★ **Complète les phrases avec les mots proposés.**

ordinateur • connecter • journaux • présentateur • site Internet • chaine de télévision • nouvelles • la une • informations • station de radio • tablette numérique

a. Le … du journal télévisé annonce les … de la journée.

b. Pour préparer son exposé, Mélusine recherche des … sur un … .

c. De nos jours, de nombreuses personnes peuvent se … à Internet grâce à leur … .

d. Anastasia peut lire ses journaux préférés sur sa … .

e. Un évènement important est toujours présenté en gros titre sur … des … .

f. France Info est une … ; France 5 est une … .

4 ★★ **Lis ce texte, puis réponds aux questions.**

Alex s'assit. Kaspar fit pivoter le journal. C'était l'*Evening Standard*. Le gros titre à la une résumait toute l'histoire en trois mots :

ERREUR DE KIDNAPPING

Comme personne ne disait rien, Alex lut rapidement l'article. Il y avait une photo de St Dominic, mais aucune de Paul Drevin ni de lui.

Anthony Horowitz, *Alex Rider*, tome 6, *Arkange*, trad. A. Le Goyat, © Le Livre de Poche Jeunesse, 2014.

a. **Indique le nom du quotidien.**

b. **Que dit la une du journal ?**

c. **Relève deux noms qui désignent un texte dans un journal.**

5 ★★ **Réponds aux devinettes à l'aide des mots suivants.**

scoop – interview – article – reportage – une

a. Information sensationnelle qu'un journaliste annonce avant tout autre.

b. Première page d'un journal.

c. Article de journal où le journaliste rapporte ce qu'il a vu et vécu.

d. Texte d'un journal ou d'une revue.

e. Article rapportant un entretien avec quelqu'un.

J'écris

6 ★★ **À ton tour, écris un article de journal pour raconter un évènement de l'actualité qui t'a intéressé(e).**

Aide-toi du vocabulaire rencontré dans les exercices.

▶ Choisis d'abord l'évènement que tu souhaites raconter.

▶ Pour écrire, utilise l'astuce du journaliste : *qui a fait quoi, où, quand et pourquoi ?*

▶ Écris au passé composé.

▶ Enfin, trouve le titre de ton article.

7 ★★★ **Écris un article documentaire sur un sujet qui t'intéresse (les félins, le système solaire, le métier de journaliste…).**

▶ Recherche des informations sur le sujet en lisant des documentaires ou en consultant des articles sur Internet.

▶ Recherche des documents écrits, des photographies, des dessins qui te permettront d'illustrer ton article.

▶ Commence par une présentation générale du sujet, puis entre dans le détail pour donner le maximum d'informations à ton lecteur.

▶ Utilise l'ordinateur : rédige ton article au présent en y insérant quand cela te semble nécessaire une photographie ou un dessin pour illustrer ce que tu as écrit.

▶ Donne un titre à ton article.

Décrire un tableau

Cherchons

Où se cachent Philippe IV et la future reine d'Espagne ?

Velázquez peint *Les Ménines* en 1656 : un immense tableau de 3,18 mètres de haut par 2,76 mètres. Au premier plan, tu vois l'infante Marguerite-Thérèse entourée de ses ménines (les demoiselles d'honneur). Velázquez, derrière sa toile, pinceau à la main, est sans doute en train de peindre Philippe IV et sa nouvelle épouse Marie-Anne d'Autriche (c'est un des mystères du tableau) dont l'image se reflète dans le miroir au fond.

Le Petit Léonard, le magazine d'initiation à l'art,
mars 2015, © Éditions Faton.

Diego Velasquez, *Les Ménines* (1656).
Huile sur toile (318 x 276 cm), musée du Prado, Madrid.

- Relevez dans ce texte tous les mots qui appartiennent au domaine de la peinture.
- Poursuivez la description de l'œuvre en évoquant les personnages et leurs attitudes ainsi que des éléments du décor.

Reconnaitre la période artistique

1 ★ Associe un type d'œuvre à une période historique.

a. une peinture rupestre
b. une enluminure
c. un tableau abstrait
d. une mosaïque
e. une scène religieuse

....

1. l'époque contemporaine
2. la Préhistoire
3. Les Temps modernes
4. le Moyen Âge
5. l'Antiquité

Connaitre du vocabulaire pour décrire un tableau

2 ★ À quel genre de peinture correspond chacune de ces définitions.

un portrait • un paysage • une naturemorte • une fresque • une icône • une caricature

a. ensemble d'objets inanimés (fruits, fleurs, légumes…)
b. représentation de la nature (campagne, mer…)
c. grande peinture murale
d. représentation de la face ou du visage
e. image déformée de façon burlesque
f. image sacrée présente dans les églises orthodoxes

3 ★★ **Relève l'intrus de chaque liste.**

Aide-toi du dictionnaire si nécessaire.

a. support : toile • papier • bois • carton • clair-obscur

b. outil : fusain • tournevis • crayon • craie • pinceau

c. forme : allongée • arrondie • découpée • plate • sourde

d. couleur : écran • chaude • foncée • claire • froide

4 ★★ **Complète la description de ce tableau avec les mots proposés.**

romantique • pyramide • lumière • impression • couleurs • gestes • format • mouvement

La Liberté guidant le peuple, peint par Eugène Delacroix, est un tableau de très grand … appartenant au courant … . Les trois personnages au centre forment une … . La … qui éclaire la femme au drapeau montre que c'est un personnage important. Les tons utilisés sont sombres mais on retrouve les … du drapeau français. Les … des hommes qui entourent la femme donnent l'… d'une liberté en … .

5 ★★ **Classe ces mots en deux groupes selon qu'ils évoquent un paysage champêtre ou une scène de bataille.**

délicat • hostile • verdoyant • lumineux • criard • déchainé • brutal • bucolique

> **Utiliser des mots pour situer dans l'espace**

6 ★★★ **a. Complète la description du tableau avec ces mots ou expressions qui permettent de situer les éléments dans l'espace.**

de dos • premier plan • l'horizon • côte à côte • derrière • face • centre

Au …, un vieillard, …, avance appuyé sur une canne. Il se dirige vers les personnages situés au … du tableau : un homme debout qui nous fait … et trois enfants assis … sur des rochers. … eux, la mer, le ciel et les voiles des bateaux qui s'éloignent vers … dans la lumière du soir.

b. Essaie de dessiner rapidement ce qui est décrit et compare ta production avec celles de tes camarades.

J'écris

7 ★ **Décris cette peinture intitulée *Les Iles d'Or* d'Henri-Edmond Cross.**

▸ Précise ce qu'elle représente. Utilise quelques formules comme : *Ce tableau représente… Il s'agit de… On distingue… On observe…* Évite d'employer : *Il y a… On voit…*

▸ Décris-la plan par plan, en parlant des couleurs que le peintre a utilisées, de sa technique. Imagine ce qu'il a voulu évoquer. Choisis des adjectifs variés et précis pour décrire les couleurs, les formes. Tu peux faire des comparaisons : *une plage blonde comme un champ de blé.*

Aide-toi aussi des mots rencontrés dans les exercices.

▸ Finis ta production en expliquant ce que tu ressens en regardant ce tableau.

Henri Edmond Cross, *Les Iles d'Or* (1891-1892). Huile sur toile (60 x 55 cm), musée d'Orsay, Paris.

Rédiger un texte scientifique

Cherchons

L'électricité est dangereuse dès que son voltage atteint 24 V. Les piles ont un voltage qui va de 1,5 V à 9 V ; elles peuvent être manipulées sans danger. En revanche, à la maison ou à l'école, le voltage des prises ou des appareils électriques est de 230 V : une personne qui touche des fils électriques est en danger de mort. Toutefois, des substances comme le plastique ou l'air ne **conduisent** pas l'électricité. Ce sont des isolants. Il n'est donc pas dangereux de toucher un fil correctement **isolé**.

- **De quel domaine scientifique traite ce texte ?**
- **Relevez tous les mots ou mesures qui appartiennent à ce domaine.**
- **Trouvez d'autres mots appartenant au même domaine.**
- **Dans quel sens, à votre avis, est employé le verbe** *conduire* **? l'adjectif** *isolé* **?**

Identifier le domaine scientifique

1 ⭑ Retrouve le domaine scientifique qui correspond aux phrases.

zoologie • botanique • volcanologie • anatomie • astronomie • physique

a. Le magma est un mélange de roches en fusion et de gaz qui se forme dans les profondeurs de la Terre.

b. Un bulbe, comme celui de l'oignon, contient un ou plusieurs bourgeons entourés de réserves qui lui permettent de bien pousser au printemps.

c. La température de l'eau en train de bouillir est proche de 100 °C (un peu moins dans les régions situées en altitude).

d. Une étoile, comme le Soleil, est une gigantesque boule de matière dont la température est extrêmement élevée.

e. Une goutte de sang qui se trouve dans le ventricule droit est éjectée dans l'artère pulmonaire qui l'amène au poumon.

f. Les branchies sont des lamelles qui permettent aux animaux de respirer dans l'eau.

Classe ces mots

2 ⭑ Classe ces mots selon le domaine scientifique auquel ils se rapportent.

éclipse • circuit • satellite • pile • planète • système solaire • isolant • équinoxe • étoile • conducteur • interrupteur

électricité	astronomie

Connaitre le vocabulaire scientifique

Pour tous ces exercices, n'hésite pas à consulter un dictionnaire.

3 ⭑ Retrouve le champ d'étude de chacun de ces domaines, puis écris le nom du savant qui étudie cette science.

*La **géologie** est la science qui étudie les roches et les sols. → un géologue*

a. La climatologie … .

b. La minéralogie … .

c. La volcanologie … .

d. La zoologie … .

e. La géologie … .

f. La sismologie … .

4 ✴ Que mesure chaque appareil ? Écris une phrase qui l'explique.

*Le **voltmètre** mesure le voltage d'un appareil électrique.*

a. Le thermomètre … . c. L'altimètre … .
b. Le chronomètre … . d. Le pluviomètre … .

5 ✴✴ Complète le texte avec les mots suivants : *résultat, phénomène, hypothèse, laboratoire, expérience.*

La démarche scientifique

Dans son …, le chercheur étudie, observe et se pose des questions à propos d'un … ; il formule ensuite une … pour l'expliquer et met alors au point une … permettant de vérifier son hypothèse. Le chercheur doit ensuite interpréter le … de l'expérience.

6 ✴✴ Complète les phrases à l'aide des mots suivants : *condensation, évaporation, fusion, solidification, ébullition.*

a. La … est le passage de l'état gazeux à l'état liquide.
b. L'eau se met à bouillir à 100 °C, c'est l'… .
c. Quand un liquide passe à l'état gazeux, on parle d'… .
d. On parle de … quand un solide passe à l'état liquide.
e. À partir de 0 °C commence la … de l'eau.

7 ✴✴ a. Associe chaque centrale électrique à sa source d'énergie.

a. barrage hydroélectrique
b. usine marémotrice
c. éolienne
d. centrale thermique
e. centrale nucléaire
f. panneau solaire

1. l'uranium
2. le soleil
3. le pétrole, le gaz, le charbon
4. la marée
5. l'eau
6. le vent

b. Classe chaque source d'énergie dans le tableau suivant.

source d'énergie fossile	source d'énergie renouvelable

8 ✴✴ Retrouve la fonction du corps évoquée dans chaque devinette.

procréation • respiration • digestion • circulation • élimination

a. Fonction par laquelle les êtres vivants absorbent de l'oxygène et rejettent du gaz carbonique.
b. Le fait de donner naissance à un nouvel être vivant.
c. Ensemble des actions mécaniques et chimiques que les aliments subissent pour être assimilés par l'organisme.
d. Mouvement continu du sang dans le corps.
e. Évacuation des substances toxiques du corps.

J'écris

9 ✴ Écris la définition d'un des domaines scientifiques de l'exercice 3, puis rédige un texte scientifique dans lequel tu expliqueras ce domaine et le rôle du savant qui étudie cette science.

▸ Liste les mots qui vont t'aider pour définir ce domaine scientifique. Tu peux consulter un dictionnaire, des documentaires, etc.

> *Aide-toi aussi du vocabulaire rencontré dans les exercices.*

▸ Écris au présent.
La climatologie est la science qui étudie…
Le climatologue cherche à … Il voyage…

10 ✴✴ Écris un court texte pour expliquer un phénomène scientifique qui t'intéresse (une éclipse, un séisme, etc.).

▸ Choisis d'abord le phénomène que tu souhaites expliquer.

▸ Liste ensuite tous les mots que tu connais appartenant à ce phénomène scientifique. Enrichis aussi ton vocabulaire en t'aidant d'un dictionnaire, d'ouvrages documentaires, etc.

▸ Rédige ton texte en utilisant des phrases courtes afin d'être mieux compris.

▸ Utilise le présent.
Une éclipse est un phénomène scientifique. Il existe des éclipses de Lune ou de Soleil…

Argumenter pour défendre la planète

Interdisciplinarité

Cherchons

Certaines matières sont particulièrement nocives pour les cours d'eau. C'est le cas des tissus synthétiques (polyester, Nylon, Lycra, etc.) dont la fabrication nécessite soude caustique, acide sulfurique et sulfate de soude : un vrai bain de produits toxiques ! Évite de les choisir pour t'habiller. En revanche, les fibres polaires peuvent être fabriquées à partir de bouteilles de plastique recyclées (14 à 25 bouteilles suffisent pour confectionner un pull). Alors pense bien à trier tes bouteilles avant de les jeter, et choisis des polaires toutes douces et toutes chaudes fabriquées de cette façon.

Planète attitude junior : pour protéger la nature et sauver les animaux, © Seuil Jeunesse.

- Relevez le nom de trois produits toxiques et de trois matières nocives pour l'eau.
- L'eau n'est pas seule à être polluée : citez d'autres éléments de notre planète qui le sont.
- Relevez trois recommandations qui invitent à protéger notre planète.
Comment s'appelle ce type de phrase ?
- Inventez d'autres recommandations qui encouragent à défendre l'environnement.

Distinguer les différentes sortes de pollution

1 ⋆ **Associe à chaque symbole chimique le verbe qui convient.**

irrite • ronge • tue • flambe • explose • empoisonne l'environnement

a.	b.	c.

d.	e.	f.

2 ⋆⋆ **Classe le nom des déchets dans le tableau.**

recyclable	non recyclable	compostable

emballages en carton • bouteilles en plastique • sachets en plastique • boites de conserve • bouteilles en verre • épluchures • journaux • ordures ménagères • tonte de gazon

3 ⋆⋆ **Complète chaque phrase avec l'une de ces expressions.**

écocitoyen • trou dans la couche d'ozone • réchauffement climatique • pluies acides • algues vertes • disparition d'espèces animales

a. En raison du …, la banquise fond à grande vitesse.

b. Le trafic d'animaux rares, la chasse, la pollution entrainent la … .

c. Il ne faut pas s'exposer sans protection au soleil en raison du … .

d. Des … se répandent sur les plages de Bretagne à cause du rejet de nitrates dans les eaux.

e. Le dépérissement des forêts est dû aux … .

f. Nous devons avoir dès notre enfance une démarche d' … .

Connaitre le vocabulaire de l'environnement

4 ✴ **Complète chaque phrase avec un mot de la famille de** *polluer.*

Pense aux accords !

pollueur • polluant • dépolluer • pollution

a. Les produits d'entretien, les colles, les peintures sont des … .

b. Après la démolition de cette usine, il a fallu … le sol.

c. La … de l'air, de l'eau et des sols est dangereuse pour notre santé.

d. Les industries, les véhicules et les avions sont de gros … .

5 ✴✴ **Écris le nom issu de chacun de ces verbes.**

Utilise un dictionnaire si tu en as besoin.

a. composter
b. filtrer
c. traiter
d. dépolluer
e. recycler
f. trier

6 ✴✴ **Sur le modèle suivant, rédige chaque injonction de trois façons différentes.**

Trier les déchets :
→ *Tu dois trier tes déchets.*
→ *Il faut que tu tries tes déchets.*
→ *Trie tes déchets.*

a. Composter les épluchures.
b. Ne pas jeter dans la nature.
c. Ne pas laisser l'eau couler.
d. Utiliser des produits écologiques.
e. Ne pas acheter de produits polluants.

7 ✴✴✴ **Complète ces phrases avec ces adjectifs.**

Pense aux accords !

nocif • inoffensif • biologique • écologique • corrosif

a. J'achète de préférence des fruits et légumes … car ils ne contiennent pas de pesticides.

b. Mme Toubio n'utilise que des produits d'entretien … pour sa maison.

c. Le composant contenu dans ce détergent est très …, il ronge les matériaux.

d. Ce produit est totalement …, on l'a testé sur les animaux.

e. Les rejets … de cette usine ont tué les poissons de la rivière.

J'écris

8 ✴ **Écris un argument en faveur de l'utilisation de chaque symbole.**

a. **b.** **c.** **d.**

▸ Écris des phrases à l'infinitif à la forme affirmative ou négative (*jeter / ne pas jeter*) ou des phrases à la 2ᵉ personne du singulier du présent (*tu dois / tu ne dois pas*) ou des phrases au présent de l'impératif (*jette / ne jette pas*).

9 ✴✴ **À partir de la photographie ci-contre, écris plusieurs arguments en faveur de la protection de la mer.**

▸ En observant cette photographie, explique d'abord en une phrase le type de pollution et les dégâts occasionnés sur l'environnement.

▸ Rédige tes arguments à la 2ᵉ personne du singulier en t'inspirant des modèles de l'exercice 6 (*Tu dois trier les déchets pour...*).

▸ Propose des solutions de rechange aux activités polluantes : *Il ne faut pas jeter ses déchets dans la nature. Utilise plutôt…*

Écrire une biographie historique

Cherchons

Un ingénieur passionné

Blériot (1872-1936)

Ingénieur, Blériot fait fortune avec les phares pour automobiles. Il décide alors de se consacrer à l'aviation. Il construit des avions qu'il pilote ensuite lui-même. Les premiers essais échouent souvent. Le premier vol concluant n'a lieu qu'en octobre 1908 et ne couvre encore que 7 kilomètres !

La traversée

Un journal anglais, le « Daily Mail » promet un prix de mille livres au premier avion qui traversera la Manche. Plusieurs concurrents sont sur place. Blériot s'envole au lever du jour et réussit les 33 kilomètres de la traversée en 37 minutes, en volant entre 80 et 100 mètres au-dessus des flots.

Les Temps Modernes du XIXᵉ au XXᵉ siècle, Atlas junior, © Éditions Atlas.

- **À quelle époque vivait le personnage cité dans ce texte ?**
- **Dans quel domaine s'est-il illustré ?**
- **Relevez les grandes étapes de sa vie. Quel exploit l'a rendu célèbre ?**

Situer une période historique

1 ⋆ **Associe chaque évènement à une grande période de l'histoire.**

la Préhistoire • l'époque contemporaine • l'Antiquité • le Moyen Âge • les Temps modernes

a. Jules César vainc Vercingétorix à Alésia.

b. Les hommes peignent des fresques rupestres.

c. La guerre de Cent Ans oppose la France à l'Angleterre.

d. Jules Ferry rend l'école laïque, gratuite et obligatoire.

e. Louis XIV représente la monarchie absolue.

2 ⋆⋆ **Complète les phrases avec les mots proposés.**

la Révolution industrielle • la Seconde Guerre mondiale • la Vᵉ République • la Renaissance • la Révolution française • le siècle des Lumières

a. Pendant …, philosophes et savants veulent instruire le peuple.

b. La prise de la Bastille est un des moments forts de … .

c. Charles de Gaulle est le premier président de … .

d. Le travail des enfants est une des conséquences de … .

e. La volonté d'Hitler de contrôler l'Europe a entraîné… .

f. Les grandes découvertes marquent le début de la … .

Présenter un personnage historique

3 ★ Associe chaque série de professions au nom générique qui convient.

Noms génériques : artisan – écrivain – homme politique – scientifique

a. scénariste – biographe – poète – romancier – dramaturge

b. océanographe – climatologue – ornithologiste – chercheur – bactériologiste

c. ministre – parlementaire – président de la République – sénateur – député

d. boulanger – maçon – charpentier – peintre en bâtiment – plombier

4 ★ Trouve l'intrus de chaque liste.

a. roi • suzerain • résistant • seigneur • monarque

b. ingénieur • inventeur • savant • chercheur • moine

c. paysan • écrivain • peintre • sculpteur • poète

d. militaire • soldat • guerrier • juge • officier

5 ★★ Remets ces étapes de la vie dans l'ordre chronologique.

décès – adolescence – naissance – âge adulte – retraite – enfance – début de la vie professionnelle – troisième âge

6 ★★★ Associe chaque mot à sa définition.

maquis • tranchée • mine • rafle

a. Lieu d'où l'on extrayait le charbon pendant la révolution industrielle.

b. Abri dans lequel vivaient les soldats pendant la Première Guerre mondiale.

c. Arrestation massive sans avertissement.

d. Lieu dans lequel se cachaient les résistants pendant la Seconde Guerre mondiale.

Organiser une biographie

7 ★★ Complète la biographie de Charles de Gaulle avec les mots proposés.

puis • enfin • auparavant • au cours • ensuite • alors

Charles de Gaulle a été une figure essentielle de la Seconde Guerre mondiale. …, il s'était illustré sur les champs de bataille de la Première Guerre mondiale, en tant qu'officier. … de l'entre-deux-guerres, il cherche à moderniser l'armée française. …, en 1940, il part en mission à Londres pour le compte du gouvernement français. Il lance … son fameux appel du 18 juin, où il demande à ses compatriotes de résister à l'ennemi allemand. Il devient … le chef de la France libre. …, il s'engagera dans une carrière politique, et sera élu président de la République française.

J'écris

8 ★★ Choisis un personnage historique que tu admires pour ses actions et écris sa biographie.

Inspire-toi du Cherchons et des exercices de cette leçon pour écrire cette biographie.

▶ Après avoir recherché des informations sur ton personnage, retrace les grandes étapes de sa vie.

▶ Utilise des mots donnant des repères temporels pour ordonner ton récit (*d'abord, ensuite, puis, alors, enfin…*)

▶ Tu peux sélectionner un moment marquant et en parler plus en détail en présentant l'évènement, les lieux, les personnages.

9 ★★★ Invente la biographie de Marie Curie à partir de cette photographie. Cherche ensuite la vraie biographie de Marie Curie dans un dictionnaire et compare-la à ton texte.

Raconter un voyage

Cherchons

Partie de Southampton (Angleterre), la famille du héros, a entrepris un tour du monde à bord d'un voilier, la Peggy Sue.

Pendant que nous étions à Rio, nous avons nettoyé la *Peggy Sue* de fond en comble. Elle commençait à avoir l'air miteux, mais à présent elle a repris belle allure. Nous avons acheté un tas de provisions et de l'eau pour la longue traversée qui nous attend jusqu'en Afrique du Sud. Maman dit que tout va bien tant que nous gardons le cap au sud et que nous restons dans le courant ouest-est de l'Atlantique Sud.

Il y a quelques jours, nous sommes passés au sud d'une île nommée Sainte-Hélène. Pas besoin de nous y arrêter. Il n'y a pas grand-chose sur cette île, c'est simplement l'endroit où Napoléon a été exilé et où il est mort…

Michaël Morpurgo, *Le Royaume de Kensuké,*
© Éditions Gallimard Jeunesse.

- **Relevez tous les noms de lieux par où est passé le voilier. Tracez un itinéraire sur une carte.**
- **Quelles ont été les activités des voyageurs au cours de leur escale à Rio ?**
- **Quelle est l'anecdote citée par le narrateur à propos de l'ile de Sainte-Hélène ?**
- **Imaginez les animaux marins que les personnages ont rencontrés au cours de leur périple.**
- **À votre avis, quels genres d'intempéries ont-ils eu à affronter ?**

Connaitre des mots pour décrire un paysage

1 ⋆ **Associe chaque nom à l'adjectif qui peut le caractériser.**

a. une mer
b. une forêt
c. une ile
d. une montagne
e. une ville

1. luxuriante
2. déserte
3. démontée
4. animée
5. escarpée

2 ⋆⋆ **Complète ces phrases avec les mots proposés.**

gratte-ciels • avenues • quartier • périphérie • pavillonnaires • urbain • esplanade

a. Les abribus, les réverbères et les panneaux publicitaires font partie du mobilier … .
b. En banlieue, on trouve souvent des zones … .
c. Montmartre est un … de Paris.
d. Les premiers … ont été construits à Chicago.
e. Une … est une grande place sur laquelle les promeneurs aiment flâner.
f. À la fin du XIXᵉ siècle, les urbanistes font percer de grandes … pour faciliter la circulation dans les villes.

3 ⋆⋆ **Classe les mots de la liste ci-dessous selon qu'ils appartiennent au domaine de la campagne, du désert, de la mer, de la montagne.**

Certains mots peuvent appartenir à deux domaines.

forêt • crête • oasis • pré • inhabité • dune • chaine • agricole • aiguille • gorge • ruisseau • aride • houle • tempête • stérile • volcanique • limpide • brulant • marée • rural

Distinguer les différents moyens de transport

4 ✲✲ **Classe ces mots dans le tableau.**

cargo • tramway • long-courrier • péniche • tandem • autorail • scooter • pirogue • planeur • express • 4X4 • paquebot • jet • ferry • TGV • autocar

transport aérien	transport maritime	transport routier	transport ferroviaire

Connaître des mots pour raconter un voyage

5 ✲ **Complète ce texte avec ces mots.**

spécialité • capitale • local • typiquement • culture • tradition

J'ai rencontré Jan à Bergen, l'ancienne … du royaume de Norvège. Il m'a invité à faire une partie de bandy, un sport … . C'est un genre de hockey sur glace où le palet est remplacé par un ballon. Puis, nous sommes allés chez lui. Comme la nuit tombait, il a aidé sa maman à allumer des bougies partout dans la maison ; au-dessus de la porte d'entrée, la lampe reste presque toujours allumée. C'est une … ! Sa maman nous avait préparé une …, le farikäl, c'est de l'agneau au chou.

Il m'a joué ensuite un morceau de trompette, car dans la … norvégienne, la musique tient une place importante. Avant de dormir, son grand-père nous a raconté des contes … norvégiens dans lesquels on croise beaucoup de trolls.

6 ✲✲ **Classe les propositions de chacune de ces notices touristiques dans le tableau.**

Certaines propositions peuvent aller dans deux colonnes.

Au Vietnam, tu vas adorer : pédaler dans la campagne • déjeuner chez des gens • la cité interdite de Huê • dormir sur un bateau • les buffles dans les rizières

Au Pérou, tu vas adorer : manger du poisson cru • monter à cheval • les grandes cités incas • rencontrer de jeunes Indiens • les hautes terres des Andes

Au Sri Lanka, tu vas adorer : dormir sous la tente • les temples • faire voler des cerfs-volants avec des copains sri-lankais • la mer transparente • manger un yaourt de bufflonne

découverte de paysages	visites culturelles	hébergement

gastronomie	loisirs sportifs	rencontres

J'écris

7 ✲ **Choisis une des notices touristiques de l'exercice 6 et écris un petit texte, en évoquant toutes les activités proposées, comme si c'était toi qui avais fait le voyage.**

▶ Enrichis ton texte en précisant les émotions que tu as ressenties.

8 ✲✲ **Raconte le voyage de tes rêves, comme si tu l'avais fait réellement.**

▶ Recherche d'abord des informations sur le pays, sa situation géographique, les paysages, la faune, les monuments, la gastronomie, les activités qu'on y pratique.

Aide-toi du vocabulaire rencontré dans les exercices.

▶ Raconte ton voyage, tes occupations, tes émotions, tes découvertes, tes rencontres.

▶ Écris ton texte au passé (passé composé, imparfait) et utilise des indicateurs de temps *(d'abord, puis, ensuite, cependant, enfin)* pour organiser ton récit.

Définir les droits et les devoirs du citoyen

Cherchons

Les droits du citoyen français

En France, comme dans de nombreux pays démocratiques, le citoyen a des droits garantis par la loi. Les deux principes fondamentaux en sont la liberté et l'égalité : liberté d'opinion, d'expression, de réunion, de circulation, liberté religieuse, droit à l'éducation, égalité homme/femme, égalité devant la loi, quels que soient l'âge, le sexe, l'origine, les idées, les croyances, le niveau de richesse...

Les devoirs du citoyen français

En contrepartie, le citoyen a des devoirs qu'il doit respecter sous peine d'être sanctionné : il doit respecter les lois et la liberté des autres, porter assistance à personne en danger, payer ses impôts... Les parents ont un devoir d'éducation envers leurs enfants. Chaque citoyen doit respecter les droits des autres qui sont aussi les siens.

- **Citez les principaux droits fondamentaux du citoyen français.**
- **Citez les principaux devoirs du citoyen français.**
- **À votre avis, que signifie « être citoyen » ?**

Connaitre et utiliser le vocabulaire du citoyen

1 * **Reconstitue les familles des mots** *liberté, égalité, fraternité.*

libre • égal • fraternel • égalitaire • inégal • fraternellement • librement • également • libérer • égaler • libération • frère • fraterniser • inégalité • fraternisation • libérateur • égaliser

2 ** **Complète les phrases avec ces mots de la famille d'***élire* (en latin *legere*).

élections • électeurs • éligible • élu • électorales • électrices

a. Pour voter, il faut s'inscrire sur les listes … .

b. Pour qui as-tu voté lors des … présidentielles ?

c. Les … et les … doivent être français et avoir 18 ans.

d. Celui qui obtient le plus de voix est … .

e. Pour être …, il faut être majeur, de nationalité française et avoir un casier judiciaire vierge.

3 ** **Choisis le mot de la famille de** *loi* **qui convient (en latin** *lex*).

a. On vote pour les députés aux élections (*légistes* • *législatives*).

b. Le médecin (*légal* • *légiste*) examine les corps dans les affaires criminelles.

c. Quand on se défend lors d'une agression, on est en état de (*législative* • *légitime*) défense.

d. Il a acquis cet argent de manière tout à fait (*légale* • *illégale*), conformément à la loi.

e. Voler est (*légal* • *illégal*).

4 ✶✶ **Réponds aux devinettes à l'aide des mots suivants :**

un juré • la justice • une erreur judiciaire • un juge • un jugement

a. C'est un magistrat qui rend la justice en appliquant les lois.

b. C'est une personne désignée pour participer à un jury d'assises au tribunal.

c. Principe selon lequel il faut respecter les droits de chacun.

d. Décision prise lors d'un procès.

e. On en est victime lorsqu'on est condamné et qu'on est innocent.

5 ✶✶✶ **Complète ces phrases avec les mots issus du nom latin *civitas* qui veut dire *cité*. Un mot est utilisé plusieurs fois.**

Accorde le mot quand c'est nécessaire.

Cité • citoyen • citoyenneté • civil • civilisation • civique

a. L'instruction … est une matière qui prépare les élèves à devenir de bons … .

b. C'est sur l'île de la …, à Paris, que fut fondée la ville de Lutèce.

c. Les … grecque et romaine ont laissé de nombreuses traces en Europe.

d. Le principe de … a été instauré par la Révolution française. Les Français ne sont plus de simples sujets du roi mais des … .

e. Une guerre … est une guerre qui oppose les … d'un même pays.

6 ✶ **Complète chaque phrase avec un des verbes suivants.**

aider • secourir • participer • collaborer • dépanner

a. Des représentants de chaque classe de l'école vont … au conseil des enfants.

b. Cette association a pour but d'… les personnes âgées dans leur quotidien.

c. Les pompiers ont pour mission d'éteindre le feu et de… les personnes lors d'un incendie.

d. Un automobiliste est venu nous … sur la route et nous avons pu repartir.

e. Ces différentes associations humanitaires vont … à des projets de construction d'écoles, d'hôpitaux et de puits en Afrique.

7 ✶✶ **Recopie chaque affirmation avec l'adjectif qualificatif qui convient.**

a. Une personne qui en aide une autre sans se faire payer est *(bénévole, bénéficiaire, bernée)*.

b. Une action destinée à aider les autres est une action *(humaine, humoriste, humanitaire)*.

c. Quelqu'un qui offre son aide spontanément sans y être obligé est *(prioritaire, volontaire, unitaire)*.

d. Quand les gens s'entraident, ils sont *(solitaires, solidaires, solides)*.

J'écris

8 ✶ **Rédige le règlement de ta classe.**

▶ Dans un tableau, écris les droits de chaque élève dans la colonne de gauche et leurs devoirs dans la colonne de droite.

▶ Utilise l'infinitif des verbes à la forme affirmative ou négative.

mes droits	*mes devoirs*
Poser des questions à la maitresse quand je ne comprends pas.	*Lever la main pour prendre la parole. Ne pas bavarder.*

9 ✶✶ **Écris un projet de loi visant à améliorer le sort des enfants dans le monde.**

▶ Expose en une phrase le problème que tu veux combattre.

J'aimerais que les enfants puissent manger à leur faim partout dans le monde.

▶ Écris ensuite tous les moyens qu'un État peut mettre en œuvre pour combattre le problème.

La France peut envoyer des aliments par avion…

Écrire un dialogue de théâtre

Harpagon est un homme vieux, jaloux, avare et égoïste.
Il a toujours peur qu'on lui vole son argent.
Il accuse sans cesse son valet nommé La Flèche.

HARPAGON : Hors d'ici tout à l'heure et qu'on ne réplique pas. Allons, que l'on détale de chez moi, maître juré filou, vrai gibier de potence.

LA FLÈCHE : Je n'ai rien vu de si méchant que ce maudit vieillard et je pense, sauf correction, qu'il a le diable au corps.

HARPAGON : Tu murmures entre tes dents.

LA FLÈCHE : Pourquoi me chassez-vous ?

HARPAGON : C'est bien toi, pendard, à me demander des raisons ; sors vite que je ne t'assomme.

LA FLÈCHE : Qu'est-ce que je vous ai fait ?

HARPAGON : Tu m'as fait que je veux que tu sortes.

Molière, *L'Avare*, Acte 1, scène 3.

Mise en scène de C. Hiegel avec P. Louis-Calixte (La Flèche) et D. Podalydes (Harpagon), Comédie-Française, Paris, 2009.

- Cette scène vous parait-elle comique ou dramatique ?
- Quelles sont les parties du texte qui ne doivent pas être prononcées ? Quelle est la réplique qui doit être prononcée à voix basse ?
- Imaginez ce que pourrait répondre La Flèche à Harpagon.

Définir les intentions et les émotions des personnages

1 * Associe chaque personnage à la réplique qu'il pourrait dire.

a. Qu'on lui coupe la tête !

b. Ces beaux yeux me font mourir d'amour.

c. Je suis à votre service.

d. Mmmm ! Quelle proie facile !

e. Et moi, je le veux…

....

1. le maitre
2. le domestique
3. le juge
4. l'amoureux
5. le voleur

2 ** Complète les répliques en ajoutant entre parenthèses les émotions suivantes.

joyeux · mécontent · soucieux · épouvanté · méprisant · désolé

a. **LE PETIT GARÇON** (…) : Je ne l'ai pas fait exprès.

b. **LE VILLAGEOIS** (…) : Un dragon ! Comment pourrons-nous nous défendre contre ce fléau !

c. **LE MÉDECIN** (…) : Vous ne souffrez que d'une bien modeste acrocyanose vasculaire sans conséquence !

d. **LE PÈRE DE FAMILLE** (…) : Que deviendront mes enfants si l'on m'enrôle de force dans ce régiment?

e. **LE MARCHAND DE CHARBON** (…) : Des taxes ! Toujours des taxes ! Nous finirons sur la paille, ma parole !

f. **LE MENDIANT** (…) : La vie est belle quand on n'a pas le souci de sa maison !

Connaitre le vocabulaire du théâtre

3 ** **Réponds aux devinettes avec les mots suivants.**

une comédie • une tragédie • un sketch • un aparté • un monologue • un acte

a. C'est une courte scène, en général comique.
b. Scène à un personnage qui parle seul.
c. Pièce de théâtre de divertissement.
d. Parole que l'acteur dit à part et que seul le spectateur est censé entendre.
e. Pièce de théâtre très triste.
f. Partie d'une pièce de théâtre.

4 ** **Lis cet extrait de pièce de théâtre et réponds aux questions.**

LE PÈRE FANTÔME, *d'une voix sépulcrale* : Midi !
LA MÈRE FANTÔME, *lugubre* : Midi, c'est terrible !
LE PÈRE FANTÔME : Calme-toi, le jour ne va pas tarder à tomber…
LA MÈRE FANTÔME : Oh, c'est effroyable ces journées sans sommeil.
LE PÈRE FANTÔME : Ce n'est rien, c'est de l'insomnie…
À ce moment on entend un bruit (un âne qui brait ou un oiseau qui chante).
LE BÉBÉ FANTÔME, *se réveillant en sursaut* : Papa, j'ai peur !

Jacques Prévert, « Fantômes » (extrait), recueilli dans « Théâtre », in *Œuvres complètes*, tome II, © Éditions Gallimard.

a. Combien y a-t-il ici de personnages ?
b. Relève les didascalies (indications en italique pour les interprètes et qu'on ne doit pas prononcer).

Connaitre du vocabulaire pour écrire un dialogue de théâtre

5 ** **Ajoute à chaque série un des mots de la liste suivante.**

réclamer • gémir • supplier • s'indigner • exposer • chuchoter

a. soupirer • geindre • se plaindre • pleurnicher • se lamenter
b. raconter • relater • dire • rapporter • déclarer
c. susurrer • murmurer • marmonner • bredouiller • balbutier
d. exiger • ordonner • affirmer • sommer • commander
e. s'écrier • tempêter • hurler • s'emporter • vociférer
f. implorer • quémander • demander • prier • solliciter

6 *** **Lis cet extrait de dialogue et réponds aux questions.**

Alors que Petit-Gervais joue aux osselets avec des pièces de monnaie, l'une d'elles tombe à terre et roule vers un homme, Jean Valjean, qui pose le pied dessus.
– Monsieur, dit le petit Savoyard, ma pièce ?
– Comment t'appelles-tu ? dit Jean Valjean.
– Petit-Gervais, monsieur.
– Va-t'en, dit Jean Valjean.
– Monsieur, reprit l'enfant, rendez-moi ma pièce.

Victor Hugo, *Les Misérables*.

a. Combien de personnes dialoguent dans cet extrait ?
b. Comment sait-on qu'on a changé de personnage ?
c. Relève les verbes indiquant qui parle. Où sont placés les sujets de ces verbes ?

J'écris

7 * **Deux personnages en attendent un troisième qui ne vient pas. Écris un court dialogue de théâtre mettant en scène ces deux personnages.**
▶ Avant chaque réplique, note le nom du personnage qui parle.

▶ N'oublie pas d'ajouter des didascalies (les émotions que les personnages doivent exprimer, les mouvements qu'ils doivent faire en parlant).
▶ Pour que ton texte soit expressif, utilise des phrases exclamatives, des onomatopées : *Que c'est long ! Pfff !…*

Ce que je dois savoir à la fin de mon CM2

Reconnaitre des mots de la même famille

Les mots de la même famille ont une partie commune : le radical.

coiff er

coiff eur

coiff ure

dé **coiff** er

Sens commun

Distinguer les préfixes et les suffixes

Les préfixes
Ils se placent **avant** le radical.

Ils peuvent indiquer le **contraire**.
complet → *incomplet*

Ils peuvent indiquer la **répétition**.
faire → *refaire*

Les suffixes
Ils se placent **après** le radical.

Ils modifient la **classe grammaticale** du mot.
utile → *utilité*, *utiliser*
adjectif   nom   verbe

Ils modifient le **sens**.
tour → *tourelle*

Reconnaitre un nom générique

Un nom générique désigne une catégorie d'objets, d'êtres ou de personnes.

un commerçant

une enseignante

métiers

un médecin

une informaticienne

Distinguer les synonymes et les contraires

Les synonymes → mots de même **classe grammaticale** et de **sens voisin**

une _odeur_ → un _parfum_
nom · nom

enlever → _supprimer_
verbe · verbe

Les contraires → mots de même **classe grammaticale** et de **sens opposé**

entrer → _sortir_
verbe · verbe

heureux → _malheureux_
adjectif · adjectif

Distinguer le sens propre et le sens figuré

Sens propre
=
sens concret, habituel

↓

Pauline **plonge** dans la piscine.

Sens figuré
=
sens imagé

↓

Pauline **plonge** dans son roman.

Distinguer les niveaux de langage

Langage familier
surtout utilisé à l'oral

↓

T'as vu l'heure ?

Langage courant
utilisé dans la vie de tous les jours

↓

As-tu vu l'heure ?

Langage soutenu
surtout utilisé à l'écrit

↓

Avez-vous remarqué l'heure qu'il est ?

Ateliers d'expression orale

S'exprimer ensemble

● **Choisissez la sortie que vous souhaitez raconter.**

● **Notez au brouillon les éléments importants de cette sortie.**

→ Avez-vous fait une visite guidée (musée, château) ? Était-ce une sortie sportive ? Avez-vous fait un piquenique ?

→ Y a-t-il des anecdotes à raconter (beau ou mauvais temps, partage du piquenique…) ?

→ Qu'en avez-vous pensé ? Vous êtes-vous amusés ? ennuyés ? Qu'avez-vous appris ?

● **Organisez votre prise de parole.**

→ Exposez d'abord le lieu et le but de cette sortie.

→ Expliquez ensuite le déroulement de la journée en utilisant des compléments circonstanciels de temps (*le matin, à l'heure du déjeuner, en fin d'après-midi…*) ou des adverbes (*d'abord, ensuite, puis, alors, enfin…*).

→ Décrivez le lieu.

→ Utilisez les temps du passé (passé composé, imparfait).

→ Donnez votre avis en utilisant des expressions comme *À mon avis…* ; *Je pense…* ; *Il me semble…* ; *Selon moi…* ; *De mon point de vue…*

→ Parlez fort à vos camarades en articulant bien.

Comment raconter à l'oral ?

● Pour raconter à l'oral, note au brouillon tous les éléments importants, en les classant par ordre chronologique.

● Pense à décrire un personnage ou un lieu, s'il est important.

● Raconte quelques anecdotes pour captiver ton public.

● Donne ton avis personnel.

● Utilise le passé composé, l'imparfait, mais aussi le présent pour rendre ton récit plus vivant.

● Tiens-toi droit(e), parle fort et articule bien pour que tout le monde t'entende et comprenne ton récit.

Activité 1 En groupe

Raconter un roman

- Formez trois groupes.
- Chaque groupe choisit une couverture parmi celles proposées. En s'aidant des conseils proposés dans l'encadré, chacun imagine ce que raconte le roman même s'il ne l'a pas lu.
- Chaque groupe, à tour de rôle, raconte au reste de la classe le roman tel qu'il l'imagine.

Activité 2 Individuel

Raconter un évènement

Tu as été témoin ou tu as participé à un évènement marquant qui s'est passé à l'école (un jour de rentrée, un incident ou une « bêtise », l'arrivée d'un nouveau camarade…). Raconte cet évènement à tes camarades en t'aidant des conseils proposés dans l'encadré bleu, p. 194.

Boite à mots

→ **Pour organiser ton discours** :
D'abord… ; Ensuite… ; Puis, …. ; Alors… ; Enfin …

Activité 3 Individuel

Raconter sa future rentrée en sixième

Imagine ta rentrée en sixième. Raconte ces premières heures au collège comme si tu les avais vécues, en t'aidant des conseils proposés dans l'encadré bleu, p. 194.

Attention, au collège l'organisation change ; renseigne-toi pour que ton discours soit réaliste : tu vas avoir plusieurs professeurs (un pour le français, un pour les mathématiques, etc.), tu vas avoir un emploi du temps, un professeur principal, etc.

Activité 4 Individuel

Raconter un film

Choisis l'une de ces affiches, puis raconte au reste de la classe le film tel que tu l'imagines même si tu ne l'as pas vu.

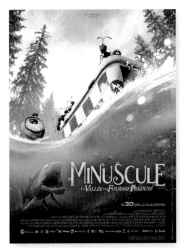

S'exprimer ensemble

Joan Miró, *Portrait d'une jeune fille* (1919). Huile sur carton, fondation Joan Miró, Barcelone (Espagne).

Johannes Vermeer, *La Jeune Fille à la perle* (XVIIᵉ s.). Huile sur toile, Mauritshuis, La Haye, Pays-Bas.

- **Choisissez un portrait par groupe.**
- **Pour chacun de ces portraits peints, relevez au brouillon le plus d'informations possible.**
→ Les caractéristiques générales du modèle (âge, sexe, époque…), les traits du visage (forme, taille, couleurs), la position (de dos, de face, de profil, de trois-quarts…), les sentiments exprimés.
- **Organisez votre prise de parole.**
→ Au présent, présentez d'abord le modèle de façon générale, puis parlez successivement de son visage, de sa coiffure, de ses vêtements, enfin de ses expressions.
→ Choisissez des mots précis, utilisez des adjectifs qualificatifs et des déterminants possessifs : *Sa robe est bleue…* . Faites des phrases courtes.
- **Présentez votre description aux autres groupes en parlant fort et en articulant.**

Comment décrire à l'oral ?

- Pour faire un portrait, décrire un paysage…, observe d'abord attentivement le modèle.

- Note ensuite au brouillon toutes les informations recueillies (formes, couleurs…).

- Prends la parole au présent de vérité générale, fais des phrases courtes.

- Utilise des adjectifs qualificatifs précis.

- Articule, parle fort et lentement.

Activité 1

À deux

Décrire un ou une camarade

● Choisissez un ou une camarade de votre classe, observez-le (la) bien (et discrètement).

● Décrivez-le (la) à la classe sans le ou la nommer en vous aidant des conseils proposés dans l'encadré bleu, p. 196. Vos camarades doivent trouver qui vous avez décrit.

Commencez par une description générale (l'allure, la silhouette, l'habillement) pour aller vers une description plus détaillée (les parties du visage).

Boite à mots

→ **Pour parler de l'expression du visage** : *souriant, grave, sévère, soucieux, avenant…*

Activité 2

En classe entière

Décrire un personnage célèbre

● Choisis, dans ton manuel d'histoire, un portrait d'un personnage célèbre (un président de la République…) sans dire à quelle page tu l'as trouvé.

● Décris-le à tes camarades sans le nommer. Tes camarades doivent retrouver qui tu as décrit dans le manuel.

Activité 3

Individuel

Décrire un paysage

Décris ce paysage de la façon la plus précise possible en utilisant un vocabulaire géographique adapté.

Boite à mots

→ **Pour décrire le paysage** : *j'aperçois, j'observe, je distingue, je situe, je vois…*

Falaises d'Étretat (Seine-Maritime), France.

Activité 5

En classe entière

Décrire une carte postale

Choisis une carte postale parmi celles proposées et décris-la à tes camarades, sans la leur montrer. Ils doivent retrouver la carte que tu as décrite.

Boite à mots

→ **Pour décrire le paysage** : *premier plan, second plan, arrière plan, lumière, distance, point de vue…*

S'exprimer ensemble

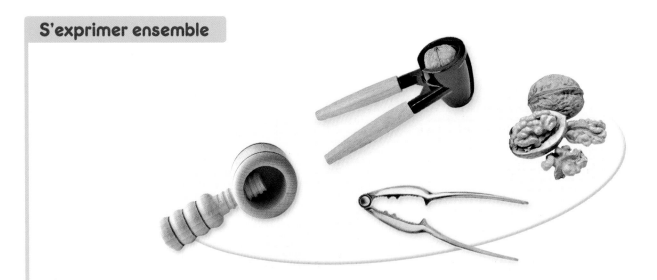

● **Formez des groupes et choisissez un modèle de casse-noix par groupe.**

● **Notez au brouillon les informations qui vous seront nécessaires pour présenter et expliquer le fonctionnement de cet objet.**

→ À quoi sert-il ? Comment fonctionne-t-il ? Essayez de deviner ses défauts et qualités : *il est très maniable/il est trop lourd ; il est petit et se range facilement/ il prend de la place ; il ne faut pas beaucoup de force/il faut beaucoup de force…*

● **Organisez votre prise de parole.**

→ Au présent, présentez d'abord l'objet et son utilité, ensuite son fonctionnement (*j'appuie sur…, je tourne à droite…, je frappe sur…*) et enfin ses qualités et défauts (*c'est un objet pratique grâce à… ; cet objet n'est pas pratique à cause de…*).

→ Utilisez des adjectifs qualificatifs précis, des prépositions (*avec, autour, sous, sur…*) et des adverbes (*dessus, dessous, à gauche, à droite…*).

● **Présentez votre objet aux autres groupes en parlant fort et en articulant.**

Comment expliquer à l'oral ?

● Pour expliquer un fonctionnement d'objet ou une route à prendre, représente-toi ou observe attentivement l'objet ou le chemin.

● Note au brouillon les informations en étant le plus précis possible, soit sur la manipulation de l'objet, soit sur la description du trajet.

● Utilise le présent de vérité générale.

● Parle fort et articule bien pour que ton explication soit la plus claire possible.

● Pour capter l'attention de ton public, pense à compléter ton explication orale par une manipulation de l'objet.

Activité 1 — *À deux*

Expliquer le fonctionnement d'un objet du quotidien

● Chacun choisit un des trois objets proposés (évitez de choisir le même !), puis explique à l'autre le fonctionnement de l'objet en s'aidant des conseils proposés dans l'encadré bleu, p. 198.

a. L'épluche-légumes

b. Le fouet à pâtisserie

c. L'essoreuse à salade

Boite à mots

→ **Pour parler des objets et préciser leurs avantages** : *ustensile de cuisine en métal, en plastique… ; maniable, pratique, usuel, quotidien…*

Activité 2 — *En classe entière*

Expliquer le fonctionnement d'un objet utilisé en classe

● Rassemblez plusieurs objets utilisés en classe (classeur, stylo à plume, taille-crayon, ardoise…).

● Un élève est tiré au sort. Celui-ci choisit un objet sans le nommer et explique son fonctionnement au reste de la classe.

● Les élèves doivent retrouver l'objet parmi ceux qui sont présentés.

Boite à mots

→ **Pour parler des objets et préciser leur utilité** : *objet en plastique, en métal, en bois, pointu… ; objet qui s'utilise avec des craies, de l'encre… ; objet où on observe des anneaux, une lame, un bouchon…*

Activité 3 — *Individuel*

Expliquer le chemin à suivre pour trouver un trésor

● Explique à tes camarades le chemin qu'il faut suivre jusqu'au trésor.

Boite à mots

→ **Pour préciser le chemin à suivre** : *à gauche, à droite, en haut, en bas, au milieu, au centre, à côté, entre… ; tourner, contourner, franchir, passer, éviter…*

Activité 4 — *Individuel*

Expliquer le chemin pour se rendre de l'école à son domicile

À l'aide d'un plan de ta commune ou de ton arrondissement, explique à tes camarades comment se rendre de ton école à ton domicile.

S'exprimer ensemble

● **Réfléchissez à la personne que vous allez questionner et notez au brouillon toutes les questions que vous souhaitez lui poser.**

→ Commencez par poser des questions générales pour entrer ensuite dans le détail : *Qui est cette personne ? Quel est son nom ? Quel est son âge ? Quel est son travail ? Sur quels thèmes avez-vous besoin de la questionner ? Pour quelles raisons ?*

● **Organisez votre prise de parole.**

→ Si vous questionnez un adulte :

– utilisez le vouvoiement ; posez vos questions en langage soutenu ; utilisez des mots interrogatifs (*Comment, Pourquoi…*).

→ Si vous questionnez un autre enfant :

– utilisez le tutoiement ; posez vos questions en langage courant ; utilisez le présent de l'indicatif (*Penses-tu que…*). Pour certaines questions, pensez à employer le présent du conditionnel (*Pourrais-tu…*).

→ Posez vos questions calmement, articulez, souriez car cela met en confiance ! N'oubliez pas les formules de politesse : *Bonjour madame (ou monsieur)… ; merci ; s'il vous plait…*

Comment questionner à l'oral ?

● Pour questionner quelqu'un, mener une interview, note au brouillon toutes les questions qui te semblent indispensables en les classant de la plus générale à la plus précise.

● Utilise un langage soutenu si tu parles à un adulte, un langage courant si tu t'adresses à un autre enfant.

● Utilise des formules de politesse.

● Parle fort, lentement, en articulant : on doit te comprendre parfaitement.

Activité 1   À deux

Corriger des questions mal formulées

● Répartissez-vous les listes de questions « incorrectes ». Un élève prend la liste **a** et l'autre prend la liste **b**. L'un pose les questions « incorrectes » et l'autre les traduit le plus vite possible en langage correct. À vous de jouer !

a. Tu fais quoi ? Tu vas où ? Vous regardez quoi ? Le prof fait comment ? Tes parents partent quand ? La directrice a puni qui ?

b. C'est quand qu'on sort ? C'est qui qui joue ? Comment qu'on fait ? Où c'est qu'il est ? Pourquoi qu'tu pleures ? Qui c'est qui décide ?

Activité 2   Individuel

Poser des questions en langage correct

● Ce petit garçon ne sait ni demander correctement ni utiliser les formules de politesse. Entraine-toi à poser des questions à un adulte en utilisant un langage correct.

N'oublie pas les formules de politesse !

Activité 3   Individuel

Mener une interview pour le journal de l'école

● Pour le journal de l'école, tu dois interroger : le directeur ou la directrice, un ou une professeur des écoles, le gardien ou la gardienne d'école, etc.

● Prépare ton interview en t'aidant des conseils proposés dans l'encadré bleu, p. 200.

Activité 5   Individuel

Interviewer un ou une scientifique

Tu vas rencontrer un ou une scientifique spécialiste des dinosaures, des fossiles, des oiseaux, d'astronomie… (ou choisis tout autre domaine qui t'intéresse).

Prépare ton interview réelle ou imaginaire en t'aidant des conseils proposés dans l'encadré bleu, p. 200.

Activité 4   À deux

Mener un interrogatoire

● Tu es policier (ou policière) et tu dois interroger un suspect (ou une suspecte).

● Imagine d'abord la situation, puis prépare les questions que tu dois lui poser.

● Tu peux ensuite poser tes questions à un(e) camarade qui jouera le rôle du (de la) suspect(e) !

Boite à mots

➔ **Pour poser des questions précises :**
Qui… ? Que… ? Quand… ? Où… ? Comment… ? Avec qui… ? Depuis quand … ? Pourquoi … ?

Expression orale • Argumenter

S'exprimer ensemble

● **Définissez le sujet du débat qui vous permettra d'argumenter.**
Comment peut-on mieux prendre soin de notre planète ?...

● **Notez au brouillon tout ce que vous savez sur le sujet.**
Les dangers que court la planète : réchauffement climatique, pollution, sécheresse et famine...

● **Complétez votre préparation en cherchant dans des magazines ou des livres documentaires ce que l'on dit sur le sujet.**
Les conduites à tenir pour préserver la planète : tri des déchets, économies d'énergie, conduites responsables...

● **Organisez vos arguments.**
→ Faites un tableau : dans une colonne, notez les problèmes de la planète ; dans la deuxième, notez tout ce que vous pouvez faire à votre échelle pour améliorer la situation.

● **Organisez votre prise de parole.**
→ Lorsque vous prenez la parole pour exposer votre point de vue, formulez votre avis de manière nuancée (*je pense que, je propose, je suis d'avis, je crois...*). N'oubliez pas de bien écouter les autres participants.
→ Pour exprimer votre désaccord avec ce qui vient d'être dit, utilisez des mots comme : *cependant, pourtant, en revanche, au contraire* ou des expressions comme : *je ne suis pas d'accord, je m'oppose...*
→ Parlez calmement, regardez tour à tour tous vos camarades comme si vous vous adressiez à chacun d'eux. Cela permet de créer un climat d'écoute réciproque.

Comment argumenter à l'oral ?

● Pour argumenter, débattre, exposer son point de vue, défendre une opinion, écoute les autres participants sans leur couper la parole. Écouter les autres te permettra de nuancer ton opinion.

● Prends la parole au bon moment pour exprimer et défendre ton opinion de manière calme et posée.

● Utilise des verbes d'opinion (*je pense, je ne suis pas d'accord, j'admets...*) qui te permettront de préciser et d'affirmer ton avis avec conviction.

● Parle fort, regarde ton auditoire, sois enthousiaste ou montre ton émotion.

Activité 1
En classe entière

Proposer des arguments en faveur d'un thème donné

● Proposez des actions qui permettent d'améliorer la vie de l'école. Celles-ci pourront être débattues lors d'un conseil des enfants ou devant le directeur.

Boite à mots

→ **Pour parler des actions qui améliorent la vie de l'école** : *améliorer, modifier, rénover, remédier, moderniser, renouveler, restaurer…*

Activité 2
Individuel

Argumenter pour obtenir quelque chose

● À la maison, argumente auprès de tes parents, pour obtenir un jouet, un animal domestique, etc.

Boite à mots

→ **Pour exprimer un souhait ou une volonté** : *j'aimerais, je souhaiterais, j'apprécierais, je préférerais, cela me permettrait, je voudrais…*

Activité 3
Individuel

Défendre une œuvre en exprimant ses sentiments

● Parmi une sélection d'œuvres concourant pour un prix (littéraire ou cinématographique), défends celle qui te parait mériter ce prix.

Note au brouillon tous les arguments en faveur de l'œuvre choisie. Puis, sélectionne ceux qui te permettront d'être le ou la plus convaincant(e).

Boite à mots

→ **Pour caractériser une œuvre** : *émouvant, passionnant, captivant, surprenant, bouleversant, palpitant, poignant, troublant…*

→ **Pour exprimer ses sentiments** : *j'ai apprécié, j'ai été sensible, j'ai été touché(e), j'ai été impressionné(e)…*

Activité 4
En classe entière

Défendre un texte de loi

● En classe entière, organisez un jeu de rôle : l'un d'entre vous joue le rôle d'un député qui vient défendre, auprès du parlement, un texte de loi relatif aux droits des enfants : *informer le consommateur de l'utilisation de la main d'œuvre infantile dans la fabrication des produits…*

© Assemblée Nationale, 2015

Boite à mots

→ **Pour parler des droits de l'enfant** : *protection, respect, dignité, liberté, solidarité, justice, éducation…*

Activité 5
Individuel

Défendre une personne

● Tu es un avocat (ou une avocate) et tu défends un (ou une) élève de la classe qui a commis une incivilité ou une bêtise.

Boite à mots

→ *accusé(e), faute, sanction, réparation, innocent(e), victime, injustice…*

Expression orale • Exposer

S'exprimer ensemble

• **Choisissez votre sujet par groupes de deux ou trois.**
Le système solaire, les métiers de l'avenir, les nouvelles technologies…

• **Regroupez des documents.**
→ Cherchez tous les documents qui vous permettront de construire votre exposé. Vous pouvez faire des recherches sur Internet ou vous rendre à la bibliothèque.
→ Regroupez les informations par thème du plus général au plus précis.

• **Organisez les informations sélectionnées.**
→ Organisez les informations choisies en répondant aux questions suivantes : *Quoi ? (le système solaire) ; Qui ? (Mercure, Mars…) ; Où ? ; Quand ? ; Comment ? ; Pourquoi ?*
→ Préparez aussi un panneau sur lequel vous pourrez montrer au fur et à mesure de l'exposé les images importantes.
→ Pour finir, préparez un petit quiz pour vérifier que vos camarades ont bien retenu ce que vous leur avez dit.

• **Organisez votre prise de parole.**
→ Commencez par présenter le titre et le plan de l'exposé en utilisant les adverbes : *D'abord… ; Ensuite… ; Enfin….*
→ Utilisez le présent de vérité générale.
→ Parlez fort, en articulant. Regardez votre public sans vous déconcentrer.

Comment exposer à l'oral ?

• Pour réaliser un exposé ou présenter un évènement de l'actualité, définis le thème de façon précise, cherche toutes les informations possibles sur le sujet en bibliothèque ou sur Internet en essayant de répondre aux questions : *Quoi ? ; Qui ? ; Où ? ; Quand ? ; Comment ? ; Pourquoi ?*

• Au brouillon, regroupe les informations par thème, du plus général au plus précis. Réécris toi-même les paragraphes, il ne doit y avoir que des mots que tu sais expliquer.

• Pour rendre plus dynamique ton exposé, prépare un panneau avec des documents (photographies, dessins, objets…) permettant d'illustrer ce que tu dis.

• Lorsque tu prends la parole, présente d'abord le titre et le plan de ton exposé. Pense à parler fort et distinctement. Ne lis pas trop tes notes et montre tes documents au bon moment.

Activité 1 Individuel

Faire un exposé sur les animaux

● Choisis une famille d'animaux (les félins, les équidés…) et prépare un exposé sur cette famille en présentant quelques espèces. Aide-toi de l'encadré bleu, p. 204.

Boite à mots

→ **Pour décrire le mode de vie de l'animal :** *l'alimentation, l'habitat, la gestation…*

Activité 2 À deux

Présenter une région de France ou un pays d'Europe

● Choisissez une région de France ou un pays d'Europe et préparez votre exposé en vous aidant des conseils proposés dans l'encadré bleu, p. 204.

Tu pourras compléter ton exposé en faisant gouter des spécialités gastronomiques de cette région ou de ce pays.

Activité 3 En groupe

Présenter un personnage célèbre

● Par petits groupes, choisissez un personnage célèbre de votre programme d'histoire et préparez votre exposé en utilisant les conseils proposés dans l'encadré bleu, p. 204.

Activité 4 Individuel

Présenter une information

● À l'aide de ces deux documents, complétés par tes propres recherches, présente, comme si tu étais journaliste, l'assassinat de l'archiduc François-Ferdinand en 1914. N'oublie pas d'évoquer les conséquences de cet assassinat.

S'exprimer ensemble

Le narrateur traverse la Provence à pied au début du XXᵉ siècle. Il parvient à un village en ruines à la recherche d'eau.

C'était un beau jour de juin avec grand soleil, mais sur ces terres sans abri et hautes dans le ciel, le vent soufflait avec une brutalité insupportable. Ses grondements dans les carcasses des maisons étaient ceux d'un fauve dérangé dans son repas. Il me fallut lever le camp. À cinq heures de marche de là, je n'avais toujours pas trouvé d'eau et rien ne pouvait me donner l'espoir d'en trouver. C'était partout la même sécheresse, les mêmes herbes ligneuses. Il me sembla apercevoir dans le lointain une petite silhouette noire, debout. Je la pris pour le tronc d'un arbre solitaire. À tout hasard, je me dirigeai vers elle. C'était un berger. Une trentaine de moutons couchés sur la terre brûlante se reposaient près de lui.

Jean Giono, *L'homme qui plantait des arbres*, © Éditions Gallimard.

Vincent Van Gogh, *Le Mas de Saint-Paul* (1889). Huile sur toile (73 x 92 cm), musée Kröller-Müller, Pays-Bas.

● **Lisez le texte une première fois silencieusement.**
→ Recopiez les mots que vous ne connaissez pas. Expliquez-les collectivement.
● **Posez-vous quelques questions qui vous aideront à comprendre le texte.**
Où cela se passe-t-il ? À quelle époque ? Comment vous parait la région traversée par le narrateur ? Que cherche-t-il ? Qui finit-il par rencontrer ?
● **Préparez la lecture à voix haute.**
→ *Seul(e)* : lis le texte en suivant la ponctuation. Respire aux virgules, baisse la voix et arrête-toi aux points. Les mots doivent rester par groupes de sens. Relis plusieurs fois les phrases sur lesquelles tu fais des erreurs. Mets-toi dans la peau du narrateur pour mettre le ton.
→ *À deux* : lis le texte à un autre camarade pour t'entrainer. Chacun pourra corriger les erreurs de l'autre.
● **Lisez le texte à voix haute.**
→ Parlez bien fort, lentement, en articulant et en mettant le ton. Vous devez faire ressentir toutes les émotions du texte à travers votre lecture.

Comment lire un texte à haute voix ?

● Pour lire ou dire un texte à haute voix, lis-le d'abord silencieusement plusieurs fois. Fais-toi expliquer les mots difficiles jusqu'à ce que le sens te soit totalement clair.

● Entraine-toi seul ou à deux pour mettre le ton, suivre la ponctuation jusqu'à ce que ta lecture soit fluide.

● Lis le texte devant tes camarades en parlant fort et en articulant.

Activité 1 *Individuel*

Réciter un poème

● Récite à voix haute un poème que tu as déjà appris en t'aidant des conseils proposés dans l'encadré bleu, p. 206.

Activité 2 *Individuel*

Lire un texte à voix haute

● Choisis un texte que tu as déjà lu ou travaillé en classe et que tu apprécies.

● Explique à quel moment se déroule l'extrait, puis entame ta lecture en t'aidant des conseils proposés dans l'encadré bleu, p. 206.

Activité 3 *À deux*

Jouer une scène de théâtre

● Lisez cette scène de théâtre attentivement. Préparez-la pour trouver le ton correct. Présentez ensuite votre scène aux autres camarades.

Mise en scène de Michel Alban avec Claude Mailhon et Patrice Ricci de la compagnie Triton Théâtre, Paris.

Monsieur A, *avec chaleur* : Oh ! Chère amie. Quelle chance de vous...

Madame B, *ravie* : Très heureuse, moi aussi. Très heureuse de... vraiment oui !

Monsieur A : Comment allez-vous, depuis que ?...

Madame B, *très naturelle* : Depuis que ? Eh ! bien ! J'ai continué, vous savez, j'ai continué à...

Monsieur A : Comme c'est !... Enfin, oui vraiment, je trouve que c'est...

Madame B, *modeste* : Oh, n'exagérons rien ! C'est seulement, c'est uniquement... je veux dire : ce n'est pas tellement, tellement...

Monsieur A, *intrigué, mais sceptique* : Pas tellement, pas tellement, vous croyez ?

Madame B, *restrictive* : Du moins je le... je, je, je... Enfin !...

Monsieur A, *avec admiration* : Oui, je comprends : vous êtes trop... vous avez trop de...

Madame B, *toujours modeste, mais flattée* : Mais non, mais non : plutôt pas assez...

Monsieur A, *réconfortant* : Taisez-vous donc ! Vous n'allez pas nous ... ?

Madame B, *riant franchement* : Non ! Non ! Je n'irai pas jusque-là !

Jean Tardieu, *Finissez vos phrases ou Une heureuse rencontre*, © Éditions Gallimard.

Activité 4 *En groupe*

Lire un texte à plusieurs

● Choisissez un chapitre de votre livre de lecture ou d'un roman que vous appréciez particulièrement.

● Attribuez-vous chacun un extrait de ce chapitre.

● Préparez chacun votre lecture en suivant les conseils proposés dans l'encadré. Lisez ensuite vos extraits à voix haute à votre maitresse (ou votre maitre).

Attention, la lecture doit être fluide, il ne faut pas percevoir le changement de lecteur !

Activité 5 *En groupe*

Dire une phrase avec une intonation particulière

● Chaque élève prononce la phrase : « Aujourd'hui, je vais prononcer une phrase avec une intonation particulière », en choisissant un ton parmi ceux proposés.

pensif • comique • interrogatif • craintif • timide • triste

Crédits iconographiques

p. 9 : fotolia ■ **p. 13** : fotolia ■ **p. 19** : Alexi Tauzin / fotolia ■ **p. 20** : Avancée de troupes romaines; détail : Germains aux torses nus. Moulage en plâtre de 1861, d'après l'original en marbre de la colonne Trajane au forum de Trajan à Rome © akg-images ■ **p. 22** : iStockphoto ■ **p. 28** : iStockphoto – **p. 29** : iStockphoto ■ **p. 30** : Jose Luis Pelaez Inc / Getty ■ **p. 37** : fotolia ■ **p. 45** : iStockphoto ■ **p. 46** : iStockphoto ■ **p. 47** : fotolia ■ **p. 54** : dglavinova / fotolia ■ **p. 58** : Amr Hassanein / fotolia ■ **p. 62** : OPIE ■ **p. 64** : Système planétaire héliocentrique de Copernic, 1510 (detail). Gravure sur cuivre, coloriée. In : Andreas Cellarius, Harmonia Macrocosmica, 1660 © akg-images / historic-maps ■ **p. 96** : shutterstock ; iStockphoto ; Barry Rosenthal / Getty ■ **p. 113** : oleghz / fotolia ■ **p. 116** : Roy 2 B VII f.78 Reaping corn harvest in August, from the Queen Mary Psalter, c.1310-20 (vellum), English School, (14th century) / British Library, London, UK / © British Library Board. All Rights Reserved / Bridgeman Images ■ **p. 118** : iStockphoto ■ **p. 119** : Alistair Berg / Getty ■ **p. 121** : fotolia ■ **p. 123** : Claudius Thiriet / Naturagency ■ **p. 124** : Phovoir-Images ■ **p. 126** : *Danse villageoise*, fin du XVIIIᵉ siècle, gravure, Selva/Leemage ■ **p. 128** : fotolia ■ **p. 130** : Jürg Carstensen / DPA / DPA/AFP ■ **p. 131** : Biosphoto / Sylvain Cordier ■ **p. 134** : Alejandro Ernesto/epa/Corbis ■ **p. 154** : shutterstock ■ **p. 157** : iStockphoto ■ **p. 158** : Otto Greule Jr/Getty Images ; fotolia ■ **p. 162** : Le Suffren, aérostat de 30 pieds, 3 pouces de diamètre, élevé à Nantes le 14 juin 1784, Estampe. Paris, musée Carnavalet © Musée Carnavalet / Roger-Viollet ■ **p. 170** : Tim Zurowski / Getty ■ **p. 173** : micromonkey / fotolia ■ **p. 174** : © 2016 Atlantyca SpA All rights reserved. ■ **p. 176** : Photo12/Oronoz ■ **p. 177** : RMN-Grand Palais (musée d'Orsay)/Hervé Lewandowski ■ **p. 178** : fotolia ; Julien Grondin/ Getty ■ **p. 180** : fotolia ; Webchantier ■ **p. 181** : Webchantier ; Dr ; Jason Isley - Scubazoo/Science Faction/Corbis ■ **p. 182** : Roger-Viollet ; Rue des Archives/CCI ; Bridgeman Images/ RDA ■ **p. 183** : Albert Harlingue / Roger-Viollet ■ **p. 184** : Greg Pease/Getty ■ **p. 185** : MATTES René / hemis.fr ■ **p. 186** : AFP PHOTO / REMY GABALDA ; digitalskillet / istockphoto ■ **p. 187** : Michael RIEHLE/LAIF-REA ■ **p. 188** : Victor Tonelli / Artcomart ■ **p. 192** : Collection Christophel, © MMXIII Futurikon Films / Entre Chien et Loup / Nozon / 2d3D Animations ; iStockphoto ; Elena Schweitzer / Getty ■ **p. 193** : Brunor ; Affiche Prix Livrentête reproduite avec l'aimable autorisation de l'association Union Nationale Culture et Bibliothèque Pour Tous ; fotolia ; Photo reproduite avec l'aimable autorisation de Michel Alban © Michelle Soubelet ■ **p. 194** : Arterra Picture Library / Alamy / Hemis ; RIEGER Bertrand / hemis.fr ■ **p. 195** : Le Livre de Poche Jeunesse ; COLLECTION CHRISTOPHEL © Universal Pictures ; Collection Christophel © MMXIII Futurikon Films / Entre Chien et Loup / Nozon Paris ; Collection Christophel © Gaumont / Radar Films / Epithete Films ■ **p. 196** : Iberfoto / Photoaisa / Roger-Viollet © Successió Miró / Adagp, Paris, 2016 ; Bridgeman Images ■ **p. 197** : Jean-Marie Marcel/ La Documentation française ; iStockphoto ; skynesher/iStockphoto ; BeholdingEye/iStockphoto ; Fodor90/iStockphoto ; Alexmar / fotolia ■ **p. 198** : Jiri Hera/fotolia ; Hellen Sergueyeva/fotolia ; Design56/fotolia ; M. Schuppich / fotolia ■ **p. 199** : BananaStock ; Bombaert/iStockphoto ; Haupt/Picture Press/StudioX ; Valérie Loiseleux/istockphoto ; Picsfive/ istockphoto ; Tagore75 / fotolia ; dyoma/ Istockphoto ; Elena Schweitzer / Getty ■ **p. 200** : Steve Debenport/ iStockphoto ■ **p. 201** : Brunor ; Accent Alaska.com / Alamy / Hemis ■ **p. 202** : Visuel reproduit avec l'aimable autorisation de la Main à la Pâte © David Wilgenbus ■ **p. 203** : aleksandr/ Fotolia ; Affiche reproduite avec l'aimable autorisation de l'association Union Nationale Culture et Bibliothèque Pour Tous ; Assemblée nationale-2015 ■ **p. 204** : NASA / Getty ■ **p. 205** : tiverylucky/fotolia ; samott/fotolia ; Lee /Leemage ; BNF ■ **p. 206** : DR ■ **p. 207** : Yellow Dog Productions / Getty ; Photo reproduite avec l'aimable autorisation de Michel Alban © Michelle Soubelet.

Illustrations

Claire Perret (pp. 6, 26, 27, 44, 55, 78, 79, 85, 97, 105, 109, 114, 117, 119, 122, 127, 137, 143, 153, 167) ■ Anne Hemstege (pp. 11, 15, 16, 17, 21, 24, 25, 31, 33, 35, 39, 42, 52, 56, 57, 67, 68, 69, 74, 77, 80, 81, 86, 88, 92, 93, 102, 103, 111, 112, 125, 129, 132, 133, 140, 145, 149, 155, 159, 164, 165, 168, 169, 171, 172, 173) ■ Marion Vandenbroucke (pp. 100, 151) ■ Maud Riemann (pp. 8, 12, 23, 34, 63, 70, 76, 82, 83, 106, 107, 108) ■ Stéphanie Rubini (pp. 10, 14, 30, 40, 41, 43, 53, 60, 63, 84, 90, 91, 98, 110, 138, 152, 166, 175, 201, 203)

Illustrations reprises des œuvres originales

p. 36 : Larry Keys, *Geronimo Stilton*, © Albin Michel Jeunesse ■ **p. 38** : Quentin Blake, *Matilda* © Éditions Gallimard, © Roald Dahl Nominee Ltd. ■ **p. 72** : Antoine de Saint-Exupéry, *Le Petit Prince* © Éditions Gallimard ■ **p. 142** : René Goscinny et Jean-Jacques Sempé, extrait de « Le défilé », *Les Récrés du Petit Nicolas*, IMAV éditions, 2013

Conception de couverture : François Supiot
Conception maquette intérieure : Isabelle Southgate
Mise en page : Linéale Production
Relecture : Marianne Stjepanovic-Pauly
Cartographie : Marie-Christine Liennard
Iconographie : Candice Renault
Responsable d'édition : Anne Samain
Édition : Virginie Cartou

Achevé d'imprimer en février 2016 par l'imprimerie Mohn Media en Allemagne
Dépôt légal : février 2016   – N° d'éditeur : 2016_0016